Türkiye Üzerinde Oynanan
En Kanlı Oyun

HALİFE

ROMANEVİ

ROMANEVİ
Halife

İsmail Ünver

Yayın Yönetmeni : Adem Özbay
Editör : Ahmet Demirhan
Kapak Tasarım : Gökhan Koç
İç Tasarım : Ayşe Sevinçgül

Baskı-Cilt: Kilim Matbaası
San. ve Tic. Ltd. Şti.
Maltepe Mah. Litros Yolu
Fatih San Sit. No: 12/204
Topkapı - İstanbul
Tel: 0212 612 95 59
Fax: 0212 613 09 83
1. Baskı: Mart 2008 İstanbul
ISBN: 978-9944-468-04-6

Kitap Yayıncılık A.Ş.
Tarlabaşı Cad. No: 10 Kat: 3
34437 Taksim-İstanbul
Tel: 0212 256 76 06
Fax: 0212 235 16 25
www.romanevi.com
roman@romanevi.com

Türkiye Üzerinde Oynanan
En Kanlı Oyun

HALİFE

İSMAİL ÜNVER

ROMANEVİ

İsmail Ünver

1956 yılında İstanbul'un en şirin iskele semtlerinden biri olan Kuzguncuk'ta doğdum. Tek başına büyütmeye çalıştığı beş çocuğuna tüm zorluklara karşın okuma alışkanlığı aşılamayı en güzel görev olarak kabul etmiş bir anneye sahip olma şansına eriştim.

Yaşamım boyunca insanları, yüzleri ve o yüzler ardında gizlenen öyküleri merak ettim ve gözlemledim. İlkokul çağlarında küçük piyesler ve öyküler yazmaya başladım. Yazmak ve okumak benim için hep bir tutkuydu.

Gerek çocukluk ve gençlik dönemlerimde, gerekse günümüzde ülkemizi ve toplumu etkileyen, yönlendiren siyasal, toplumsal ve kültürel dönüşümler içimdeki yazma ve dışa vurma arzusunu her zaman körükledi.

Görevim nedeniyle dünyanın çeşitli ülkelerinde bulundum. Yurt içi ve yurt dışı seyahatlerim sayesinde değişik insanlar tanıma, başka başka coğrafyaları ve o coğrafyaların kültürlerini öğrenme fırsatı buldum.

Çeşitli edebiyat dergilerinde öykülerim yayınlandı.

Her zaman, sıradan görünen insanların ardındaki hiç de sıradan olmayan öyküleri merak ettim.

Yayınlanan Kitaplarım:

Türklerin Uzaylılarla Randevusu (Ağustos-2005)

Anıtkabir Soygunu (Eylül-2005)

Turkeyland (Ekim-2005)

KurbanSa (Ocak-2006)

Köpek (Nisan 2006)

En Güzel Uyuyan Adam (Temmuz 2007)

İletişim: unver_ismail@yahoo.com

Tutuşmuş, alabildiğine yanıyordu. Hem de durmaksızın yanıyordu ama hiç tükenmiyordu. İnanılmaz bir hararetle, dev alevler fışkırtarak yanmasına, yakınına yaklaşılmasına olanak vermemesine rağmen yanı başındaki kuru otlar tutuşmamıştı ve tutuşmuyorlardı. O an korkudan öleceğini hissetti. Bu bildiği alışık olduğu bir korku değildi. Ne yapacağını bilemiyordu. Son çare olarak diz çöküp, yere kapaklandı.

Bacağı çok acıyordu. Ama dayanması gerekiyordu. Eğer saklandığı yatağın altından çıkarsa diğerleri gibi öldürüleceğini çok iyi biliyordu. Koca odada ayak sesleri, feryatlar, can vermekte olan akrabalarının korkunç inlemeleri, yalvarışları çınlıyordu. Saklandığı yerde büzülüp, saatlerce kımıldamadan kaldı. Sarayın her yerinden felaketin boyutlarını gösteren yanık kokuları, gürültüler geliyordu. Sonunda sesler iyice azaldı ve nihayet tamamen kesildi. Sürünerek saklandığı yerden dışarı çıktığında gördükleri iki büklüm olmasına yetip, artmıştı bile. Tüm yakınları, kanlar içerisinde yerlere serilmişti. Daha fazla bakamadı. Odadan dışarı fırlayıp, sarayın salonlarında, koridorlarında koşmaya başladı. Avluya geldiğinde geride kalan dumanlar birkaç saat öncesine dek görkemli bir hayat sürdükleri saraylarının artık alevlere teslim olduğunun kanıtıydı. Buralardan gitmeli, canını kurtarmalıydı. Eğer bir gün geri dönüp, intikamını alacaksa derhal uzaklaşmalıydı. Öyle de yaptı. Son bir kez dönüp, yok olan geçmişine baktıktan sonra avludan çıkıp ortalıkta ürkmüş ve başı boş halde dolaşan atlarından birinin sırtına binip dört nala bilinmeze doğru sürdü.

Hicaz Demiryolu, Maan-Medine Arası, 1915

- Bizim memlekette bayramları yapılan özel bir yemek vardır. Önce iri bir hindi yada yağlı kaz kesilip temizlenir, sonra kazanda kaynatılırken iki kilo kadar has tereyağı...

- Ulan Ali, kapat çeneni, yoksa ben kapatırım. Kaç gündür trende yol alıyoruz haşlanmış patates ve somun ekmek dışında bir şey yiyemedik. O da günde iki kere. Sen de başımıza dikilmiş tereyağlı hindiden kazdan bahsediyorsun.

- Arada bir yerde dursalar da otlasak bari.

- Seninki de laf mı be arkadaşım. Bu çölde otu nereden bulacağız?

- Kaç gündür tek bir vagonda bunca insan sıkışıp, oturmaktan her yanım tutuldu. Asıl biraz dursak da ayaklarımızı, ellerimizi açıp yürüyüş yapsak.

- Hem temiz hava da alırdık. İçerisi kötü kokmaya başladı. Akşama kadar birkaç mola vereceklerdir her halde. En azından şimendifere su, kömür gerekli.

- Çavuşum, Rüstem Çavuş. Hele bir bakar mısın?

Ses titrek, yorgun ve tedirgindi. Vagonun arkalarından geliyordu. Bu derece zor şartlarda zaten çok az uyumuş olan çavuşu uyandırmaktan dolayı ikilem içerisindeydi. Çağrısına trenin raylar üzerinde ağır aksak kayarken çıkarttığı sesten başka cevap veren olmadı. Bıyıkları henüz terlemiş olan genç Türk neferi, bir çok silah arkadaşıyla birlikte sıkıştığı havasız vagonda ne yapacağını bilmez halde biraz daha bekledikten sonra her şeyi göze alıp şansını tekrar denemeye karar verdi:

- Çavuşum, Rüstem Çavuş....

- Ulan Hasan, senin çenen hiç kapanmaz mı? Burası babanın Erenköy'deki köşkü değil, asker ocağı. Durmadan ağlayacaksan ne işin var cephede? Ayaklarını uzatıp, otursaydın kıçının üzerine.

- Ama çavuşum maruzatım var.

- Ne oldu? Ananı mı özledin? Ulan İngilizlere karşı senin gibilerle mi savaşa duracağız? Vah koca Osmanlı bu hallere de mi düşecektin?

- Çavuşum, Osman Rıza öldü. Az önce kucağımda verdi son nefesini. Haber edeyim dedim. Yoksa uyandırmazdın seni.

- Sivaslı delikanlı mı? Belliydi zaten. Kurtuldu hiç değilse. Çekiyordu kaç gündür.

Rüstem Çavuş'un hiddetli sesi bir başka türlü çıkıyordu şimdi. İçi burulmuştu. Aslında trendeki tüm neferler sert ve hırçın görüntüsü altında aslında ne kadar merhametli olduğunu bilirlerdi. Yine de tersi belli olmazdı. Günlerdir sağlıksız vagonlarda, en kötü şartlarda ve Arap çöllerinin insanı ölmekten beter eden boğucu sıcağında yol almaktan tüm sinirler gerilmişti. Rüstem Çavuş, çok genç yaşta ananız babasız kalmış, amcası tarafından yetiştirilmiş, yaşı biraz kemale erdiğinde kapağı İstanbul'a atmış, ondan sonra yaşamadığı şey kalmamıştı. Önceleri Beşiktaş'ta Rum bir fırıncının yanında çırak durmuş, kızgın fırının önünde ciğerleri kavrularak ekmek çıkartmayı, Ramazanlarda kan ter içinde müşteriye mal yetiştirmeyi, maya tutturmayı, yaz, kış doncak soyunup sırtında un çuvalları taşımayı, biraz da Rumca öğrenmişti. Sonraları başka şeyler de öğrendi. Çift sıra mermer merdivenlerle çıkılan yokuştaki konakta yaşayan Nihal Hanım on dokuza yaşına geldiğinde aklından çıkmamacasına hayatına girmiş, gece yarıları fırından ayakta durmaktan bitmiş, tükenmiş halde çıkıp, Nihal Hanım'ın koynuna girmeye başlamıştı. Hayatında ilk kez ve kendisinden en az yirmi beş yaş büyük asri ve son derece bakımlı bir hanımefendinin tutkulu sarılmaları, hiç duymadığı, daha önce bilmediği mis gibi kokuların yayıldığı vücudu bir daha aklından çıkmamıştı. İlk gece heyecanla titreyerek taşlıktaki çini sobanın yanında beklerken, Nihal Hanım'ın üst kattaki salondan uzaklara doğru bakıp, sanki oralardaki birilerine gülümsercesine tebessüm ederek inip, o incecik pembe elleriyle, kendi nasırlaşmış ellerini tutup, hiç konuşmadan loş bir odaya götürmesi adeta hayatının dönüm noktasıydı. Aslan gibi delikanlıydı ve bunca yılın Nihal Hanım'ı onu gözden kaçıracak kadar enayi değildi. O geceden sonra artık adam olduğuna, büyüdüğüne dair inancı ve kendisine olan güveni arttığından bir yandan dünya, memleket meselelerine kafa yormaya, diğer yandan da gizli ve yasak günahların ret edilemez çekiciliğine kapılıp, başta Galata'daki batakhaneler olmak üzere meşgaleleri malum her yere girip, çıkıp, her tür, her cins kadını tanımış, bu yaşamı sevmişti. Ancak bu şehvetli hayat ve zevk dolu dakikalar, Aksaray'da gönlünü çaldığı bir dilberle birlikteyken kocası ve mahalleli tarafından basılmalarına dek sürmüştü. Canını kurtarmak için pencereden çıplak vaziyette atlayıp, kümesin üzerine düşüp, pek çok tavuğu telef ettikten ve bacağının kırdıktan sonra o vaziyette tulumbacılara görünmeden güvenli bir yere saklanması, ardından canını dişine takıp, ağrılar içerisinde, sürünerek bir arkadaş evine sığınması hâlâ gözlerinin önündeydi. O gün yaşadıklarının utancıyla çareyi kapağı asker ocağına atmakta bulmuştu. Artık yeri; zaten çivisi çıkmaya başlayan dünyada savaş meydanlarıydı. Kendisini toparlayıp, düşüncelerden sıyrıldı.

- Hele az sabredin. Çok geçmeden şimendifere su almak için mola verilecek. Mülazım Efendi'ye haber ederim. Sonra da yolu yordamınca gömeriz.

Yola çıkışlarının dördüncü günüydü ve şimdiden altı nefer ölmüştü. Harp meydanlarında onca vatan evladının yok olup gittiğine, daha Hanya'yı, Konya'yı tanımadan barut kokularından nefes bile almanın imkansız olduğu siperlerde, vücutlarında kararmış mermi delikleriyle adeta uyurmuşçasına uzanmış gencecik bedenlerin görüntüsüne artık alışmıştı. Harbin içerisindeydiler ve vagonlara doldurulmuş bu delikanlılar bir süre sonra hızla azalmaya başlayacak olan yekûnün sadece birer rakamıydı. Zorlukla daldığı uykusu kaçmıştı. Raylardan gelen takırtıları dinledi. Osmanlı İmparatorluğu'nun çöküş döneminde olmasına rağmen büyük fedakarlıklarla, imparatorluğun her yanındaki Müslüman kulların hac farizasını en iyi koşullarda yerine getirmeleri ve daha önceleri çok büyük zorluklarla aşılan mesafelerin kolaylıkla kat edilebilmesi yaptırılan Hicaz Demiryolu, artık en zor şartlarda cepheye asker taşımak için kullanılıyordu. Halbuki yirminci yüz yılın başlarında dünyanın en büyük projelerinden birisi olarak gerçekleştirilmiş, imparatorluğun her yanından vatandaşlardan, diğer İslam ülkelerinden yardımlar alınmış, "Hicaz Şimendifer Hattı İanesi" adı altında nikel, gümüş ve altın madalyalar hazırlamıştı. En iyi yanıysa; çok zor durumda olmasına rağmen Osmanlı Devleti'nin yapım ve işletme imtiyazını yabancı ülkelere vermediği yegane hat olmasıydı. Uygun yerlerde kömür, su ihtiyacının giderilebilmesi ve yolcu alımı için istasyonlar kurulmuştu. Son günlerdeyse olanca acımasızlığıyla süren savaşta gittikçe dağılmakta, organizasyonu bozulmakta olan devlet, ne yazık ki lokomotifler için gerekli kömürü tedarik edemediğinden son çare olarak odun kullanılmaktaydı. Bir süre sonra odunun da bulunabileceği şüpheliydi. Vagonlara balık istifi doldurulmuş ve düşmana karşı gönderilen askerlerinse durumu çok daha iç karartıcıydı. Ama onlar bunu dert edecek halde değildiler. Hepsinin hayali; Peygamber emaneti olan toprakları ve Müslüman kardeşlerini İngiliz esaretinden kurtarmaktı. Ancak uğruna ölümü göze aldıkları Müslüman kardeşleri maalesef onlar kadar iyi niyetli değillerdi. Bunu her fırsatta göstermekten çekinmemişler ve çekinmeyeceklerdi.

Daha iki dakika geçmeden ön vagonlardan gelen büyük bir patlama ve dengesizleşip, sağa sola savrulan vagonların hareketiyle her şey birbirine girdi. Ortalık cehenneme dönmüştü. Lokomotif ve en öndeki üç vagon raydan çıkarken askerler, daldıkları rahatsız uykularından ne olduklarını anlayamadan fırlayıp, bir birlerinin üzerine düşmeye, ardından ezilen parçalanan metal ve ahşap yığınlarının arasına sıkışıp, can vereye başladılar. Her yandan feryatlar yükseliyordu. Raydan çıkan lokomotifin hızıyla vagonlar metrelerce sürüklendi. Metallerin sürtünmesinden meydana gelen kıvılcımlar maytap gibi her yana fışkırırken orta vagonlardaki cephane alev aldı. Arka arkaya meydana gelen patlamalar, hâlâ sağ kalabilenlerin diri diri yanmasına sebep olmaktaydı şimdi. Türk askerlerinin çoğu canlı meşalelere dönmüştü. Lokomotif kıraç bir yamaca son hızla çarparak durduktan sonra düzensiz ve alabildiğine giden hareket yavaşça duruldu. Geride parçalanmış ve patlamaların etkisiyle yanmakta olan vagonlar, çevreye saçılmış ezilmiş cesetler, kan ve can çekişen askerlerin inlemeleri kalmıştı. Her şeye rağmen arka vagonlarda sağ kalabilenler, kırılmış kolları, bacakları, yaralar içerisindeki yüzleri, kavrulmuş derileri ve vücutlarıyla son bir gayretle açılmış yarıklardan kendilerini dışarıya attıklarında sevinemediler. Zira silah arkadaşlarının tanınmayacak haldeki cesetleri, çevreye yayılmış beden parçaları ve can havliyle yardım isteyen ağır yaralı askerlerin içleri parçalayan feryatlarıyla karşılaştılar. Hâlâ ayakta kalabilenlerin ilk işi; onların yardımına koşmaktı ama çabalarına kendisini İngilizlerin amaçlarına adamış Mekke şerifi Hüseyin ve silahlı adamlarının açtığı amansız ateş engel oldu. Siper aldıkları kayaların arkasından hiç acımadan kendilerine yüz yıllardır kol kanat germiş, İslam dininin en büyük koruyucusu olmuş Türk askerlerine acımasızca ölüm kustular. Sol kolu feci şekilde parçalanmış olan Mülazım Osman Tahsin Efendi ve çevresinde toplanan birkaç sağ kalmış asker son güçle vagon enkazlarının arkasına siper alarak ateşe karşılık vermeye çalıştılar. Ancak karşı taraftan yağmur gibi mermi yağıyordu üzerlerine.

- Mitralyözü çıkartın, kayalıkların arkasından ateş ediyorlar. Haydi davranın.

- Rüstem Çavuş, çok şükür yaşıyorsun!

Mülazım Osman Tahsin Efendi, çavuşunun sağ olduğuna bir an için çok sevinmişti ama buna yaşamak denemezdi. Suratı kandan gözükmüyor, bir ayağını arkasında sürüklüyordu. Korkunç acı çektiği ama aldırmadığı belliydi.

- Yettim komutanım. Daha ölmedim. Niyetim de yok. Bu çapulculara pabuç mu bırakacaktık yoksa?

Ardından hemen mitralyözün kurulmasına kumanda etti. Onları gören yaralı diğer Türk askerleri de var güçleriyle yanlarına koşup, kurtarabildikleri silahlarla karşı ateşe durup, tepelerde mevzi almış olan şerif Hüseyin ve adamlarına kolay lokma olmayacaklarını göstermeye başladılar. İlk anda şaşkınlığa uğrayan Hüseyin ve adamları ne yapacaklarını şaşırmışlardı. Rayları havaya uçurup, treni raydan çıkartmakla her şeyi halledeceklerini zannediyorlardı. Türklerden böylesine bir mukavemet beklememişlerdi. Ancak geride kalan bir avuç askerin insan üstü cabası bir yere kadardı. Hüseyin ve çevresindekiler ilk andaki şaşkınlıklarını çabuk atlattılar. İngilizlerin ölçüsüz vaatleri ve zenginlik hayalleri gözlerini kan bürümesine sebep olmuştu. Bu nedenle din kardeşlerine ölüm yağdırmak onlar için çok doğaldı. Dakikalar sonra ilk vurulan Hasan adlı Toros köylerinden asker ocağına gelmiş bir delikanlı oldu. Babası zaten yıllardır hastaydı. Ciğerlerini delip, geçen kurşunla ağzından kan gelerek yere yığılırken son düşünebildiği; şehitlik haberini alacak olan anne ve babasının haliydi. Babası, tek kelime bile edemeden olduğu yerde donup kalıyor, anasıysa kendisini yerlere atıp, Arabistan çöllerinden dönemeyen oğlu için dövünüyordu. Edirneli Şevket'se mucize kabilinden olaydan tek bir yara almadan kurtulmuş, canını dişine takmış, savaşıyordu. Ancak silahlı bedevilerden birkaç tanesi

fark ettirmeden arkalarından yaklaşmış, ellerinde hançerleri olmak üzere avlu-
rını yaklaşan sırdan sessizliğinde ilerlemekteydiler. Şevket, vurulan mitralyoz-
cü askerin yerini almak için mevzide ayağa kalktığında yetişen bedevi saniyeler
içerisinde gırtlağını kesiverdi. Boğazından kanlar fışkırarak yığılmakta olan de-
likanlının "Yandım Allah!" diye bağırması bile onu şehit eden hançerli Arap sa-
vaşçıyı merhamete getiremedi. İkinci darbeyi kalbinin üzerine var gücüyle in-
dirip, delikanlıyı sonsuza dek sessizliğe gömdü. Şevket aldığı darbelerle öylesi-
ne daralmış, öylesine acı çekmekteydi ki, sadece küçüklüğünden, dünyanın kö-
tülüklerinden, savaş ve nefretten çok uzak olduğu günlerden kalan bir anısını
getirebildi gözlerinin önüne. Tipi halinde kar yağan bir Edirne gününde baba-
sının arabacılık yaptığı faytonla şehrin arka mahallelerindeki evlerine dönüyor-
lar, uzaklardan hayal meyal Selimiye Camii'nin minareleri görülüyordu. O gün
yaşadıklarını çok sevmişti. Son nefesini vermeden tek görüp, düşünebildiği bu-
ydu. Mülazım Osman Tahsin Efendi'yle birlikte karşı koymaya çalışan bir avuç
asker ne yazık ki çok geçmeden iki ateş arasında kalıp, ruhlarını teslim edip,
evlerinden çok uzakta hiç bilmedikleri çöllerde, asla anlayamadıkları bir sava-
şın kurbanları olarak toprağa karıştılar. Her şeyin bittiğine inanan Mekke şeri-
fi Hüseyin'in adamlarının ilk işi; mevzilerinden çıkarak ganimeti yağmalamak-
tı. Hala can çekişen askerlerin arasında geçip, önce üzerlerindeki silahları top-
lamaya, ceplerini karıştırmaya başladılar. Silahların dışında Türk askerlerin
hiçbirinde değerli bir şey bulamayınca iyice sinirlenip, Anadolu delikanlıları-
nın ceplerinden çıkan renksiz fotoğrafları, boyunlarına astıkları muskaları bir
kenara savurmakta sakınca görmeyip, o hızla bir birisi üzerine yığılmış, yan yat-
mış vagonlara saldırdılar. İstediklerinden fazlasını bulduklarını oraya buraya sa-
çılmış cephane sandıklarını ve silahları görünce anlayıp, sağlam kalmış ne var-
sa toplamaya giriştiler. Etrafta hâlâ can çekişmekte olan Türk askerlerinin in-
lemeleri duyuluyordu.

- Kasım, haydi dönüyoruz.

Henüz on sekiz yaşındaki bedevi delikanlı bir seneden beri babası Müba-
rek'le birlikte şerif Hüseyin'in adamlarına katılmıştı. Kasım'ın babası kabilele-
rinin en ileri gelen ve sözü geçenlerinden birisiydi. Bu durumsa silahlı grupla-
ra katılmalarını gerekli kılmıştı. Böylece ailelerinin şanları daha da artacaktı.
Delikanlı hayatında ilk kez bu kadar çok ölüyü bir arada görmüştü. Ölümle il-
gili tek bildiği; uzun bir hastalıktan sonra yatalak hale gelip, eriyen dedesiydi.
Ancak şimdi gördüğü gibi parçalanmış, yüzlerinde büyük bir acının izleriyle
yerlere serilmişlerini hiç görmemişti. Ne de olsa acemiydi. Bu nedenle inleyen,

ağır yaralı askerlere bakamıyor, onlara acıyordu. Babasının ikinci seslenmesini duymadı bile. Zira yakındaki bir Türk askerinin ölmek üzereyken ağzından çıkan kelimeler aklını başından almıştı. Kulaklarına inanamadı. İşittikleri doğru olamazdı. Daha iyi duymak için iyice eğildi. Ağır yaralı Türk askeri Kelime-i Şahadet getiriyordu.

- Buna imkan yoktu. Babası ve birlikte savaştığı kabile büyükleri din uğruna savaştıklarını, trendeki askerlerin gavur olduğunu, Peygamber emanetlerini ve Kabe'yi korumak, İslam alemini münafıklardan uzak tutmak için onlara karşı var güçleriyle savaşmaları gerektiğini söylemişlerdi. Ama yerde inleyen asker, son nefesinde Allah'ın adını zikrediyordu. Acaba yanlış mı duyuyordu? Merak ve şaşkınlığına biraz ötede yatan başka bir askerin sesi karışarak son verdi. Zira göğsünden aşağısı ezilmiş başka bir Türk askeri de Kelime-i şahadet getiriyor', arada tükenmekte olan titrek bir sesle "Allah!" diye inliyordu. Bunlar Kasım'ın çok iyi bildiği sözcülerdi.

- Kasım, oğlum yardım et. Sandıkları yüklenip gideceğiz.

Hırsla babasına koştu.

- Baba, baba ne yaptık biz? Müslümanlara, din kardeşlerimize kıydık.

Babasının yüzü ifadesiz. Kasım bunu duyduğunda babasının şok geçireceğini, hayrete düşeceğini zannetmişti ama babası pek de oralı değildi. Elinde kana bulanmış birkaç tüfek vardı. Ölü askerlerden topladığı belliydi.

- Baba, baba, anamıyor musun? Büyük bir hata yaptık. Bunlar bizler gibi Müslüman. Onları öldürdük.

- Dinle, buradan gitmeliyiz. Yardım gelebilir.

- Ama, biz, onlar, neden baba neden?

- Daha çok gençsin. Zamanı var Kasım. Zamanı var. Bir gün sen de öğreneceksin.

- Ne öğreneceğim? Bana yalan söylediğinizi mi?

- Henüz yeri ve zamanı değil bunların.

- Biliyordun değil mi? Hepiniz biliyordunuz? Onlar da Müslüman. Din kardeşlerimizi öldürdünüz. Hiç acımadan hem de. Peki, neden yalan söylediniz?

Babası son bir kez mırıldandı. Başını yerden kaldıramıyordu.

- Oğlum, bir gün sen de anlayacaksın.

Ardından sandıkları yüklediği iri katırların yanında yola çıktı. Kasım, son bir kez askerlerden yana bakabildi. Artık hiçbirinin dudakları kımıldamıyordu.

Ne bir ses ne de bir hareket kalmamıştı. Silahlı baskıncılar topladıkları sayısız ganimetle parçalamış vagonlar ve havaya uçmuş raylardan ayrılırken Kastamonu'nun dağ köylerinden birisinde akşam için ekmek hamuru hazırlamakla uğraşan Meryem Kadın'ın içine tarifi imkansız bir sıkıntı çöktü. Kötü şeyler düşünmemeye çalışıp, aklını işine verse de fayda etmedi. Yüreği yanıyordu. Bu hissi anlamak için ana olmak gerekliydi. İki sene önce elini öperek cepheye giden oğlu Kemal aklına düştü. Biricik oğlunun beyaz dişleri, sıcacık gülümsemesi, ürkek bakışları gözünün önüne geldi. Sonra olduğu yere çöküp, iki büklüm ağlamaya ağıt yakmaya başladı. Artık biricik oğlu yoktu. Giden gelmez dedikleri çöllerden dönemeyecekti. Ne yazık ki yüreği özlemle çarpan bir ananın hisleri yanılmazdı. Kemal, çok uzaklarda, bilip anlayamadığı savaşın yok ettiği gencecik fidanlardan birisiydi. Anlamıştı, bir daha akşam tarla dönüşlerinde sırtındaki teri almak için tülbent yerleştireceği, onun için kız görmeye gideceği, hallerini beğenmediği zaman azarlayıp, çekişeceği bir oğlu yoktu artık. Bunu ana olmayan bilemezdi ama o biliyordu. Çünkü çok iyi bir anaydı. Biricik Kemal'i artık şeklini, havasını, sarı sıcağını düşünmek bile istemediği uzak bir çölde toprak oluyordu. Ondan geriye sadece bir süre sonra devletin göndereceği ve şehitlik haberinin yazılı olduğu sarı zarf kalacaktı. Tıpkı komşu köydeki, kocasının halası Hasene ablaya geldiği gibi. Hasene kadın haberi aldığında, kendisini yerlere atıp, saçını başını yolup, kanlı göz yaşları dökmüştü. Meryem'se asla onun gibi yapmayacak, daha yirmi yaşındayken korkmadan çok uzaklara, devleti için savaşmaya giden oğlunun hakkını teslim edip, başını dik tutup, acısını içine gömecekti. O gün aldığı en önemli karar bu oldu. Azıcık kendisine geldiğinde, ekmek hamurunu hazırlayıp, evin her yanını ter temiz edip, silip, süpürecek, bayram öncesi gibi koşturup, Kemal'in anısına yakışır bir cenaze evi hazırlayacaktı. Şehadet haberi geldiğinde her şey hazır olmalıydı. Tek ve yalnız değildi. Anadolu kendisi gibi bağırlarına taş basmak zorunda kalmış nice anayla, yavukluyla, eşle, bacıyla doluydu. Evet, Kemal devleti için savaşmaya gitmişti ama Meryem kadın devletin ne olduğunu bir türlü anlayıp, çıkaramamıştı. İstanbul da sarayında oturan padişah efendi mi, vergi, asker toplamaya gelen jandarmalar mı? Hiç kestiremiyordu. Artık bir önemi de yoktu. Oğlu dünya akıllısıydı. Devlet uğruna savaşmaya gittiyse, demek ki bir bildiği vardı. Aniden odayı saran yanık kokusuyla ayıldı. Ekmek hamurunu ocağa taşırdığını düşündü. Ama yanan hamur değil, o dalgınlıkla ateşin yanına düşen sol eliydi ve hâlâ içinin acısından yanmakta olan elinin acısını hissedecek durumda değildi. Çünkü eli değil, yüreği yanıyordu.

***

- Geliyorlar, geliyorlar.

Beyaz tenli adam, dışarıdaki Arapça bağırtıları duyunca rahatsız oldu. Tıpkı bedeviler gibi giyinmişti ama ten rengi ve yüz hatları kesinlikle onlardan olmadığını gösteriyordu. Keyfinin içine edilmişti. Gelenlerin Türk askerlerini cepheye nakleden trene saldıranlar olduğundan emindi. Zira onlara patlayıcıları temin eden, eğiten ve raylarda sabotaj yapak için yetiştiren kendisiydi. Erken dönmüşlerdi. Bu da işlerin yolunda gittiğini gösteriyordu. Erken dönmüşlerdi. Bu da işlerin yolunda gittiğini gösteriyordu. Yine de sıkıldı. Tüm heybetiyle, çıplak olarak yanında uzanan yağız bedevi delikanlıya bir kez daha alıcı gözlerle baktı. Esmer bir Yunan Tanrısına benziyordu. Bu lanet çölün ortasında nasıl böylesine yakışıklı ve orantılı olarak gelişebildiğine şaşmamak elde değildi. Yüz hatları keskin ve kusursuzdu. Siyah gözleriyse insanın içine işliyordu. Kendisine bakışlarını diken bedevi delikanlının göğsüne başını dayayıp, bir süre öylece kaldı. Ömrünün sonuna dek orada o vaziyette durmak isterdi. Ardından sağ eliyle genç adamın sert baldırlarını okşamaya başladı. Yukarılara, daha yukarılara çıkmak istiyordu. Ama zamanı değildi. İçinden İngilizce bir küfür savurdu. Sevişmenin tadına daha yeni varmaya başlamışlardı halbuki. Sonunda tüm haşmetiyle yanında uzanmakta olan delikanlının dudaklarına yumuşak bir öpücük kondurup, "Şükran" diye teşekkür ettikten sonra çadırdan çıktı. Zafer elde ettiklerini düşünerek yağmaladıkları ganimetlerle dönen silahlı grupla bir süre sohbet ettikten sonra katırlara yükledikleri silahları hep birlikte gözden geçirmeye başladıklarında memnuniyetiz olarak dudaklarını bükmek durumunda kaldı. Türk askerlerinden ele geçirilen silahların tümü çok eski Alman yapımı tüfeklerdi. Bu döküntülerle Osmanlı'nın hâlâ nasıl ayakta kalabildiğine bir kez daha şaşırdı. Ama önemli olan cephaneydi ve hiç güvenmediği bedeviler mermileri aralarında paylaşmadan sağlama alması gerekiyordu. Hayallere daldı. Britanya İmparatorluğu'nun, fedakar bir üyesi olarak gösterdiği yararlılıklardan dolayı göğsüne dizilen madalyalarla Beyoğlu'nda gezdiğini hayal etti. Tabi ki o madalyalar majestelerin de hazır bulunacağı bir törende göğsüne takılacaktı. Büyük ihtimale soyluluk unvanı da verilecekti. Bunları hayal ederken içleri cephane dolu tüm sandıklar çadırının önüne dizilmiş, açılmışlardı. Bedevilerin keyfine diyecek yoktu. Bazıları silahlarını gök yüzüne doğrultup, sevinçle havaya sıkıp duruyorlardı. Aslında onlarla birlikte gitmesi gerekiyordu ama ülkesi onu buralara savaşması için değil, ortalığı karıştırması için göndermişti. Asla bire bir çatışmaya girmemesi gerektiği emredilmişti. Tabi gerçekte yıllardır aslında neyin peşinde olduğunu ülkesini yönetenler dahil kimse bilmiyordu. Hatta başlangıçta tarihin ona sunduğu büyük fırsatı kendisi bile hayal edemezdi.

Yaşamı sadece şanstan ve doğru zamanda, doğru yerde olmaktan ibaretti. 1910 yılında Jesus College'nin tarih bölümünü birincilikle bitirip, aldığı bursla Fırat Irmağı kıyısındaki Hitit yerleşimlerine ait kazılara katılıp, ardından 1914 yılında Sir Leonard Woolley ve yüzbaşı S. F. Newcombe'la birlikte Sina Yarımadası'nın kuzey bölgelerinin keşfi gezisine katılmıştı. Evet, zamanla stratejik olarak çok büyük önem kazanacak toprakların haritasını çıkartmışlardı. Bu hem savaş sırasında hükümetine, sonrasında bilime çok yararlı olacak fedakarlık isteyen bir çalışmaydı. Ama en güzel yanı asıl hedefini rahatlıkla örtmesiydi. Başkaları Londra da keyif çatıp, beş çayları içip, kriket oynarken o günlerini, gecelerini bu amaca adamış, akranları serinlemek için yüzmeye giderken kalın perdeleri ardına karar örtüp, araştırmalarına devam etmiş, sabahları şiş gözlerle yataktan kalkmaya istekli olarak katlanmıştı. Burnu iyi koku alırdı ve azmederse sonunda kazanacağının bilincindeydi. Şimdi bu çöllerde casusluk, istihbarat, Arapları Osmanlı'ya karşı ayaklandırma çalışmaları yaparken vatanında aşağılanmasına, hor görülmesine, toplum dışına itilmesine sebep olacak cinsel tercihini de rahatça yaşayabilmesi için en ideal yer burasıydı. Çünkü bu çölün zavallı insanları için bir kahraman, Birinci Dünya Savaşı'nın bilinmezlerle dolu Arap Lawrence'ıydı. Onu reddetmeye cüret bile edemezlerdi. Tabi bol keseden dağıttığı çil İngiliz altınları da tüm emelleri için en iyi yardımcıydı.

Tercümanı aracılığıyla "evlerine cephane sandıklarından götürenlere akşama kadar süre verdiğini, bu süre içerisinde geri getirilecek sandıklar için kimsenin ceza almayacağını, sandıkları açmadan getirmelerini" istedi. İki saat içerisinde sekiz sandık daha çadırının önündeydi. Geri dönmek üzereyken az uzakta dikilen Kasım çarptı gözlerine. Delikanlının körpe vücudu, yeni terlemeye başlayan bıyıkları ama illaki bakışları, tepeden tırnağa tüm vücudunu ateş basmasına sebep olmuştu. Ne yapıp edip ilk fırsatta o delikanlının da koynuna girmeli, masumiyetinin bakirliğinin tadını çıkartmalıydı. Gramafonuna taş bir plak koyup, çadırda yankılanan müziği dinlemeye başladığında az önce yanında uzanan çıplak bedevi delikanlısı çoktan uykuya dalmıştı.

Aynı gün yıldızların güzelleştirdiği çöl gecesinde, gökyüzünün altında ateşler yakılıp, tüm kabile şöleni yaparken Kasım daha fazla dayanamayıp, babasının atını ahırdan çıkartıp, önce sessizce yanında yürüttü. Sürekli olarak hayvanın yelesini okşayarak, atın her zaman hoşuna giden oyunu yapıp, küçük fiskelerle suratına vuruyordu. Sonunda ateşin başında öbekleşen kabile erkeklerinin duyamayacağı kadar uzaklaştığına karar verip, atın sırtına atayıp, karanlıklara doğru dört nala sürmeye başladı.

***

Bir Hafta Sonra

Faris, bugüne dek hiç giymediği yeni elbiseler giyinmiş, yıkanmış olarak babası, amcaları, dayıları ve kabilenin ileri gelen erkeklerinin peşine takılmıştı. Kadınlarsa, avlunun bir köşesine dizilmişler bu güzel olayı sessizce izlemekteydiler. Hele anaları gururla kalabalığı süzüyordu. Faris, henüz yirmi bir yaşındaydı ve evlenip, ilk çocuğunu bir ay önce kucağına aldığı için kabilenin ve akrabaların yaşı kemale ermiş erkekleriyle birlikte tepelere çıkmaya hak kazanmıştı. Komşularının oğlu İdris de bu hakkı kazananlardandı. Dört yıl önce evlenmiş, ilk karısı kendisine nur topu gibi bir evlat veremediği için üzerine getirdiği ikinci karısından bir kız çocuk sahibi olmuştu. Sıranın arkasında heyecan ve utangaçlıkla bekliyordu. Her yıl sadece bir kez tekrarlanan bir törendi bu. Büyüklerin peşine düşüp, tepelere gidip, orada bir hafta geçirmek için evlenmek ve çocuk sahibi olmak gerekiyordu. İlk kez gidenler, dönüşlerinde o güne dek hiç olmadıkları kadar durgun, sessiz ve düşünceli olurlar, her hareketlerinde bir tedirginlik, suçluluk duygusu hissedilirdi. Ama orada neler yaşadıklarından asla bahsetmezler, bir süre sonra eski günlerine dönerler ve her şey bir sonraki yıl, aynı güne dek normale dönerdi. Her türlü çabaya rağmen çocuk sahibi olamayanlarsa kabileyi tek edip, bir daha dönmemek üzere kayıplara karışmakla yükümlüydüler ve hiç itiraz etmeden bunu yerine getirirlerdi. Altmış yaşına varmış ve hâlâ çocuk sahibi olamamış olanlar, bir türlü döl tutmayan karılarını peşlerine takıp, eşyalarını develerine yükleyip, boyunları bükük, utanç içerisinde kimseye haber verip, veda bile etmeden bir sabah ortadan çekilmiş olurlardı. Ayrıca kendilerine güven duyulmayanların, akıl sağlığı bozuk olanların, yabancılarla fazla içli dışlı olanların ve aşiret büyüklerince makbul görülmeyen bir sürü insanın diğerleriyle tepelere gidip, olanları bilmeye hakkı yoktu. Buysa yaşamlarının anlamını sıfıra indiriyordu. Ancak tepelerde saklanan sır öyle basit bir şey değildi. Bir insanın gözleriyle görmeden hayal etmesine, aklına getirmesine asla ve asla imkan yoktu. Yüz yıllardır büyük bir özenle saklanmaktaydı ve saklanması gerekliydi. O nedenle ince elemek, sık dokumak zorunda kalmaktaydılar. Tepelere gitme şansı verilmeyenler bir süre sonra kayıplara karışırlardı. Neden kaybolduklarını, nereye gittikleri pek bilinmezdi. Kasım hiç aptal değildi. Zaid, genç yaşta evlenip, sürüyle çocuk sahibi olduğu halde hiçbir zaman tepelere götürülmemiş, bir sabah sırra kadem başmış, günler sonra çürümekte olan cesedi köyün saatlerce uzağındaki çoktan kurumuş dere yatağında bulunmuştu. Bunun nedenini bir türlü çözmemişti Kasım. Zaid'in son yıllarda aklını bozduğu söyleniyordu. Yol kenarlarında kendi kendine gülüp konuşarak saatlerce yürüyor, olmayan insanların sorduğu sorulara öfkeyle cevap veriyordu. Mustafa'ysa, son derece aklı başında bir delikanlıydı ama aşiretin ileri gelenleriyle hiç geçinemezdi. Oldukça asiydi. Son yıllarda iyice kopmuş, teselliyi başka insanlarda bulmuştu. Tabi onun da cesedinin bulunması kaçınılmazdı ve bir gün köylerinin dışındaki hurma ağacında sallanırken bulunmuş, kendisini asarak intihar ettiği söylenmişti. Büyükler çok önemli bir şey gizliyorlardı. Bu sırra haiz olabilmek, aklı başında, güvenilir ve kabilenin geleceği için yetiştireceği sağlıklı evlatlara sahip kişilerin hakkıydı. Zaid'se delirmişti. Yani güvenilmezdi. Kabilenin sırrını taşımaya uygun değildi. Mustafa'ysa isyankar ve tutarsızdı. Kasım bunu henüz buluğ çağındayken anlamıştı. Babasının baskın sırasındaki cevabı aklına geldi. "Henüz yeri ve zamanı değil." Ne zaman tepelerle ilgili bir soru soracak olsa babasından ve diğer yetişkin erkeklerden aldığı tek cevap buydu. Kasım'sa merakını yenmek için daha fala beklemeye daha doğrusu evlenip, çoluk çocuğa karışana dek sabretmeye hiç niyetli değildi. İçini kaplayan nefretse başka bir sorundu. Baskın gününden beri karmakarışık duygularla doluydu. Raydan çıkarttıkları trende öldürdükleri askerler Müslüman'dı. İnsan din kardeşlerini nasıl öldürebilirdi? Hele son bir yıldır yanlarından ayrılmayan, adetlerini, geleneklerini çok iyi bilen Lawrence denilen İngiliz'in tüm söylediğininin kabile erkeklerince Allah emri gibi yerine getirilmesine bir türlü alışamamıştı. O günkü tren baskını da onun emirleriyle yapılmıştı ve çöl güneşinin altında yüzü kendilerininkine benzer derecede kararmasına rağmen yine de onlardan çok farklı olan bu yabancıdan da nefret ediyordu. Canını sıkan her şeyin altında Lawrence'in parmağı vardı. Üzerine son zamanlarda sıkça çevirdiği bakışlarındansa iğreniyordu. Çünkü uzak kabilelerden getirip, çadırında yardımcısı adı altında çalıştırdığı genç erkeklerle neler yaptığını görmüştü. Yetişkin erkeklerin köyden uzaklaşmasını sakince izledi. Ne de olsa çevreyi avucunun içi gibi biliyordu. Güneş batarken bile peşlerine düşse izlerini rahatlıkla sürüp, sezdirmeden uzak bir mesafeden takip edebilirdi. Artık merakını gidermek istiyordu.Ama önce başka bir işi vardı. Hemen koşup, yıllar önce ölüsü buluna Zaid'in artık yıkılmaya yüz tutmuş olan kerpiç evine koştu. Avlu kapısını hızla açıp, içeri girip, alt kattaki odanın derme çatma kapısını açtı. Oradaydı. Gitmiş olacağından ödü kopmuştu ama buna zaten imkan yoktu. Dostça gülümseyerek yanına yaklaştı. Bıraktığı ekmeğin birazını yemişti. Demek iyiye gidiyordu. Tekrar dışarı çıkıp, evlerine koştu. İki somun ekmek ve bir testi suyu anasına çaktırmadan aşırıp, Zaidin evinin kapısına bir kez daha vardığında nefes nefeseydi ama mutluydu. Odaya girip, bir hafta önce gece yarısı gizlice köyden ayrıldığında raydan çıkartıp, içerisindekilere acımasızca saldırdıkları trenin vagonlarının yanına gitmiş, kırık kolu ve yaraları nedeniyle inlerken bulduğu Türk askerini atına yükleyip, Zaid'in evine getirip, tedaviye başlamıştı. Bitkin bir halde, korkuyla kendisine bakan askerin omzunu okşadı. Ardından ekmekleri ve suyu önüne sürdü. Sonra işaretlerle sessiz olup, odadan dışarı çıkmaması gerektiğini anlattı. Kara gözleriyle sürekli kendine bakan ama anlatmak istediklerini bir türlü anlatamayan askerin o geri gelene dek bir yere ayrılmayacağından, verdikleriyle idare edeceğinden emindi. Şimdi artık yola düşüp, tepelerin ardında çoktan kaybolmuş olanları izlemek zamanıydı. En fazla iki gün sonra dönüp, kolu yanlış kaynayan Türk askerini gizlice evden çıkartıp, daha emin bir yere nakletmenin ve kendisini bildi bileli kırıkçılık, çıkıkçılık yapan komşu kabiledeki ihtiyar Bilal'e götürmenin yolunu bulmalıydı. Bilal hem işini çok iyi bilen, hem de kimin, ne olduğunu merak etmeyecek kadar meşgul birisiydi. Ayrıca çöldeki kayalıklardan topladığı bitkilerden yaptığı özel merhemlerle askerin kırık kolu dışındaki yaralarını da iyi edeceğine inanıyordu. Bir seferinde attan düşüp bacağını kıran Faris'i de tedavi etmiş, delikanlının bacağına çiğ et yapıştırıp, sımsıkı sardıktan sora Kuran'dan bazı ayetleri yazdığı bir deri parçasını küçük bir torbaya koyup, sargının üzerine örtmüştü. Kapıyı yaralı askerin üzerine kapatıp, son bir kez gülümsedi. Yerdeki hasırın üzerine uzanmış olan delikanlı o anda yerinden doğruldu. Neredeyse Kasım'la aynı yaştaydı, hatta ondan bile küçüktü. Savaş onu kim bilir nerelerden, buralara sürüklemişti.

- Ben Kemal.

Türk askeri ilk kez konuşmuştu. Kasım hemen geri döndü. Delikanlı bu kez elini minnetle kalbinin üzerine koyup, bir kez daha "Ben Kemal, şükran" diyebildi. Ardından tekrar hasırın üzerine yığıldı. Kasım, onu parçalanmış vagonların arasından kurtardığı için daha da sevindi. Yanına gidip, ellerini tutup, "Kasım!" dedi. Sonra yetişkinleri takip etmek için hızla yola çıktı. Kabilenin kadınların aralarında toplandıklarını, bu tören için günler öncesinden hazırlık yapıp, özel yiyecekleri heybelerine koyduklarını biliyordu. Ama şu an için bu onun önemli değildi. Hızla kıraç tepelere doğru tırmanmaya başladı.

İki gün sonra yorgun argın, ayakları yaralar içerisinde geri döndüğünde ilk işi, Kemal'i bıraktığı viran eve koşmak oldu. Delikanlının sakalları uzamış, rengi biraz daha solmuştu. Ama moralinin düzeldiği belliydi. Yeniden Kasım'ı görmekten dolayı çok mutlu olduğu kolayca anlaşılıyordu. Askerin kırık kolunu ve yaralarını kontrol etti. Ne yazık ki durum iç açıcı değildi. Akşama kadar bekleyip, ortalık sakinleştiğinde hemen yola çıkması gerekiyordu. Bilal'in köyüne gün doğmadan varabilirdi. Aksi taktirde kurtardığı için sevindiği Kemal büyük acılar çekerek ölecekti. Yaralarını irin kaplamış, boynunda bezeler çıkmaya başlamıştı. Sürekli titriyordu ve iltihapların bir hekim tarafından itinayla temizlenmesi gerekiyordu. Yoldan aldığı hurmaları Kemal'e uzattı. Yaralı asker önce iştahla atıldı ama bir tane yedikten sonra testide kalan suyu içip, bir kenara çekildi. İçinin yandığı belliydi. Kasım'ınsa tepelerde gördüklerinden sonra içi daralıyordu. Yıllar boyunca aklına yığınla şey gelmişti ama böyle bir gerçeği hayatı boyunca düşünse hayal bile edemezdi. İstemeden Kemal'i bırakıp dışarı çıktı. Nefes bile alamayacak kadar sıkılmış, ürkmüş, bir bakıma peşlerine takılıp, o uçsuz bucaksız mağarada ne yaptıklarını gördüğüne bin pişman olmuştu. "Yüce Allah'ım, neden? Biz kimiz? Neyiz? Bu nedir? Nasıl bir şeytanlıktır? Niçin böyleyiz?" diye inleyebildi. Babası, kardeşleri dahil hepsinden tiksiniyordu ve çocukluğundan beri kahramanı olan dedesine baskın sırasında ölü bir Türk askerinin cesedinden alınan ve üzerindeki kanlar hâlâ kurumamış tüfek hediye edildiğinde neden "Müslüman kanına bulanmış olan bu silah bize hayır getirmez." diye bir kenara atmadığını, üzülüp kahırlanmadığını, tam tersine sırıttığını şimdi daha iyi anlıyordu. İlk işi; Kemal'i tedavi ettirmek ve zamanı geldiğinde bu iblislerin arasından kaçmak olacaktı. Bu lanetli insanların arasında artık yeri yoktu.

***

Beyrut Limanı, 1917

- Yeniden titremeye başladın İzzet kardeş, nöbet mi geldi yoksa?

- Aldırma Yusuf. Alıştım artık bu lanet sıtmaya. Böylesi iğrenç hastalık görülmemiştir. Şimdi titriyorum. Az sonra alev alev yanıp, sucuk gibi terleyeceğim. Yokluktan bir hamama gidip, adam gibi yıkanıp temizlenememek, çamaşırlarımı değiştirememek beni daha çok yaralıyor. Hiç bu kadar pis olmamıştım. Ne zaman kalkıyor vapur?

- Hesapta çoktan limandan ayrılması gerekiyordu ama sürekli hasta ve yaralı taşınıyor cephelerden. Böyle giderse yarın sabahı bulur ayrılmamız. Kamaralarda, koğuşlarda yer kalmadığından son gelenleri güverteye yerleştiriyorlar. Çoğu da iflah olmaz. İstanbul'a sağ olarak varmalarına imkan yok. Daha yolun yarısına varmadan epeyce yer açılır vapurda.

- Haklısın. Zaten buralardaki hastanelerde tedavi ümitleri kalmayanları gönderiyorlar. Benim gibi.

Yusuf yaptığı hatayı anlamıştı. Hemen teselliye girişti.

- Saçmalama İzzet. Aslan gibisin. Bu halinle bile benim gibi sayısız delikanlıyı cebinden çıkartırsın. Sen savaşa, cephelere, muharebeye kendini adamış birisisin. Yatmak zorunda kalmak moralini bozuyor. Hepsi bu. Göreceksin İstanbul'a sağ salim varacağız. İyi olacaksın. Tekrar cepheye döneceğiz. Daha yolun başındayız. Ya ben ne yapayım? Yaralı ve hasta olmadığım halde Miralay Ali Fevzi Bey, beni de İstanbul'a gönderiyor. Dün akşam düşünmekten uyuyamadım. Ne hatam vardı? Ne gibi bir yararsızlığım görüldü?

- Gazze saldırısındaki başarılarını unutuyorsun her halde. Zaferlerinden emin olan İngilizlere nasıl kök söktürüp püskürtmüştük. Miralay da bilmez değil bunu. Hem sana güvendiği için bu kadar hastanın, yaralının İstanbul'a ulaştırılması görevini verdi.

- Ama şimdi İngilizler yeniden toparlanıyor. Çok daha büyük takviyelerle tekrar saldıracaklar. Mustafa Kemal Paşanın, General Falkenhayn'la anlaşamadığı söyleniyor. Aslında en baştan kumanda onda olsaydı sonuç çok daha farklı olurdu. Mustafa Kemal'in yönetimindeki Yıldırım Ordularını düşünsene. Ama olmadı. Büyük ihtimalle biz daha İstanbul'a varmadan Gazze düşmüş olacak. Ardından Kudüs ve diğerleri gelecektir.

- Sence nereye kadar gidecek bu savaş? Belki de sonunda tamamen yok olacağız.

- Bir yerde toparlanacağımıza inanıyorum.

- Bu kadar geniş bir alanda, sayısız cephede düşmanla başa çıkabileceğimiz çok kuşkulu. Arap ve İslam dünyasını korumak için buralara kadar geldik. Ama onlar bizden nefret ediyorlar, arkamızdan vuruyorlar. Devletinin takati gittikçe tükeniyor.

- Fransız İhtilali'nden sonra bu kadar milleti, dini, ırkı bir arada tutmanın imkanı olmadığı belli olmuştu zaten. Mora isyanı olacakların habercisiydi. Ama sonuna dek savaşıp, ayakta kalıp, sadece bize ait olan bir ülke yaratabiliriz. Daha küçük, sade ama sadece Türk olmaktan mutlu olanların, hiçbir güç ve kuvvet tarafından kışkırtılıp, birbirine düşürülemeyecek kadar bağlı insanların yaşadığı çok daha güzel, genç bir ülke bu harbin ardından tek kazancımız olabilir.

O esnada kamaranın kapısı hızla çalındı. Gelen her kimse beklemeye sabrı yoktu anlaşılan.

- Giriniz.

Kapı açıldığında karşılarında kan ter içerisinde kalmış bir kurye askeri vardı. Geminin kalkışına yetişemeyeceğinden korktuğundan canını dişine takıp, koşturmuş olduğu belliydi. Selama durup, esas duruşta aceleyle derdini anlatmaya başladı:

- Beni Miralay Ali Fevzi Bey görevlendirdi. Mülazım-i Sani Yusuf Efendi'ye mesajı vardır.

- Benim, buyur.

Askerin sesi boğuklaşmıştı. Konuşmakta zorlandığı belliydi. Kamaranın kapısına tutunarak ayakta durabilmeyi başardığı her ikisinin de gözünden kaçmamıştı.

- Günlerdir yoldayım. Gemiyi yakalayamayacağım diye korkular geçirdim. Miralayım "Teslim etmeden dönersen seni kurşuna dizdiririm." diye sıkı sıkı tembihlemişti.

Askerin halini ilk anlayan İzzet oldu. Hasta yatağından doğrulup seslendi:

- Gel delikanlı. İliş yatağın ucuna, soluklan.

Ancak yorgun askerin hiçbir şey duyduğu yoktu.

- Hemen emaneti teslim edip gitmem, miralayıma haber etmem gerekiyor. Yolum uzun.

Mülâzım-ı sâni Yusuf Efendi, komutanının bu derece önem vererek gönderdiği mesajı merak etmişti. Tekrar şahsını tanıttı.

- Aradığın benim delikanlı. Yani Mülâzım-ı sâni Yusuf. Mesajı teslim etmen gereken kişiyim.

Asker, rahat değildi. Bir müddet ne söyleyeceğini bilmeden elindeki zarfı birkaç kez yokladı.

- Miralayım emin olmadan teslim etmememi emretti. Ben de elçiyim. Kusuruma kalmayın. Evraklarınızın tekmilini gösteriniz.

Yusuf Efendi, bozulmuştu ama belli etmedi. Demek ki durum oldukça ehemmiyetliydi. Sorun çıkarmadan kimliğini belli edecek olan tüm evrakları çıkarttı. Asker alışık olmadığı bir şekilde tereddüt etmeden ve çekinmeden uzun uzun inceledi. Yusuf Efendi'nin gözü elindeki mühürlü zarftaydı. Uzanıp, almak istedi.

- Artık şüphen kalmamıştır her halde?

Askerinse hiç acelesi yoktu.

- Kusura kalma, mülazımım ama başka tembihleri vardır miralayımın.

- Başka tembihler mi?

- "En küçük bir şüphen kalırsa teslim etmeyeceksin." dedi. Bana bazı sorular yazdırdı. Size sormamı emretti.

Yusuf Efendi neredeyse asker tekme tokat güverteye kadar sürükleyecek ka dar öfkelenmişti ama zorda olsa kendisini tuttu. "Miralay bu kadar önem ver-diğine ve sakındığına göre..." diye düşünürken asker kağıda yazılı soruları sıra-lamaya başladı.

- Ana adınız?

- Memleketiniz?

- Nasbınız?

- Miralayımın emrine giriş tarihiniz?

Yusuf Efendi hepini sıkılmadan cevapladı. Asker, her bir sorunun cevapla-rını elindeki kağıttan kontrol etti. Artık bitmiş olmalıydı ama o devam etti.

- Miralayım hangi çatışmada sol elinden yaralandı?

Yusuf Efendi sabrının son kertesine gelmişti. Yine de bütün ciddiyetiyle bu soruyu da cevapladı. Sonunda asker elindeki zarfı teslim edip, başka bir kağıda "zarfı, mührü açılmamış olarak teslim aldığına" dair bir ibare yazdırıp, mührü-nü bastırdı. Diğer eliyle koynundan çıkarttığı bir tabancayı Yusuf Efendi'ye uzattı.

- Neden, bu tabancayı veriyorsun bana?

- Miralayım göndermiştir. Ne yapacağınızı bildiğinizi söyledi. Artık yola ko-yulmalıyım.

- Otur, soluklan. Uzak yoldan geldin. Çok bir şeyimiz yok ama temiz su bu-labilirim senin için.

Ancak asker çoktan kamaradan çıkmıştı. Heyecanla zarfın mührünü söküp, açtı. Doğru dürüst bir başlık bile yoktu. Çok kısa ve sade yazılmış ama kesin ifadeler kullanılmıştı.

Evladım!

Temenni ederim ki görevlendirdiğim kurye gemiye ve sana yetişecektir. Görevin çok gizli ve ciddidir. Umarım neden burada cephede değil de orada olduğunu mesaj açıklayacaktır.

Daha önce hangi yolla seyahat edeceklerine tam olarak emin olamadığımız-dan arkadaşın Fikri'yi de Pire'ye yola çıkacak vapura yerleştirdik. Ancak bu va-purun seferi belirsiz bir süre durdurulduğundan artık aradığımız kişilerin senin bulunduğun vapurla seyahat edecekleri kesinleşmiştir. Şimdi en büyük umudu-muz sensin ve vazifen çok önemlidir. Arayacağın kişiler lüks kabinlerin birinde seyahat ediyorlar. İngiliz vatandaşı bir erkek ve bir Arap hatunu gözünden ka-çırmayacaksın. Kadın, Arap olasına rağmen batılı kadınlar gibi giyinmekte ve yüzü açıktır. Kalın kaşları, iri burnu ve sağ yanağının üzerindeki yara izinden onu mutlak tanırsın. Gemi idaresine adı Azizah olarak bildirilse de asıl ismi Tuba'dır. Bulmakta zorlanacağını zannetmiyorum. Yolculukları İstanbul'a kadar olmayıp, İskenderiye Limanı'nda inip, başka bir vapurla Triyeste şehrine, oradan da Paris üzerinden İngiltere'ye geçeceklerine dair bilgi gelmiştir.

Aman gözüm, aman evladım, aman aslanım!

Sakın ola ki İskenderiye'ye sağ salim varmalarına müsaade etme. Sakın ola ki görünüşe bakıp aldanma. O kadın mutlaka yok edilmelidir. Yoksa İskenderiye'de onları bekleyen İngiliz yetkililerle baş edemezsin. Denize açıldığınızda tüm tedbirlerini alıp araştırmanı yap. Baba yadigarım olan tabancam emrindedir. Fırsatını bulduğunda sakın aman verme. Kadının sağ olarak gemiden çıkması aklına gelemeyecek felaketlerin başlangıcıdır. Bunu bilip, ona göre davranasın.

Gazan mübarek olsun.

Miralay Ali Fevzi

Adeta şok olmuştu Yusuf Efendi. Bir kez daha okudu. Koca miralay resmen yalvarıyordu. Demek ki bu nedenle gemiye binmesi ve yaralıların İstanbul'a naklinde görev alması istenmişti. Boşuna kuruntu yapmış, gereksiz komplekse kapılmıştı. Kendisinden çok önemli, hatta, miralayı neredeyse yalvartacak denli ciddi bir vazifeyi başarmasını bekliyorlardı. Mutlaka öldürülüp, yok edilmesi, asla gemiden sağ salim inmemesi gereken ve başarısızlık halinde akla gelmeyecek felaketlerin sebebi olacak bir kadını öldürmek. Bu ne demekti? Anlamasının imkânı yoktu. Ama miralay, son derece hayati bir konu olmasa, bu kadar ısrarcı olmazdı. Mutlaka bilmediği ve çok önemli bir sebebi vardı. Posta erinin eline sıkıştırdığı tabancayı şöyle bir tarttı. Aynı anda geminin kalkışını haber veren düdüğü ve makine dairesinden düzenli bir şekilde yükselerek gelen sesleri duydu. Nihayet limandan ayrılmaktaydılar. Araştırmaya bir an önce başlamalıydı. Yan gözle hasta olan silah arkadaşına baktı. Titreme nöbetinin ardından gelen rahatlamayla biraz terlemiş, rahatlayıp soluksuz bir uykuya dalmıştı. Onu uyandırmamaya gayret etti. Hiçbir şeyden haberi yoktu ve kısa süre sonra tekrarlayacak olan yeni bir nöbete kadar hiç değilse biraz uyuyup güç toplamalıydı.

***

Kasım, dört nala sürdüğü kısrağından inip, körük gibi soluyan hayvanı evin önündeki tahta çite bağladıktan sonra etrafa şöylece bir göz gezdirip, süt kardeşi Mahmud'un evine girdi. Aslında bu derecede korkmasına erek yoktu. Zira Mahmud'un evi kendi aşiretlerinden çok uzaktaki bir köyün çıkışındaki kayalık yamaçlardaydı. Tedaviden sonra Kemal'i ona emanet etmişti. Araplar için süt kardeşlik çok önemli bir bağdı ve Mahmud'un sırlarını hayatı boyuna saklayıp, canı pahasına arkadaşını ve emanetini koruyacağından emindi. Kemal, zorlu bir tedaviden sonra büyük acılar çekse de zaman içerisinde iyileşmiş, kilo almış, yüzüne renk gelmişti. Şimdiyse başka türlü acılar çektiği gözlerindeki hüzünden belliydi. Sıla özlemi çekiyordu. Uzaklarda bırakmak zorunda kaldığı ülkesini, insanlarını, anasını, ailesini özlüyordu. Kasım'sa tepelerde şahit olduklarından sonra adeta robota dönmüş, köylerine nadiren gider olmuş, kendisini evlendirmek için ısrar eden babasına hiç ummadığı bir tepki göstermişti. Evlenip, çocuk sahibi olup, o mağaraya götürülüp, onlar gibi olmaya canı pahasına da olsa direnecekti. Vaktini süt kardeşinin yanında geçirip, ailesini çok az ve sadece gerektiğinde gördüğü halde onları hiç özlemiyordu. O günden beri baskınlara da katılmamış, her geçen gün aralarındaki yerini daha da sağlamlaştıran Lawrence'den uzak durmuştu. Zaten Kemal bayağı Arapça öğrenmiş, günlük işlerde yardımcı olmaya başlamış, kendilerinden pek de farkı kalmamıştı. Artık kimsenin ondan şüphelenmesine imkan yoktu. Tepelere yıllık yürüyüşü yapan yetişkin erkekleri takip edip, kilometrelerce uzaklıktaki kireç taşından doğal olarak oyulmuş dev mağaralarda ne yaptıklarını gördüğü günden beri çıldırmak üzeriydi ve hâlâ yatışamamıştı.

- Selamün Aleyküm.

- Aleyküm Selam Kasım. Kemal'le kaynağa su almaya gidiyoruz. Bize katılsana.

Kırbalarını Mahmud'un tek devesine yüklemişler, yola çıkmaya hazırdılar.

- Yorgunum, dinleneceğim. Sizi burada beklerim. Sen nasılsın Kemal?

- Sağ ol ya Kasım! Allah'a şükür.

Kasım daha dikkatli baktığında Kemal'in kırık kolunun diğerinden kısa kaldığını ama yine de her işi görebilecek halde olduğunu hissedip, rahatladı. Aslında kemik yanlış kaynamıştı ama ölmesinden daha iyiydi.

- Bir şeyler öğrenebildin mi? Yani durum nasıl?

Kemal'in aslında ne anlatmak istediğini biliyordu Kasım? Delikanlı artık ayrılmak, yoluna gitmek, en yakındaki Türk birliğine katılmak istiyordu. Kasım'sa onun biraz daha toparlanmasından yanaydı. Kemal, istese bir gece kimseye haber verip, izin bile almadan çekip gidebilirdi ama bunu kendisine olan minnettarlığından dolayı yapmadığından emindi Kasım. Ayrıca durum Türk tarafı için hiç de iç açıcı değildi. Geçen sürede savaş bazı küçük başarılar dışında sürekli

İngilizlerin lehine gelişiyordu. En yakın Türk birliğine ulaşmak için Şam yada Bağdat'a kadar sürecek uzun bir yolculuğun göze alınması gerekiyordu. Bu da arkadaşının her an İngilizlerin eline geçip, esir düşmesi tehlikesi demekti. Biraz oyalamak istedi.

- Ortalık biraz daha yatışsın derim. Neden bu acelen? Hem tam anlamıyla düzelmiş değilsin.

Kemal, biraz Arapça öğrenmiş olsa da her konuşmasını, özellikle hızlı dialogları anlamasına imkan yoktu. Mahmud, Kasım'ın cevabını tane tane tekrar etti Kemal'e. Delikanlının yüzü kararmış, bakışları gölgelenmişti. Süt kardeşi lafı değiştirmek gereği duydu.

- Bacın Tuba nasıl?

Tuba, Kasım'ın iki yaş küçük kız kardeşiydi. Üç yıldır evliydi ve ilk çocuğunu doğurduktan dört ay sonra bebeğini, yeniden hamile kaldıktan bir süre sonra da kocasını aşiretler arası bir çatışmada kaybetmişti. Bu talihsizlik kabilede, özellikle ailelerinde kıyamet kopmasına sebep olmuş, aklı eren herkes karalar bağlamıştı. Aşiret doğacak çocuğa çok önem veriyordu. Hele Kasım'ın babası Tuba'ya tek bir iş yaptırmayacak kadar ciddiydi ve dul kalmış, hamile kızının üzerine titriyordu. Zor ve çetin yaşam şartları, sağlıksız koşullar nedeniyle kabilede çocuk ölümleri, bitmek bilmeyen çatışmalar ve savaştan dolayı da yetişkin ölümleri hiç de yabana atılmayacak sıklıktaydı. Üstelik küçük çocuklara melek gözüyle bakılıp, ölmeleri halinde aile fertlerini cennet kapısında bekleyeceği şeklindeki inançlarından dolayı pek üzerinde durmazlardı Ama nedense bacısının gözünden bile sakındığı dört aylık oğlunun ateşlenip, iki günde göçmesi tüm kabileyi yasa boğmuştu. Demek ki babası, amcaları için o oğlan çocuğu cennetten de önemliydi. Aradan birkaç ay geçtiğinde Tuba'nın yeniden hamile kalması tüm kabileye moral olmuştu.

- İyi herhalde. Bir aydır görmedim ben de. Biliyorsun artık hiçbiriyle aram yok.

- Haberin olsun o zaman. Dün kaynakta sizin köyden çocukları gördüm. Bacın günler önce ortadan kaybolmuş.

- Kadın başına, hem de hamile olarak nereye gidebilir ki? Babam ve amcamlar ne yapmış, bulamamışlar mı?

- Çocukların birini konuşturdum. Baban ve bacın bir gece ellerinde birkaç parça eşyayla yola çıkmışlar. Bir hafta sonra baban yalnız olarak dönmüş ve hiç de üzgün görünmüyormuş. Ayrıca o günden beri ortalıkta para saçıyormuş.

Ne diyeceğini bilemiyordu Kasım. Mahmud'u tanımasa yalan söylediğine inanacaktı ama tepelerdeki mağaralarda babasının giydiği acayip kıyafeti, diğer kabile üyeleriyle birlikte yaptıklarını gördükten sonra şaşırmamıştı. Ancak hâlâ neyin peşinde olduklarını anlayabilmiş değildi.

***

Yusuf Efendi, hasta silah arkadaşına henüz gelen mesajı ve emri söylememişti. Biliyordu ki İzzet, öğrenirse ona yardımcı olmak için hasta haliyle ayağa kalkıp, silaha davranacaktı. Kamaralarını tespit edeli iki gün olmuştu. Ama yolculuğun başından beri ne erkek ne de kadın dışarıya çıkmadıklarından nasıl davranması gerektiği konusunda kararsızdı. Olaya başladığı an tereyağından kıl çekercesine bitirip, sıyrılması ve mutlaka başarılı olması şarttı. Yoksa açık denizde seyreden bir gemide ikinci bir şansı kalmadan tutuklanması içten bile değildi. Arkadaşına şüphesini çekmeyecek bir yalan söyleyerek durumu idare etmişti. Bu arada Cezayir kökenli kamarotla dostluğu ilerletmiş, aradıklarının kamara numarasını ve kadının yanındaki adamın adının Hamilton C. Lindberg olduğunu öğrenmişti. Şimdi sıra ortalıkta gözükmeyen bu iki kişiye ulaşabilmek için onları bir şekilde kamaradan çıkartmanın yolunu bulmaya geliyordu.

- Yusuf kardeş, beni birazcık güverteye çıkarabilir misin?

Arkadaşı uyanmıştı. Yüzü hâlâ sarıydı ve durumu pek iç açıcı değildi.

- Tabi ama rüzgar çarpmasın? Bak hâlâ toparlanamadın.

- İstirham edeceğim. Biliyorum başına dert oldum ama günlerdir bu kamarada çürüyüp, duruyorum. Biraz hava almak, denizi, gök yüzünü, güneşi görmek istiyorum.

Beş dakika sonra battaniyeye sardığı arkadaşıyla güvertedeydiler.

- Günaydın Yusuf Bey. Arkadaşınızı ayakta görmek ne güzel.

Aksansız bir Fransızca konuşan Cezayirli kamarottu. Elleri kirli yatak çarşaflarıyla doluydu. Anlaşılan kamaralardaki yatak takımlarını değiştiriyordu. Bu hizmet zaten birkaç tane olan lüks kamara için geçerliydi.

- İyi akşamlar Amir. İzzet Efendi artık kamarada pineklemekten sıkıldı. Belki de onu daha çok güvertede göreceğiz bundan sonra.

- İnşallah Yusuf Bey. Tanrı'nın izniyle neden olmasın. Çok genç. Bu savaş bittiğinde korkarım ki yeryüzünde fazla genç insan kalmayacak. Birkaç dakika dayanabilirseniz size ve arkadaşınıza sıcak kahve getirebilirim. Önce bu kirli örtüleri çamaşırhaneye götürmem gerek.

İçinde yaşadıkları şartlarda inanılmaz, adeta mucize gibi bir teklifti bu. Amir, güverteden ayrılırken belinden gelen şıngırtılı bir ses dikkatini çekti Yusuf Efendi'nin. Ardından belindeki kalın kemere bağlı anahtar destesini gördü. Tanrım! Daha önce neden düşünememişti. Amir, kamarot olarak tüm kamaraların anahtarlarına sahipti. Böylece hem temizliklerini, hem de yatak takımlarının değiştirilmesi gibi günlük görevlerini yapabiliyordu. Büyük ihtimalle lüks kamaralardaki yolcular, yemekte, güvertede ya da salonlarda dinlenirken işini görüyordu. Tabi aradığı kişilerin kaldığı 129 numaralı kamara hariç. Çünkü onlar hiç dışarı çıkmıyordu. Onlar çıkmıyorsa kendisi içeriye, yanlarına girmeliydi. Tek ve en pratik yol buydu.

- İşte kahveleriniz!

Amir, elinde büyük porselen fincanlarla iki kahve ve bir küçük teneke içerisindeki çikolatalarla karşılarındaydı. Savaş yokluğunda resmen bir şölendi bu.

- Mersi, Amir. Sana söz veriyorum, İstanbul'a vardığımızda sana Beyoğlu'nun en iyi pastanelerinden birinde ziyafet çekeceğim.

- Grand Rue De Pera ha! Yıllar önce bir kez Tokatlıyan Oteli'nde kalmıştım ama bu seferlik çekici teklifine uyamayacağım.

- Neden?

- Akşam sekize kadar İskenderiye'ye yanaşmış olacağız. Orada gemiden ayrılmam gerek.

- İstanbul'a kadar sürmeyecek mi görevin?

- İsterdim ama hayır. İki senedir ailemi görmedim. Yerime başka bir kamarot atanacak. Ben iki ay sonra döneceğim.

Demek, akşamdan önce görevini yerine getirmeliydi. Anahtarlar ve Amir. Büyük bir şansı elinden kaçırmak üzereydi. Kamarotun belindeki anahtarları ele geçirmek hiç de kolay değildi. Amir ve İzzet ufukta yavaşça batmakta olan güneşe dalmışken onun kafasından bin türlü düşünce geçiyor ve hiçbirini yeterli bulmuyordu.

***

Akşam, çölün üzerine inerken Kasım, Mahmud ve Kemal evin önündeki uyduruk çardağın altında oturmuşlar gökyüzünü kaplamakta olan yıldızları seyretmekteydiler. Hepsinin canı sıkkın, kafaları düşüncelerle doluydu.

Kemal, anasını, birlikte yola çıktığı, çoğu baskında öldürülen arkadaşlarını, savaşın ve memleketin halini düşünüyordu.

Kasım, son günlerde şahit olduğu inanılmaz olayları, akrabaları ve kabilesinin sakladığı akıl almaz sırrı düşünüyordu. Ama halen neden böyle davrandıklarını, neden yüz yıllardır kendilerini en küçük bir sızma olmaksızın sakladıklarını anlayabilmiş değildi. Teperden döndüklerindeyse değişen bir şey yoktu. Başta babası olmak üzere hepsi günlük ibadetlerine dönmüşler, camileri doldurup, namaz kılmaya, Kuran okumaya, yaklaşan Ramazan için hazırlık yapmaya başlamışlardı ve bu tavırları daha çok isyan edip, tiksinmesine sebep oluyordu.

- Anneme, bir mektup yazmayı düşünüyorum Kasım kardeş. Senin için bir mahzuru var mıdır?

Kemal, bir türlü cesaret edemediği kararını sonunda açıklamak gereği duymuştu. Kasım'ın cevabını dinlemeden devam etti:

- O baskında ölmüş olsam, bunu bilip, ona göre davranırlardı. Şimdiye çoktan anamın eline baskından sonra kaybolduğuma dair haber gitmiştir. Zavallı kadın meraktan çıldıracak hale gelmiştir. Belki de kaçtığıma dair laf çıkartmışlardır köyde.

- Nasıl istersen ya Kemal! Ben bir Müslüman evladının çölde akbabalara yem olmasına göz yumamazdım. Ne yazık ki sağ olarak bulabildiğim tek kişi sendin. Başkaları da yaşıyor olsaydı, onları da kurtarmaktan çekinmezdim. Burada istediğin kadar kalabilirsin. Başımızın üzerinde yerin var. Ama durumunda ortada. Köyüne mektup yazsan anamın eline nasıl ulaşır bu kadar karmaşanın arasında? En iyisi bir yolunu bulup ilk Türk birliğine ulaşmandır. Tabi, artık her yere girmiş İngilizlerin eline düşmeden bunu yapman gerekir. Kabul ettiğin yere kadar seninle gelip sana rehberlik yaparım.

- Kasım kardeş, ben bu geceden yola istiyorum. Daralmaktayım. Artık sabah oldu mu, akşam ne zaman olacak diye, akşam oldu mu sabah ne zaman olacak diye saatleri sayar oldum. Aklımı oynatmaya az kaldı.

Kasım'sa dalmış gitmişti. Artık bir ailesi, akrabaları ve kabilesi yoktu onun için. Bir süt kardeşi, bir de Kemal vardı. Kemal, bugün olmasa yarın ayrılacaktı ve hakkı vardı buna. Neticede kölesi değildi. Bacısı Tuba hayatında diğer kardeşlerinden çok daha önemli bir yer tutmuştu Kasım için. Ona karşı hep çekingenlik ve acımayla karışık acayip hisler duymuştu. Tuba'ysa kalabalık evlerinde sesi çıkmayan, sanki o eve sığıntı olarak gelmişçesine suskun ve tedirgindi. Aklına yine yığınla şey geldi. Tepeler, her yıl hiç aksatmadan dev mağaralara gizli ve uzun bir yolculuk yapan yetişkinler, herkesten saklanan korkunç gerçekler, mağarada gördüğü ve midesini bulandıran şeyler ve zavallı Tuba.

Neden çekip gitmiş, ailesini bırakmıştı? Nereye gitmişti? Babası geri döndüğüne göre kadın başına nereye gider, ne yapabilirdi? Babası neden bu kadar rahattı? Saçtığı paralar nereden gelmişti? Babası, kız evlatların çok da değerli olmadığı çöllerinde Tuba'nın gözünün içine bakar, onu hep farklı tutardı. Asla ağır iş gördürmezdi. Bacısıysa her zaman başka bir alemdeymişçesine hepsinden uzaktı. Kimseye kötülüğü görülmemişti ama uzaktı işte.

Evet, uzaktı. Sanki o ailenin bir ferdi değildi. Kemal'e cevap vermeden düşündü durdu. Sonunda kafasını kaldırdığında elinde olmadan içinden geçenleri yüksek sesle dile getirdiğinin farkında bile değildi.

Uzaktı, farklıydı. Özellikle evlendikten ve kocasının tohumları rahmine düştüğünden beri bizden birisi değildi. Babası, Tuba'nın kocasına ve onun ailesine gereğinden fazla değer verip, saygı gösterirdi. Tüm kabile de öyle davranırdı. Özellikle bu evlilik babasını resmen mest etmişti. Düğünden ve ilk hamileliğinden sonra Tuba çok değişmişti. Diğer kızlar, odalara, köşelere toplaşıp, konuşup gülüşür, fısıldaşırlarken o başını öne eğer düşünürdü. Kasım'a göre sonunda misafirliği bitmiş ve gitmesi gereken yere gitmişti. Ama neden ve nereye gittiğini bilemiyordu.

- Bir şey mi dedin Kasım?

- Yok, yok bir şey. Öylece çıktı ağzımdan. Hem haklısın, bu gece yola çıksak sabaha kadar bayağı yol almış oluruz.

- Bu gece mi çıksak dedin, birlikte mi gideceğiz?

- Öyle ya Kemal. Artık ne kabilem, ne anam, ne babam var. Tuba da gitmiş, sen de gidiyorsun. Belki yolunu bulup, memleketine varabilirsek anan beni de bir evladı olarak kabul eder. Ne dersin?

Kemal'in cevabı ayağa kalkıp, ona sarılmak ve "Sen benim için kardeşten de ilerisin. Anam seni, sen de ananı çok seveceksin. Allah kısmet eder de sağ salim ulaşabilirsek bir daha buraları hiç aramayacaksın." demek oldu. Kasım'sa artık yeni bir hayata başlamaya cesaret etmekten dolayı hoşnuttu. Ancak hâlâ Tuba'nın durduk yerde neden hayatlarından çıktığına anlam veremiyordu. Tepelerdeki mağaralarla mutlaka bir alakası vardı ama ne olduğunu bilmekten acizdi. Gök yüzüne baktı. Sadece dünyanın başka hiçbir yerinde olmayan muhteşem çöl akşamlarını ve yıldızları özleyecekti. Tekrar Kemal'e döndü:

- Ama gitmeden, yola çıkmadan önce çok önemli bir görevimiz var. Sana tüm kalbimle güveniyorum. Benimle gelir misin?

- Yoluna canım feda Kasım. Ne tür bir görev? Nereye gideceğiz?

- Tepelere, babam ve yetişkinlerin gizlice gittikleri mağaralara. Oradan almamız gereken bir şey var.

- Anladığım kadarıyla çok önemli bir şey.

- Bilemiyorum. Tek bildiğim, onlar için çok ama çok önemli olduğudur. Saklandığım yerden babamı o acayip giysiler içerisinde gördüğüm an zaten donmuş kalmıştım. Kendilerini çok akıllı zannediyorlar ama ben o mağaraların diğer girişlerini, kestirmelerini, labirentten farksız olan geçişlerini çocukluğumdan beri avucumun içi gibi biliyorum. Bir yarasa bile o karanlık koridorlarda benim kadar rahat hareket edemez. Hiç sezdirmeden saatlerce izledim hepsini. Ardından büyük bir törenle almamızı istediğim şeyi ortaya getirdiklerinde ne yapmam gerektiğine karar vermiştim. Önünde diz çöküp ağladıkları, o derece büyük önem verdikleri, adeta taptıkları şeyi alıp, sonsuza dek yok etmek ve onları bir daha görmemek üzere canları kadar değer verdikleri hazinelerinden mahrum etmek istiyorum. Benim için hiç anlamı yok. En azından akıttıkları Müslüman kanına karşılık, bunu fazlasıyla hak ettiler ve karşılığını fazlasıyla alacaklar.

***

Yusuf Efendi, akşam serinliğinde güverteden geçip lüks kamaraların olduğu koridora doğru ilerlerken uzaktan görünmeye başlayan İskenderiye Limanı'nın ışıkları yüzünden bir an kalbinin yerinden çıkacakmışçasına attığını hissetti. Vakit azalıyordu. Adımlarını sıklaştırdı ama telaşı zarar getirmiş, ıslak güvertede bilemediği bir şeye takılıp boylu boyunca yere serilmesine ve canının yanmasına sebep olmuştu. "Saçmalama Yusuf. Kendine gel. Gazze'de yedi düvelden topladıkları askerlerle üzerimize saldıran İngilizlerle savaşırken bile bu kadar heyecanlanmamıştın. Ne oldu sana?" diye kendisine telkin verdi. Tabancasını bir kez daha yoklayıp, üzerine çeki düzen verip, koridora daldı. Son kararından oldukça memnundu ve veda etmek amacıyla kamarasına girdiği Amir'i silah tehdidiyle bağlayıp, ağzını kapattıktan sonra kamaranın anahtarını almıştı. Çıkarken de kendisine korkudan neredeyse fal taşı gibi gözlerle bakan Amir'e "Kusura bakma. Bunu seni iyiliğin için yapıyorum." diyerek veda etmişti. Böylece kamaranın anahtarını silah tehdidiyle vermek zorunda kalan, elleri, ağzı bağlanıp etkisiz hale getirilen iyi yürekli Cezayirli kamarot suçlanamayacaktı. Ya kendisi? Bunu hiç düşünmedi. Bir görev verilmişti ve sonuçlarına katlanarak yerine getirmesini bilecek sorumluluktaydı. Loş koridora o bilinçle dalıp, birkaç seri adımda kamaranın önündeydi artık. Anahtarı çıkartıp, deliğe sokmadan önce son bir kez silahını yokladı. Anahtarı çevirmesiyle içeri dalması bir oldu.

- Kıpırdamayın...

Fransızca konuşmuştu. Kamara sanki hiç kullanılmamış gibi temiz ve tertip-
liydi. Uzun boylu İngiliz'in, oturduğu koltuktan ummadığı bir çeviklikle doğrul-
masıyla, masanın üzerindeki antika pirinç abajuru üzerine fırlatması bir oldu.
Yusuf Efendi, sağ kaşına inen darbeyle gözünde çakan şimşeklere aldırmadan
silahına davrandı. Saniyeler geçmeden kamarada yankılanan iki el silah sesiyle
göğsünden kanlar fışkıran adam, masayı yana devirip, olduğu yere yığıldı. Asıl
önemli olan kadındı. Silahını ona doğru çevirdi. Kadınsa, gözlerini ona dikip,
gıkını bile çıkartmadan iki elini göğsünde kavuşturdu. İşte an kadının hamile
olduğunu gördü. Şaşırmıştı. Mesajda bundan bahsedilmiyordu. Yusuf Efendi,
genç yaşında kendisini cephelerde bulmuş, sayısız çatışmaya girmiş, sayısız düş-
man askeri öldürmüştü. Ama silahsız ve hamile bir kadını öldürmek çok başka
bir şeydi. O ne yapacağını şaşırmışken, kadın bu sefer boynunu büktü. Arapça
"Bana ve çocuğuma acı" gibisine bir şeyler söyledi. Sürekli birtakım dualar mı-
rıldanıyordu. Yusuf Efendi, baştan hiç düşünmediği kadar afallamıştı. Kadın da
daha da hızlanarak dualar mırıldanıyordu. Delikanlının silah tutan eli yanına
düştü. Kadının karnında sanki belli belirsiz bir hareket görmüştü. Ablası Bih-
ter'in hamileliğinin son günlerini ve oğlu Reşat'ın o günlerde içeriden attığı
tekmeler aklına geldi. İkisini de üç yıldan beri hiç görmemişti. Daha doğma-
mış bir çocuğun ana rahmindeki yaşamı namlusun ucundaydı. Ama bu merha-
met duygusu ona çok pahalıya patladı. Halini görüp, durumunu anlayan kadın
saniyeden kısa bir sürede bol eteğinin altından çıkarttığı küçük bir tabancanın
tüm kurşunlarını genç adamın üzerine boşaltırken gözlerinde en küçük bir
merhamet ve biraz önceki zavallı halinden eser yoktu. Çok geçmeden silah ses-
lerini duyup, kamaraya dalan gemi görevlileri, yerde yatan iki erkek ve elbisele-
ri yırtılmış zavallı hamile bir kadın buldular. Kadın, büyük bir şok yaşıyordu ve
ağlama krizi geçiriyordu. Görevlilere, bir anda kapıyı açıp içeri giren yabancı
bir adamın önce eşine ateş ettiğini, ardından kendisine tecavüz etmek için üze-
rine saldırıp, elbiselerini parçaladığını, son anda kocasının yatağın altında sak-
ladığı tabancaya sarılıp, can havliyle saldırganı vurup, namusunu ve karnındaki
çocuğu kurtardığını söyledikten sonra bayıldı. Rolünü öylesine güzel yapıyor-
du ki zaten çok uygun olan dekordan sonra kimsenin en küçük bir şüphe du-
ymasına imkan kalmamıştı. Elleri, kolları, ağzı bağlanmış vaziyette bulunan ka-
marotsa kadının söylediklerini doğrulayan bir başka nedendi. Zavallı Cezayirli,
Yusuf Efendi'nin hiç de zavallı, hamile bir kadına iğrenç şekilde saldıracak ka-
rakterde olmadığını boşuna anlatmaya çalıştı ama dinleyen olmadı.

Kaptan ve yanındaki görevliler yarım saat sonra ateşler içinde yanan İzzet Efendi'nin başındaydılar. Hasta genç, duyduklarına inanamıyor, kendisini suç ortağı olarak gösterenlere tüm kalbiyle ve hasta bünyesinin elverdiği ölçüde karşı koyup, dert anlatmaya çalışıyordu. Ama karşısındakilerin onu dinlemeye hiç niyeti yoktu. Açıkça aşağılayıp, itip kakarak İzzet'i olayın geçtiği kamaraya sürüklediler. Arkadaşı yerde kımıldamandan yatıyordu ve göğsünden aldığı yaralarla ölmek üzere olduğu belliydi. Yabancı adamsa yaralıydı ama durumu ölümcül değildi. Onu kurtarmak amacıyla kamaradan çıkartırken bazı görevliler zaten hasta olan İzzet'e tekme, yumruk girişip, hırslarını ondan almaya başladılar. Kimse önlemeye çalışmamıştı. Delikanlı, yaralı arkadaşının yanına kan, revan içerisinde kamaraya atılıp, İskenderiye de İngiliz görevlilere teslim edilmek amacıyla kapı üzerinden kilitlenip ayaklarından sağlam bir yere zincirle bağlandı. Kapıya nöbetçi koymayı da ihmal etmemişlerdi.

- Yusuf, kardeşim. Ne oldu? Kendine gel. Nasıl kıydılar sana?

Yaralı arkadaşından sadece boğuk bir hırıltı geldi. Ardından hıçkırmaya başladı. Göğsünden akan kan kamaranın tabanında yayılıyordu. Yalnızca sola doğru büyük bir zorlukla dönmeye çalıştı, arkadaşına son kez baktı. Gözlerinin feri her geçen dakika sönmekte ve yüzü sarıdan, beyaza doğru hızla renk değiştirmekteydi.

- İnanma, onlara inanma, olmadı, başaramadım.

Son sözleri bu oldu. Ardından elini cebine sokup, bir kağıdı çıkartmaya çalıştı. Ama ömrü yetmemişti. Son nefesini verirken arkadaşı hıçkırıklar arasında bağlı olduğu yerden kağıdı alabilmek için uzandı. Mesafe Yusuf'un cebinden sarkan kağıda ancak parmaklarıyla dokunabileceği kadardı. Ancak yerde tepinerek de olsa sonunda cebinden çıkartıp yere düşürmeyi, oradan da alıp cebine koyabilmeyi başarabildi.

Saatler sonra limana vardıklarında İzzet Efendi, elleri kelepçelenerek İngiliz askerlerince sorgulamaya götürülürken, tüm yolcuların acıyan bakışları arasında sahile çıkan hamile kadın, ifadesinin dahi alınmasına gerek görülmeden kendisini karşılayan iki görevliyle bilinmeyen bir yolculuğa doğu yol alıyordu. O esnada yanından geçen ve Yusuf Efendi'nin cesedini taşıyan sedyeye bakmamıştı bile.

İzzet'se yaşadığı korkunç şoku ve aşağılanmaları atlatamadan İngiliz komiserliğinde günler süren acımasız bir sorgulamaya tutuldu. Sonunda Yusuf Efendi'yle kamara ve silah arkadaşı olmaktan öteye başka hiçbir bilgisi ve malumatı

olmadığına karar verilip, önce hastaneye, ardından İngilizlerin Kahire yakınla-
rından kurduğu esir kampına gönderildi. Serbest bırakılıp, yeniden vatanına
dönebilmesi 1918 yılının soğuk bir aralık günü ancak gerçekleşebildi. Aradan
geçen sürede itilaf devletlerinin çok ağır şartlar öne sürdüğü Mondros Müta-
rekesi imzalanmış, Osmanlı ordusu terhis edilmiş, limanlar ve demiryolları İti-
laf devletleri subaylarının denetimine verilmiş, en kötüsü İstanbul işgal edil-
mişti. Boğaz'da demirlemiş işgal kuvvetlerine ait savaş gemileri, gri renkleri,
dev cüsseleriyle adeta her zaman oradaymışlar edası ve şehre dönük tehditkar
top namlularıyla karşıladılar gelenleri. Hiçbir şey bıraktıkları gibi değildi artık.
Kendisi gibi esir kamplarından dönen pek çok Türk askeriyle birlikte vapurdan
inerken görevini yapamadığına ve diğer pek çok arkadaşı gibi şehit olmayıp,
düşmanın eline geçtiğine dair karanlık düşüncelere saplandığından başını kal-
dırıp, limandaki kalabalık karşılayıcılara bakamadı bile. Yığınla çaresiz kadın,
erkek gemiden her çıkan askerin etrafını çevirip, savaştan dönemeyen, evlatla-
rının isimlerini, birliklerini haykırıp, resimlerini göstererek onları tanıyıp tanı-
madıklarını sorup, akıbetlerini öğrenmek için yürek burkan bir çaba sergiliyor-
lardı. Yanında ayakta durmakta zorlanan yaşlı bir kadınla, sahile her inene yal-
vararak, arkadaşı Yusuf Efendi'nin resmini gösteren genç bir kıza içi sızlayarak
baktı. Genç kızsa bu bakışından ümitlenerek heves ve heyecanla yanına yaklaştı.

- Allah Rızası için yardım ediniz. Ağabeyim Yusuf'u arıyorum. Lütfen şu res-
me dikkatlice bakınız. Hiç tanıştınız mı? Akıbeti hakkında malumatınız var mı?
Ne olur, rica ederim.

Fotoğrafa bir kez daha baktı. Gemide öldürülen arkadaşı olduğundan emin-
di ama kızcağıza ne diyeceğini bilemiyordu. Sonunda yalvarırcasına bakan kıza
döndü:

"Başınız sağ olsun bacım. Ağabeyinizi çok yakından tanıdım. Şerefli bir as-
ker, onurlu bir insandı ve vatanı için kahramanca şehit oldu." dedikten sonra
adeta olduğu yerde donup kalan genç kızı ve inleyerek yere yığılan yaşlı kadını
geride bırakarak yoluna devam etti. Yıllar önce gemide meydana gelen olayı,
arkadaşının neden o kamaraya girdiğini, o kadının yanında ne aradığını bir türlü
çözememiş ama Yusuf hakkında söylenen hiçbir şeye asla inanmamış ve inan-
mıyordu. Delikanlı bilmediği, anlamadığı iğrenç bir oyunun kurbanı olmuştu.
Şimdi genç kıza söylediklerinden dolayı çok mutluydu.

Sahile çıktıklarında gördükleri çok daha moral bozucuydu. Her yan işgal
güçlerine ait subaylar ve İngilizlerin Afrika ülkelerinden getirdiği kara derili as-
kerlerle kaynıyordu. Yanlarına azınlıklardan oluşan tercümanlar ve Türk kolluk

kuvvetleri de verilmişti. Son derecede aşağılandığını hissettiği işlemlerden sonra kendisini dışarı attığında ağlayacak haldeydi. Ümitle bekleşen insanların arasından yıldırım gibi geçip, köprüye vardığında gerçekten de artık hiçbir şeyin bıraktıkları gibi olmadığını içi sızlayarak daha iyi anladı. Zira bir sürü yabancı asker mangalar halinde ve son derece mağrur vaziyete devriye geziyorlardı. Görmemeye, bakmamaya çalıştı ama şapkasını fiyakayla geriye itip, yoldan çekinerek geçen bir kadına önce peçesini açması ve yüzünü göstermesi için yılışık işaretler yapıp, ardından kendisini dinlemeyerek hızla geçmeye çalışan kadının üzerine elindeki muzun kabuklarını atan Fransız askerini görmezden gelemedi. Saniyeler içerisinde ağzı kulaklarına varan işgalci askerin yakasına yapışmıştı. Sonunun neye varacağı umurunda bile değildi. Neyse ki etraftan yetişip, askerin tavırlarını başlarındaki Fransız subaya anlatan birkaç cesur insan sayesinde olay büyümeden önlendi. Hırsını alamamanın verdiği öfkeyle neredeyse çıldıracak haldeydi.

- Peygamber emaneti toprakları İngilizlere teslim ettiniz, şimdi burada efelik mi taslıyorsunuz? Çok geç kalmadınız mı aslanım?

Kulaklarına inanamıyordu bunları söyleyebilen bir Türk'tü. Hayatı boyunca ne millet, ne memleket için hiçbir şey yapmadığı, kendisinden başka kimseyi düşünmediği, bir kez bile cepheye gitmediği her halinden, özelikle bakışlarındaki ukalalıktan belli oluyordu. Az önce düşman askerleriyle cebelleşirken köprünün korkuluklarına dayanmış, kılını bile kıpırdatmadığı gibi keyifle seyretmişti. O adamı parçalamak, tuttuğu gibi Haliç'in sularına fırlatmak istiyordu ama yabancı askerler ancak birkaç metre gerideydiler. Önceki hadiseden sonra, bir de bu herife bulaşırsa başının ilk günden belaya gireceğini hissediyordu. Halbuki "Aşağılık işbirlikçi, hain" diye suratına tükürmek için can atıyordu. İstemeden de olsa yoluna devam etmesi gerekiyordu. Ama birden hiç ummadığı bir şey oldu. Kalabalığın arasından fırlayan yapılı birisi yaptığı ukalalıkla adeta kendisiyle gurur duymakta olan adamın suratına okkalı bir tokat patlattı ve herif ne olduğunu anlayamayıp, patlamış dudaklarıyla şaşkın vaziyette dikilirken, koşup, İzzet'in kolundan tuttu ve "Yürü, çabuk!" dedikten sonra birlikte Eminönü tarafına doğru koşmaya başladılar. İzzet'in resmen içi soğumuştu. Yan gözle sağ tarafında koşmakta olan adama baktı. Otuz yaşlarında güçlü, kuvvetli, temiz yüzlü birisiydi ve daha önce, özellikle gemide gördüğünden emindi. Aynı anda ayağının hafifçe aksadığına dikkat etti.

Tekrar durduklarında Sarayburnu'nu geçip, kendilerini yıkık surların arasındaki küçük bir çimenliğe atmışlardı. Peşlerinden kimsenin gelmediğini görünce daha da rahatlayıp, çimenlere boyu boyunca uzandılar.

- Sağ olasın arkadaşım. O şerefsiz tokadı fazlasıyla hak etmişti. Eğer sen olmasaydın hırsımdan kudururdum.

- Ehemmiyeti yok. Arap çöllerinde böyle herifler ahkam kessinler diye kan dökmedik. Ama olmadı işte. Kısmet, vatana bu halde dönmekmiş.

- Adım İzzet. Sen de gemideydin değil mi?

- Evet. Adım Rüstem. Çavuştum.

- Hangi cephede savaştın?

- Önce Irak cephesinde, sonra Filistin'e geçti birliğimiz. Birinci ve ikinci kanal harekatında oradaydım. Yazık oldu. İngilizler, Ariş'i ele geçirdiğinde Gazze, -Şeria-Birüsseba hattına çekilen birliklerdeydim. Her iki harekatta da İngilizler bizden bu derecesine ciddi bir atak beklemiyorlardı. Biraz daha dayanabilseydik, birlikler arasındaki sevk, idare bu kadar çabuk kopmasaydı inan ki savaşın kaderi baştan değişirdi. Sonuç çok farklı olurdu. Bazı yerleri neredeyse kendi elimize teslim ettik. Neyse sonunda trenle Medine'ye intikal ederken baskına uğradık. Arkadaşlarımızın hemen hepsi öldü. Ben akşam karanlığı bastığında yaralı olarak kurtulup, baskından sonra zor bela yakındaki bir bedevi köyüne dek gidebildim. Yanıma başka bir yaralı arkadaşımı da almıştım. Saatlerce sırtımda taşıdım ama köye vardıktan kısa süre sonra vefat etti. Neyse ki, köy halkı hâlâ Osmanlı'ya ve Müslümanlığımıza saygılıydılar. Bizi ele vermediler. Ama sonunda yine İngilizlerin eline düşmekten kurtulamadım.

O arada yaralanma lafını duyan Yusuf, ister istemez İzzet Çavuş'un hafifçe aksayan ayağına baktı. Çavuş, fark etmişti.

- Ayağımdaki sorun savaştan dolayı değildir. Çok daha başka bir hikaye. Neyse kafanı ağrıttım. Ya siz, neler geldi başınıza? Görüyorum ki, ikimiz de sonunda İngilizlere esir olmaktan kurtulamamışız.

- Aslında pek uzak değilmişiz bir birimize Gazze savunmasında görevliydim. İngilizleri iyi tokatlamış, hiç ummadıkları bir direniş göstermiştik. Ama Mekke Şerifi Hüseyin, İngilizlere kendisini satıp, Mekke'de isyan çıkartınca hem sizin, hem bizim işimiz bitti. Ordu, en iyi birlikleri isyanı bastırmaya göndermek zorunda kaldı. Aslında keşke en baştan Alman zabitlerin değil de Mustafa Kemal'in sözleri dinlenseydi. Belki yine de baş edemezdik ama sonuç asla bu kadar kötü olmazdı. Tabi kimsenin benim gibi genç bir mülâzım-ı sâninin fikirlerini dinlemeye niyeti yoktu.

Rütbesini duyan Rüstem, hemen toparlanmaya girişti.

- Rahat ol arkadaşım. Artık harp bitti, ordu dağıtıldı, memleket elden gitti.

- Komutanım, bakıyorum siz çoktan teslim bayrağını çekmişsiniz.

İzzet, asla böyle düşünmüyordu ve Rüstem'in sitemine bozulmuştu.

- Nasıl biri olduğumu en yakından sen gördün. Yapılabilecek bir şey varsa saniye bile düşünmeden koşarım.

- O halde aramızdaki resmiyeti kaldıralım. Sen de beni gördün. Çok kısa bir süre oldu tanışalı ama az da olsa hakkımda bir intiba oluşmuştur kafanda.

- Mert, cesur ve gözünü budaktan savunmayan bir delikanlısın.

- Sen de öyle. O terbiyesiz Fransız'ı iyi benzettin. O halde vakit kaybetmeyelim yapılacak çok şey var.

- Gerçekten.

- Evet ama önce kalacak yerin var mı? Onu söyle.

- Yok, bir hemşehrimin adresi var aklımda. Onu bulup, bir süre dinleneceğim.

- Kimseyi bulma. Bizim fakirhaneye gidelim. Anam hâlâ sağ. Çok sevinecektir. Karnımızı doyuralım, yıkanıp paklanalım, savaşın ve esaretin yorgunluğunu atalım. Sonra...

- Sonra Rüstem arkadaş?

- Sonra doğru Anadolu. Eli silah tutan, bu hayasız işgali onurlarına yediremeyen arkadaşlarımız birer birer Anadolu'ya kaçıp kurulmakta olan Kuva-i Milliye ordusuna katılıyorlar. Düşmanı topraklarımızdan kovana dek savaşmaya kararlılar.

- Bir saniye bile düşünmeden seninle gelirim Rüstem arkadaş. Hem de rütbesiz bir nefer olarak savaşmaktan çekinmem.

- Seana da bu yakışırdı İzzet arkadaş.

- Ancak senden bir isteğim vardır.

- Buyur.

- Eğer savaşı kazanır ve sağ olarak dönebilirsek beynimi kemiren bir konuyu çözmek için bana yardımcı olmanı istirham edeceğim. Benim için çok önemlidir ve senden daha sağlam bir yoldaş bulacağımı sanmam. Katledilen bir silah arkadaşımızın onurunu kurtarıp, ruhunun huzura ermesini sağlamakla görevlendirdim kendimi.

- İstediğin zaman, hiç düşünmeden istediğin yere geleceğim.

İki delikanlı el sıkışıp, bir birlerine sarıldılar. Artık birlikte gidecekleri çok uzun bir yol vardı önlerinde.

***

2003, Kilyos Sahili, Kum Ocakları

- Metin geldi mi Ekrem?

- Az önce geldi patron. Sahile gönderdim. Akşama kadar dolması gereken dört tane kum kosteri var. Şimdiden fazlasıyla geciktik. Üstelik hava patladı, patlayacak. Baksana martılar, karabataklar çıldırmış gibi alçaktan uçmaya başladılar. Hava sertleşip, poyraza dönerse işi paydos etmekten başka çare kalmaz. Zaten gemiler de demirde duramazlar, çekip giderler.

- O hayvanın babasının iş yeri mi burası? Saat onda işe geliyor. Ohh, ne ala. Hani iş makinelerinin parçalarını tedarik edip, kaç aydır yatıp, duran iki makineyi devreye sokacaktı?

- Patron be, sen daha çok beklersin.

- Buradaki herkes eşek gibi çalışmak zorunda.

- Galiba senin efeliğin sadece bize söküyor. Arkadaşının oğlu diye bugüne dek o hergeleye gıkını çıkartmadın.

- Ne yapayım? Vefa borcum olan bir ağabeyimdir. Kıramadım. Ama bu yan gelip, yatmasına sebep değil. Çağır şunu bana.

- Şimdi ben onu nereden bulayım patron? Ben sana gençlerle bu işler olmaz demiştim. Adamın gözü makinelerde değil, aklı fikri acayip, şeylerde. Şimdi de kulaklık takmış, zıpçıktı müzikler dinleyip sahilde dolaşıyordur. Geçen günü hem dolaşıp, hem de dans ediyordu. Dans dediysem bir tarafı yanmış gibi zıplıyordu. Tımarhanecinin gözü kör olsun. Sayende bu yaşımızda deli bakıcısı olduk. Haaa, bir de durmadan kitap okuyor. Komünist midir nedir?

Patronun karşısındaki orta yaşlı adam, fırsatını bulmuşken delikanlı hakkında elinden geldiğince atıp tutup ateşe benzinle gitmekten çekinmiyordu. Çünkü diğer çalışanlara hiç benzemeyen bu çocuk resmen onca yıllık tahtını sallamaya başlamıştı. Bir kere diğer gariban işçiler gibi ona yalakalık yapmıyor, onlar gibi arada bir yerini sağlamlaştırmak için cebine Marlboro sigarası koymuyor; en kötüsü, mesai bitimlerinde toplandıkları barakada onu mutlu etmek için okey oyununa katılıp, gözüne girmek için mahsustan kaybedip, hafta sonu kebap ısmarlamıyordu. Makinelerle ilgili söyledikleri de yalandı. Delikanlı işinin ehli ve çalışkandı. Buysa ondan nefret etmesinin en büyük sebebiydi. Fesat beyniyle yerini alacağından korkuyordu. Bugüne dek makine parkını o idare etmiş, babadan görme yöntemler ve ustalarından öğrendiklerine bol miktarda satış ve gösteri ekleyerek şimdiki makamına gelmişti. Metotları basit, şaşmaz ve adiceydi.

Ama kendisi kadar bile yeteneği olmayan diğer teknisyenlerle başa çıkmasına yetmişti. En geçerli yolları; ocaktan ayrılırken bir iş makinesinin elektrik kablosunu, mekanik bir bağlantıyı yada başka bir parçayı sezemeyecekleri bir şekilde yerinden sökmek gibi Ali Cengiz oyunlarıydı. Böylece olmadığı zamanlarda şantiyeyi felç etmek, geride kalanları ümitsizce tırmalatmak, patrona saçlarını yoldurmak, döndüğündeyse yediği haltı düzeltip kahraman olup, "Bu ocak Ekrem'siz yürümez." dedirtmekti. Metin gelene dek işi rast gitmişi. Ama.Metin kül yutmuyordu. Meslek yüksek okulunu bitirmiş, mekanik, elektrik ve elektronikten anlayan cıva gibi bir delikanlıydı. Ayrıca kendisinin adam sıfatına bile koymadığı, gurbetten kopup, gelmiş genç işçilere fazlasıyla değer verip, onların kendilerini bir halt zannetmelerine sebep oluyordu. Hele son zamanlarda haktan, hukuktan, emekten, yeni iş kanunlarının sağladığı imkanlardan, işçi sağlığıyla ilgili maddelerden bahsetmesi, şehirde de üye olduğu kütüphaneden aldığı kitapları akşamları barakada inekler gibi okuyup, ardından cahil arkadaşlarına vermesi iyice sinirlerini bozuyordu. Böyle giderse yakında diğerlerini de kendisine benzetecekti.

- Patron, ayrıca bu herif her akşam banyo yapıp tıraş oluyor, karı gibi parfümler sürüyor. Lubinya falan olmasın?

- O da ne demek yahu?

- Şey, homo işte anlasana patron.

- Hadi canım sen de abarttın. Git şunu çağır bana.

Metin, sahile vuran dalgalara karşı dikilmiş, mesai arkadaşlarından Sivaslı Celal'le konuşuyordu. Hayatı boyunca meraklı bir insan olmuş, her şeyi öğrenmek istemiş, araştırmıştı. Buna karşılık ezberci eğitim sisteminin kurbanı olarak çok istediği halde üniversiteye girememişti. Zaten kazansa da babasının maddi durumu buna yeterli değildi. Annesinin ölümünden sonra tek tesellisi ve oyalanma kaynağı olan işini bırakmış, her geçen gün daha da kabuğuna çekilmeye başlayıp, adeta hayattan kopmuştu. Yaşamla tek bağlantısıysa gittikçe artarak boşalttığı rakı şişeleriydi. Metin'se kararlıydı. Orta okulda, lisede girdiği yarışmalarda birçok icadı ödül almış, hazırladığı projelerinden bazı mahalli gazetelerde bile övgüyle bahsedilmişti. Ama hepsi bu kadardı.

- Metin, ne yapacağımı bilemiyorum. B... yedim ben.

- Celal, bir saattir kıvranacağına derdini anlatsana.

- Senden başkasına açılamazdım. Bu ocakta güvenebileceğim tek insan, tek delikanlı sensin.

- Uzatma da anlat.

- Utanıyorum.

- Patlayacağım artık. Neden utanacakmışsın?

- Geçen cuma haftalıklarımızı almıştık ya.

- Evet.

- İşte o akşam hemşehrilerimi ziyaret ettim. Epeydir görmemiştim. Muhabbet ilerledi. Memleketi düşünüp, biraz içtik. Sonunda azdık tabi ki. Soluğu Beyoğlu'nun arka sokaklarında aldık. Bizim Yasin'in bildiği bir ev varmış. Şansıma yabancı uyruklu bir kadın düştü. O kafayla hiç düşünmedim. Ama iki gün sonra...

- Ne oldu iki gün sonra?

- Halden düştüm. Sararmaya başladım. Utanıyorum, anlasana.

- Hastalık mı kaptın?

Delikanlı başını önüne eğmişti. Çok sıkıldığı belliydi.

- Lanet olsun ki onlara uyup boynumdan büyük işlere girdim. Hem galiba o kafayla kadın cebimdeki tüm paramı aşırmış. Hiçbir şey fark etmedim. İş açtım başıma.

- Yahu neden bu kadar karanlık senaryolar yazıyorsun? İnsanlık hali bu. Hepimizin başına gelebilirdi.

- Sağ ol. Başkalarına anlatsam benimle dalga geçerlerdi.

- Bir an önce patrondan izin alıp doktora gidelim. Şimdi bu hastalıklarla kolay başa çıkılıyor.

- Ben utanırım.

- Saçmalama. Zaman kaybedersek hastalığın ilerler. Sonra ne yapılsa fayda etmez. Beynine kadar yayılır.

- Şeyy, gittik diyelim. Hiç param yok ki. O gece çok pahalıya mal oldu bana.

- Olur böyle şeyler. Ben yardımcı olurum.

- Çok iyisin Metin. Kardeş gibisin. Kimseye anlatmayacağını bildiğim için sana açıldım. İlk haftalığımda öderim borcumu Doktor kızmaz değil mi?

- Saçmalama, haydi gidip patrondan izin alalım.

Ama buna fırsat kalmadı. Kumsalda Ekrem'in tiz sesi çınlamaya başlamıştı.

- Metinnnn, ulan zibidi, ne cehennemdesinnnn, patron seni emrediyor!

- Cevap verme şuna Metin. Sana yaptıkları yüzünden bir gün ayağımın altına alacağım şerefsizi.

- Boş ver. O, kendi zavallılığını sergiliyor. Hem patronla zaten konuşacaktım.

Yol kenarında iştahlı bir merakla bekleyen Ekrem'i görmezden gelerek patronun fiberglastan yapılma ofisine koştu. Ekrem'se bu tutumuna iyice bozulmuştu.

- Beni istemişsiniz Adem Bey.

- Neredesin sen? Neden geç kaldın işe bu sabah?

Metin şaşırdı. Hiçbir sabah işe geç kalmamıştı. Ama az önce patronun nasıl zehirlendiğini anlaması zor değildi.

- Adem Bey, ben ne bu sabah, ne de başka bir sabah işe geç kalmadım.

- Kimi kandırıyordun sen? Bak babanın hatırı için aldım seni buraya ama dalga geçeceksen kimseyi dinlemez kapının önüne korum seni.

Bu konuşmalara alışık değildi Metin ama sonuna dek sabretmeye karar verdi.

- Efendim beni kovmakta serbestsiniz ama hikayeyi benim tarafımdan da dinlemenizi isterdim. Bana inanmıyorsanız posta başı Halil ustaya sorun. Hiçbir gün geç kalmadığıma o şahittir.

Patron, delikanlının bu kadar emin konuşmasından dolayı duraksamıştı. Halil, kimse için kendisine yalan söyleyecek yapıda birisi değildi.

- Soracağım merak etme. Peki ya iş makinelerinin hali ne? Seni teknisyensin diye, bu işin okulunu bitirdiğin için aldık ama kum ocağı sayende makine mezarlığına dönmüş. Neden hâlâ arızalı olanları onarmadın? Malzeme mi yok?

Anlamıştı. Dinozor Ekrem bu sabah tüm marifetlerini sergilemişti. Ama hazırlıklıydı.

- Efendim, şu an arızalı veya malzeme bekleyen hiçbir iş makinesi yok. Bunu da Halil ustaya sorabilirsiniz. Hepsi faal.

- Ekrem usta malzeme alman gerektiğini ama bir türlü İstanbul'a gidip almadığını söyledi.

- Hiçbir malzemeye gerek yoktu efendim.

- Yok muydu?

- Zira hepsi aslında sağlamdılar.

- Nasıl? Ekrem ..... dedi ki.

- Makinelerin birinin güç panelindeki rölenin kontaklarına çok zor görülebilecek şekilde şeffaf bant yapıştırılmıştı. Palete voltaj sağlaya kabloysa açık devre olan başka birisiyle değiştirilmişti. Sizce bu çirkinlikleri kim yapabilir? Açıkçası ben de bu saçmalıklardan bunaldım. İstediğiniz an istifa edebilirim.

Ancak daha önce bu akşam Celal arkadaşla İstanbul'a inmek için birkaç saat erken çıkmak istiyorum.

Patronun yüzü kızarmış, suratı asılmıştı. Ekrem'in ne mal olduğunu iyi bilirdi. Adamın bir türlü vazgeçemediği eski ve pis numaraları hatırladı. Belki de Metin'in günahıma giriyorlardı. İlk fırsatta Halil ustayla görüşüp, gerçeği öğrenecekti. Bozuntuya vermedi.

- Tamam, bugün için erken çıkabilirsiniz. Ancak suçlamaların çok ciddi. Eğer yalan söylüyorsan başına bela olurum.

- Son söz sizindir efendim.

İzin beklemeden dışarı çıktı. Bir an önce Celal'le yola çıkmasında fayda vardı. Vakit kaybetmek istemiyordu. Arkadaşının yanına gitti, birlikte yola çıktılar.

- Selam Metin, selam Celal!

Macit ve Burhan'dı. Ocağın en eskilerindendiler ve boş vakitlerinde sürekli ellerindeki metal detektörleriyle dev iş makinelerinin kaldırıp, hallaç pamuğu gibi attığı kumsalda para getirecek bir şeyler ararlardı. Bugüne dek bulukları arasında her türlü yüzük, bilezik, sayısız teneke kutu, top gülleleri, Rus yapımı ve ne olduğu belli olmayan garip elektronik cihazlar vardı. Hatta hangi savaştan kaldığı belli olmayan bir mayın bile bulmuşlar korkudan ecel terleri dökmüşlerdi. Hepsi de kumların altından çıkıyordu. Kim bilir kaç sene önce sahile vurup, zamanla saplanıp, kalmışlardı.

- Merhaba. Neler buldunuz bugün?

- İş yok be. Ufak tefek şeyler. Burnun arkasında bir yerde cihaz çok yüksek sinyal vermişti. Orada makine çalışmadığı için kaç gündür köstebek gibi eşeleyip duruyorduk. Sonunda ulaştık. Para edecek bir şey zannediyorduk ama çıka çıka koskoca demir bir sütün çıktı. Üstelik yerinden sökmenin imkanı yok. Boşuna donduk rüzgarın ağzında.

İki kafadar her zaman eninde sonunda hayal bile edilemeyecek değerde bir hazine bulacakları inancıyla sadece kum çekilen sahili değil, tatil günleri bile erkenden kalkıp, Trakya'daki tüm Bizans kalıntılarını, mağaraları eşeleyip dururlardı. Bu yüzden başları jandarmayla çok kez belaya girmişti ama dert etmez, uslanmazlardı. Oradan, buradan bulukları şarlatanca hazine haritalarına döktükleri para da cabasıydı. Vedalaşıp, yollarına gittiler. İleride burnu döndüğünde iki arkadaşın köstebek gibi kazdıkları alan uzaktan bile rahatlıkla belli oluyordu. Metin araştırmacı ruhuna mağlup düşmekten gecikmedi. Yolunu değiştirip, rüzgarla eğilmiş böğürtlen çalılarının arasından geçip, eşilmiş kumlara bata çıka krater gibi görünen çukura doğru yaklaştı. Celal de ardındaydı. Vakit kaybediyorlardı. Saatine baktı. Adımlarını çabuklaştırdı. Sonunda çukura varmışlardı. Macit ve Burhan, oldukça büyük çaba sarf etmişler, meteor çukuru gibi kocaman bir gedik açmışlardı. Gülümseyerek yaklaştılar. Paslı, demir sütun dedikleri ve yerinden sökemedikleri kocaman nesne bir direk gibi çukurun ortasından çıkmış, fosilleşmiş ağaç gibi dikilip duruyordu. Söyle bir bakıp, geriye döndüler. Metin henüz iki adım gittikten sonra aklına gelen inanılmaz düşünceye önce kendisi de şaştı. Böyle bir şey olamazdı. Yoksa olabilir miydi? Acaba hayal gücünü fazla mı zorlamıştı? Dayanamayıp, geri döndü. Birkaç kez çukurun etrafında dolaştıkta sonra, düşünmeden var gücüyle zıplayıp, pas tutmuş koca demir sütunun yanına atladı. Ayağı hatırı sayılır derecede acımıştı ama aldırmadı. Zira bulduğu umduğundan da fazlasıydı. Hem de çok. "İyi ki hayal gücüm bu kadar yüksekmiş." diye düşündü. Macit ve Burhan, hazine bulmak hevesiyle keşiflerini küçümsemiş, bırakıp gitmişlerdi. Çünkü para hırsı onları yükte hafif, pahada ağır şeyler bulmaya itiyordu. Yerinden de kımıldatamamışlardı. Zira kum yığınlarının altında hayal bile edemeyecekleri bir şey yatıyordu. Eğer düşüncesi doğruysa, büyük, hem de çok büyük bir balık tutmuşlardı.

***

- Bunlar ne demek oluyor anne?

- Anlayamadım, neden bahsediyorsun oğlum?

- Ninemin sandığından çıkan bohçadakiler.

Nermin Hanım, mutfaktaki işini bırakıp geriye döndüğünde, oğlu Turgut'un elindeki bohçayı görünce dünyası karardı. Yanılmamıştı. O lanet olası bohçaydı. Demek, annesi Firdevs Hanım söz verdiği gibi içerisindekileri yakmamıştı. Halbuki yıllar önce hepsini banyo kazanında yaktığına, geriye bir şey kalmadığına dair yeminler etmişti. En korktuğu şey başına gelmişti. Anlamazdan gelmek en iyisiydi.

- Ne bileyim oğlum ben. Ninen son zamanlarda her bulduğunu sandığına tıkmak gibi acayip bir huy edindi.

- Anne, bu yeni bir şey değil.

- Beni ahret suallerine tutup durma. Hem yaşlı bir kadının özel eşyalarını karıştırmak ayıptır.

- Ben sadece eski aile fotoğraflarını arıyordum. İzindeyken onları aldığım albümlere yerleştirmek istedim. Ailecek geçmişimizden fazlasıyla kopuk yaşıyoruz.

- Oğlum, geçmişle ne işimiz var? Bugünümüze bakalım. Ninen görmeden hemen onları yerine koy.

Turgut, onca yıllık annesinin elinin ayağının titrediğini, suratının renkten renge girdiğini kolaylıkla anlayabiliyordu. Üstelik beceriksizce yalan söylemeye çalışıyordu.

- Haydi anne, kıvranıp durma. Büyük dedem Rüstem İstiklal Savaşı'nda şehit olmuştu, öyle değil mi?

- Doğru yavrum. Vatan için şehit olmuş rahmeti.

- Anne, yalan söylemek sana yakışmıyor. Ayıca hiç beceremiyorsun.

- Ayol benim yalan söylemeye ne zorum var?

- Lütfen dürüst ol. Büyük dedem söylediğiniz gibi İstiklal Savaşı'nda şehit olduysa 1926 yılında Amerika'da ne işi vardı?

- Amerika mı, kim demiş?

- Bohçada bulduğum evrakta açıkça belli.

- Oğlum, araştıracak başka konu mu yok? Annemin babası, "Giden Dönmüyor" diye adına türküler yakılan Yemen çöllerinden sağ salim dönmüş, sonra Anadolu'ya geçip, Mustafa Kemal'in ordusuna katılıp, Kurtuluş Savaşı'na girmiş ve şehit olmuş.

Turgut dinlemiyordu bile.

- Anne ben aptal değilim. Bu İngilizce evraklarda çok daha başka bir şey yazıyor.

- Ne evrakından bahsediyorsun oğlum?

- Anne, birbirimizi kandırmayalım. Anneannemin sandığında bulduğum evraklar tabi ki.

Oğlunun sözleri beyninde çınlamaya başlayan kadın gözlerini kısıp, hiddetle yaşlı annesi Firdevs Hanım'ın odasına koştu. Her yanını büyük bir hiddet dalgası sarmıştı.

- Bütün bunlar ne demek oluyor anne?

Yaşlı kadın, sadece susuyor, cevap vermeden uzaklara bakıyordu.

- Sana soruyorum anne.

- ....

- O uğursuz kağıtları yakmadın, değil mi?

- ....

- Bana söz vermiştin. Onları yakacak, yok edecektin.

- ....

- Buna hakkın yoktu. Oğlumun kafasını karıştırmaman için sana yalvarmıştım.

- Senin oğlun, benim de torunumdur kızım. Gerçekleri bilmekse onun da hakkıdır.

Anneanne Firdevs Hanım ilk kez konuşmuştu. Kadının konuşmasındaki kesinlik Turgut'un dikkatini çekmişti. Her zaman sessizliği ve yumuşak başlılığıyla tanıdığı yaşlı ninesinin bu sertliğine pek alışık değildi.

- Bak anne. Turgut'u ne şartlarda yetiştirdiğimi, okulu bitirip doktor çıkabilmesi için neler çektiğimi en iyi bilen sensin. Tam rahat edip huzur bulacağımız günlerdeyiz artık. Ama böyle bir sorumsuzluk yaptığına inanamıyorum.

- Kızım Allah'a şükür ben her zaman sorumluluğumu bildim. Turgut'sa artık koca bir adam oldu. Merak etme etkilenmeyecektir.

- Ama bana onları yakacağına dair söz vermiştin.

- Olmadı, elim gitmedi. Biraz da benim tarafımdan düşün. Babama hep hasrettim. Ondan kalan son anıları yok edemezdim.

Turgut, duydukları ve o sabah keşfettikleri karşısında adeta şok olmuştu. Söze karışmak gereği duydu:

- Bir dakika anne. Neler olup bittiğini bana da anlatır mısınız.

- Benim hiçbir şeyden haberim yok oğlum.

- Anne, her şeyi bal gibi biliyorsun. Elimdeki evraklarda yazıyor hepsi. Ama ben gerçekleri senden duymak istiyorum.

- Anneannene sor oğlum. Madem yakmaya eli gitmemiş, o cevap versin.

- Ona da soracağım ama önce sen. Sana hayatım boyunca güvendim anne. Eğer şimdi bu güveni sarsarsan, beni bir daha göremezsin.

Nermin Hanım, yelkenleri suya indirmeye başlamıştı. Oğlundan uzak olmak onun için hayal bile etmek istemediği bir kabustu. Diğer yandan da bohçadaki evrakları yıllar önce yakmaya söz verdiği halde sözünü tutmayıp, korktuğunun başına gelmesine sebep olan annesine öfkeyle bakıyordu. Turgut'sa değişen ortamı kullanmak için vakit kaybetmedi. Meraktan çıldırıyordu adeta. Annesi sonunda çareyi mutfağa doğru yönelmekte buldu.

- Bilmiyorum, o lanet bohçada ne olduğundan hiç haberim yok. Anladın mı?

Ardından yaşlı Firdevs Hanım'a öylesine nefretle baktı ki, Turgut, ninesinin bir daha bu konuda ağzını açmasının yasaklandığını anlamakta zorlanmadı.

Kafası karmakarışık olmuştu. Ninesiyse çoktan odasına çekilmiş kapısını kilitlemişti. İş başa düşmüştü. Sayısız sararmış belge, kimisi eski Türkçe'yle yazılmış notlar ve daha bir sürü başka şey. Hepsi yıllardır bir bohçada saklanan büyük dedesi Rüstem Çavuş'a ait deri çantanın içerisinden çıkmıştı. Çantanın derisi artık kavrulmuş her yanı çatlamıştı. Özenle içerinden çıkanları tasnif etmeye başladı. Üzerinde notlar yazılı kağıtlar bir yana, o günlere ait gazetelerden kesilmiş sayfalar bir yana, kişisel mektuplar, zarflar bir yana. Bazıları artık bir birisine yapıştığından büyük bir ihtimam gerektiriyordu. Az önce bulduğu İngilizce evrakın aslında bir motelin müşterileri için hazırladığı ve giriş esnasında doldurulan form olduğunu anlamıştı. Müşteri hanesindeki isimler Büyük dedesi Rüstem ve İzzet adlı birisine aitti ve 1926 yılı tarihliydi. En kötüsü de; form, Amerika Birleşik Devletleri, Oregon eyaleti, Salisbury kasabası, Full Moon Motel'in müşteri kabul evrakıydı. Yani dünyanın öbür ucundaki bir kasaba ve motel. Tanrım! Büyük dedesinin İstiklal Savaşı'nda şehit olmadığının en net ispatıydı bu. Peki iki yaşlı kadın neden böylesine korkunç bir yalanın ardına sığınmışlardı? Şimdi büyük dedesinin 1926 yılında Amerika'da olduğu ortaya çıkıyordu. Tekrar araştırması gerekiyordu. İnterneti açtı. Önce Oregon sahilleri, milli parkları, ormanları, kayak merkezleriyle ilgili sayısız turistik siteden sonra, nihayet eyalet valiliğine ait resmi siteyi ve ardından Oregon mahalli idareleri ve sonunda Salisbury kasabası belediye başkanının vatandaşlarının dertlerini, önerilerini ve isteklerini dinlemek amacıyla açtığı siteye ulaştı. Elektronik posta adresi verilmişti ama beklemeye tahammülü yoktu. Hemen başkanın ofisine ait olduğu bildirilen telefon numarasını tuşlamaya başladı. Karşı taraftaki telefon ısrar ve inatla dakikalarca çaldırdığı halde cevap alamayınca hatasını anladı. Saat Türkiye de öğlen on ikiydi. Amerika yedi saat gerideydi. Tabi o koca ülkenin en batı ucundaki Oregon eyaletininse saatlerce geride olması gerekliydi.

Dakikaların, saatlerin nasıl geçtiğini bilemedi. Sanki asırlar geçmişti. Sonunda karşı tarafta saat sabahın dokuzu olmuştu ve ikinci kez şansını denemenin zamanıydı. Bu sefer telefon daha üçüncü çalışında açıldı. Karşısındaki bayan sekreter, belediye başkanının ofisi olduğunu bildirip, günaydın dileklerini ilettiğinde adeta elleri titriyordu. Kadının İngilizcesi son derece aksanlı ve hızlıydı.

- Efendim, özür dilerim. Çok acil bir konu için deniz aşırı bir arama yapıyorum. Lütfen belediye başkanıyla görüşmem gerekiyor.

- Bir dakika, uygun durumda olup olmadığını kontrol etmeliyim.

Saniyeler şimdi asırdan da uzundu. Sonunda karşı taraftan tok ve temiz bir erkek sesi duyuldu:

- Ben başkan Nicholson. Sizi dinliyorum.

- Günaydın. Yardımınıza ihtiyacım var ve çaresizim. Büyük dedem hakkında önemli bir araştırma yaparken onun ve bir arkadaşının 1926 yılında kasabanızda, Full Moon adlı bir motelde kaldıklarını tesadüfen öğrendim.

Karşıdan hayret bildiren bir ıslık sesi geldi.

- Neredeyse Amerikan tarihi kadar eski bir konu. Ayrıca isterseniz sizi de aynı motelde ağırlayabiliriz. Zira bildirdiğiniz motel hâlâ hizmet vermektedir.

- Tanrım, harika. Lütfen yardım edin.

- Bu arada nereden arıyorsunuz?

- Türkiye.

Karşı tarafta uzun ve rahatsızlık verici bir sessizlik oldu.

- Alo, beni duyuyor musunuz?

- Evet, sorun yok. Ama inşallah İzzet ve Rüstem'den bahsetmeyeceksiniz.

Bu inanılmazdı. Türkiye demesi bile yetmişti. 2003 yılında, dünyanın öteki ucundaki bir kasabanın belediye başkanı, büyük dedesi ve arkadaşının adını tereddütsüz olarak telaffuz etmişti.

- Tanrım! Onları hatırlıyor musunuz yoksa? Hem de bunca yıldan sonra.

- Ne yazık ki evet. Ayrıca bu civarda ve özellikle kasabamızda bu iki ismi bilmeyen yoktur.

- Sadece gerçekleri öğrenmeye çalışıyorum.

- Bakın, anladığım kadarıyla hiçbir şeyden haberiniz yok. Kasabamız dünyanın en sakin ve barış sever insanlarının yaşadığı mükemmel bir yerdir. Ama büyük dedeniz ve arkadaşı kasaba tarihimizin en karanlık sayfasını yazdılar yıllar önce.

- Tüm bunlar ne demek oluyor?

- Katliam demek. Salisbury 1886 yılında doğu kıyısından büyük ümitlerle göç eden, gözü pek ve cesur insanlar tarafından kuruldu. Canla başla çalışarak harika bir yerleşim yarattılar. Ama bu güzellik, bahsettiğiniz isimler tarafından yok edildi.

- Ne yaptılar? Kısaca anlatabilir misiniz?

- 119 yıllık tarihimizde ilk ve son cinayeti işlediler. Korkunç bir katliam yaptılar. Kasaba tarihine kara bir leke olarak geçtiler. Tüm güzelliğimizi haince ve planlı bir şekilde kana boyadılar.

- Bu nasıl olur? Neden ülkelerinden binlerce kilometre ötedeki bir kasabaya kadar gidip, cinayet işlesinler?

- Sırf bu korkunç katliamı yapabilmek için çok uzak bir ülkeden gelmekten çekinmediler. Uzun bir yolculuğu göze aldılar. O yıllarda okyanusun öte yakasından seyahat etmenin ne kadar zor olduğunu tahmin edersiniz her halde. Ama onlar için hiç önemli değildi. Geldiler ve masum kadınları, günahsız çocukları katlettiler.

- Bütün bunlar doğru olamaz. Bir araştırma yapıyorum, lütfen anlayışlı olun. Geride konuyla ilgili belgeler kaldı mı? Yada buna benzer şeyler?

- Kasabamızın meydanında kocaman bir anıt var. Büyük deneniz ve arkadaşının acımadan öldürdüğü masum insanların hatırasına dikilmiş bir anıt. Siz Türkler neden katliamları ve masumları öldürmeyi bu kadar çok seviyorsunuz? Bakın ülkenizin topraklarını kullanmamıza izin vermemesi yüzünüzden başlayacak olan Irak savaşında gereğinden çok Amerikan askeri ölecek.

- Neler saçmalıyorsunuz siz? Bu karar Türkiye Büyük Millet Meclisi'nce alınmış bir karardır. Neden saygı duymuyorsunuz? Biz sizin senatonuzun kararlarına nasıl saygılıysak, aynısını da sizden beklemeye hakkımız var.

- Türkler ve Fransızlar artık dost değiller. Çok nankör bir ulussunuz.

Konu birdenbire Rüstem ve İzzet'ten çıkmış, bambaşka bir alana yönelmişti. Turgut'un bu ukalanın altında kalmaya hiç niyeti yoktu.

- Biraz tarih bilginizi yoklayın. Kore'de askerlerinizi korumak uğruna binlerce Türk askeri öldü. Asıl siz nankörsünüz.

- Sen mi bana tarih dersi veriyorsun? O zaman dinle. Sana büyük dedemin bizzat yaşadıklarını anlatayım. Yani 1915 de öldürdüğünüz sayısız Ermeni'yi.

- Bak o zaman asıl sen dinle. Benim ülkem tüm cesaretiyle bütün arşivleri incelemeye açtı. Oturduğun yerden ahkam keseceğine gel ve araştır. Gerçekleri gör. Birilerinin yaptığı ucuz propagandaların kurbanı olma.

- İhtiyacım yok. Büyük dedem bir Anadolu Ermenisiydi. Türklerin arasında yaşamaktan başka suçu yoktu. Tüm ailesini yok ettiniz. Tabi onlar gibi nicelerini de. Birinci Dünya Savaşı'ndan sonra sayısız Ermeni doğup büyüdüğü toprakları sizin yüzünüzden terk etmek zorunda kaldı. Bir kısmı Amerika'ya kadar gelip, burada kendilerine yeni ve huzurlu bir yaşam kurdular. Ama büyük deden ve arkadaşı gibiler binlerce kilometreyi kat edip, kan akıtmaktan çekinmediler. Sizler barbarsınız.

Karşısında 1915 olaylarında Türk ve Ermenilerin batılı güçler tarafından kurban seçildiğini anlayamayan Ermeni asıllı Amerikalı bir belediye başkanı vardı ve kin ve nefret tohumlarıyla zehirlenmişti.

- Bak ukala herif. Bizleri Ermenilerle yüz yıllar boyunca kardeş gibi yaşadık. Amerikalı misyonerler 1900'lü yıllarda ülkemize gelip, Amerikan Koleji adı altında fesat yuvalarını kurana dek aramızda en küçük bir sorun olmadı. Yabanılar bizleri bir birimize kırdırdılar. Sen bu trajediyi anlayamayacak kadar cahilsin. Şu an ülkemizde binlerce Ermeni vatandaşımız var. Özgürce yaşıyorlar ve biz onları çok seviyoruz.

- Hahh hah, nasıl seviyorsunuz acaba? Haşlama olarak mı, kızartma olarak mı?

Terbiyesiz herifin yakıştırmaları iğrençti. Onu alıp yeniden eğitmek isterdi Turgut. Ama olay rayından çıkmış sidik yarışına dönmüştü ve asıl konuya dönmeye ihtiyacı vardı.

- Kibar olmanı beklemiyorum Mr. Nicholson. Eğer biraz sorumluluk duygun varsa bu iki kişi hakkında bilgi istiyorum.

- Onlar mı? Sıcak bir koltuğa oturtuldular.

- Anlayamadım?

- Rahat ve sıcak bir koltuk. Yani elektrikli sandalyeden bahsediyorum. O canavarlara ne yapmamızı bekliyordun. Tabi, her şeye rağmen adilce muhakeme etmekten de geri kalmadık. Çükü biz demokratik bir toplumuz. Sizin gibi yapamayız.

Neler söylüyordu bu cahil herif?

- Demokrasiden bahsediyorsun ama benim ülkemde 1980'li yılların ortalarından itibaren hiç kimse idam edilmedi. Şimdiyse ölüm cezası anayasal olarak yasaklanmış durumda. Ama Amerika da her hafta bir mahkum idam ediliyor.

- Suçlulara melek muamelesi yapamayız. Hem sizin ülkenizde insanlar sırf Hristiyan oldukları için statlara doldurulup, kurşuna diziliyormuş.

Bu nasıl bir belediye başkanıydı? Amerikalıların cahil ve kültürsüz olduğunu biliyordu ama bu kadarına da pes demişti. Belediye bakanıysa hiç susmadan laf yetiştiriyordu hattın öbür ucunda.

- Siz kadınların da sokaklarda dolaşmasına izin vermiyorsunuz.

Bu herife Türkiye'nin dünyada kadınlara seçme ve seçilme hakkı veren ilk ülke olduğu ve yakın zamanda kadın bir başbakan tarafından yönetildiğimizi anlatmanın imkanı yoktu.

- Oraya, o lanet kasabanıza geleceğim. Tüm gerçekleri ortaya çıkartıp, cehaletinizi suratınıza vuracağım. Bana ve Türk milletine özür borcunuz var.

- Buraya gelirseniz aşağılık bir çocuk katilinin torunu olarak güvenliğinizi sağlayacağımdan emin değilim.

Daha fazla dinlemeye tahammülü kalmamışı ve telefonu belediye başkanının suratına kapattı. Öfkesinden beyni zonkluyordu ve masum kadın ve çocukları öldüren bir atanın torunu olarak acısı şimdi başlıyordu. Bohçayı biraz daha karıştırıp, bulduğu yeni belgelerle mutfakta donmuş kalmış olan annesinin yanına koştu. Dedesi, şehit filan olmamış, yıllar önce Amerika'da işlediği cinayetler yüzünden elektrikli sandalyede can vermişti. Üstelik tesadüfen o bohçayı açmamış olsa sonsuza dek bundan haberi olmayacaktı. Evrakları biraz daha karıştırıp, son bulduklarını yanına alıp, annesinin karşısına dikildi.

- Anne tüm bu yalanlara ne gerek vardı? Büyük dedemin İstiklal Savaşı'nda şehit olduğunu söylemiştiniz. Sakın beni oyalama. Artık kesin ve doğru bir cevap istiyorum

- Öyle gerek görmüştük oğlum. Ayrıca bu saatten sonra ne önemi var? Eski ve acı bir hikaye...

- Anne, burada 1926 yılında İstanbul, Amerikan Konsolosluğu'ndan gönderilen evraklarda çok daha başka şeyler yazıyor.

- Bilemiyorum oğlum. Evraklar doğru ama inan ki nedenini bilemiyorum.

Turgut, artık sararmaya başlamış kağıtlara bir kez daha baktı. Bunlar gerçek olamazdı. Zira büyük dedesi Rüstem'in Amerika Birleşik Devletleri, Oregon eyaletindeki bir hapishanede elektrikli sandalyede idam edilmek suretiyle idam edildiği, böylece adaletin yerini bulduğu açıkça haber veriliyordu. Küstah belediye başkanı doğru söylemişti. Suçuysa, İzzet adlı arkadaşıyla Salisbury kasabasında bir evi basıp, sekiz kişiyi öldürmekti.

- Gerçekten sebebini anneannen de ben de bilmiyoruz.

- Yani yazılanlar doğru. Büyük dedem İstiklal Savaşı'nda şehit olmadı. Evinden binlerce kilometre uzakta elektrikli sandalyede can verdi.

- Sözlerine dikkat et oğlum. Anneanneni düşün.

- Anne 1926 yılında Amerika'ya gitmek basit bir şey değildi. Hele o ülkenin Pasifik Okyanusu kıyısındaki bir eyalet. İnanamıyorum. Neden sakladınız?

- Bilmen hiçbir şeyi değiştirmezdi. Tabi üzülmen dışında.

- Anlayamıyorum, iki insan cinayet işlemek için neden binlerce kilometre uzağa gitsinler?

Ancak sorusu annesinden cevap bulamadı. Kadın gerçekten bilmiyordu. Bu korkunç sırrı mutlaka çözmeliydi. Sıkıntıdan kalbinin daraldığını hissediyordu. Babasının ölümünden sonra zor bir çocukluk ve gençlik geçirmiş, okulu, özellikle tıp fakültesini annesinin ve ninesinin olağan üstü fedakarlıklarıyla bitirebilmişti. Amerika'da kazandığı burs ise şahsının insan üstü gayretlerinin soncuydu. Artık huzurlu ve mutlu olmalarının zamanıydı. İyi bir nörolog doktordu, önünde güzel bir istikbal vardı ve parasal yönden hiçbir korkusu yoktu. Istırap dolu günler geride kalmıştı. Aslında ninesi ve annesi sayesinde her zaman gözü tok yaşamıştı. Şimdiyse sahip oldukları güzel evde onlara son yıllarında her şeyin en güzelini vererek laik olmaya çalışıyordu. Şimdiyse duyduklarından dolayı ne yapacağını bilemez haldeydi. Meğer tüm mahallede sevilip saygı gören, göz nuruyla işlediği dantelleri satarak bir zamanlar evin bütçesine yardımcı olan anneannesi Firdevs Hanım ve oğlunu okutmak için el kapılarında, ardından kafeteryalarda aşçılık yapan annesi tüyler ürpertici bir sırrı saklıyorlarmış. Ona bir gün bile olsun acılarını yansıtmamışlar, daha da ilginci kendisini oldukça akıllı zannetmesine rağmen iki kadının saklamaya çalıştığı korkunç kederlerini fark bile edememişti. Üstelik bu sabah merak edip, ninesinin sandığındaki bohçayı açmasaydı, sonsuza dek bilemeyecekti. Aslında açmasının tek sebebi; eski, siyah beyaz aile fotoğraflarını aramasıydı ve ninesinin o bohçaya tıktığını düşünüyordu. Ama bulduğu çok farklı, kapkara bir geçmişin belgeleriydi. Annesi mutfakta hâlâ belgeleri zamanında yakmayan ninesine söylenirken, nine Firdevs Hanım, odasından çıkmış, salonda bir köşeye çekilmiş, gözlerini sabit bir noktaya dikmiş, taş kesilmişçesine oturuyordu.

- Anneanne, gerçekten sen de mi bu cinayetlerin sebebini bilmiyorsun?

Yaşlı kadın neden sonra gözlerini diktiği noktadan alabildi. Ağlıyordu.

- Tanrı şahidim olsun ki bilmiyorum. O yıllarda küçük bir kızdım. Babam ve arkadaşı İzzet Efendi sık sık evden ayrılıp, uzun yolculuklara çıkarlardı. Bir seferinde bana harika bir taş bebek getirmişti. O devirde bizim memlekette böylesini bulmanın imkanı yoktu. Amerika'dan aldığını söylemişti. Bakanın gözü kalırdı. Bildiğim tek bir şey varsa, Rüstem babam, asla cinayet işleyecek biri değildi. Hakkını yemeyeyim, İzzet Efendi de dünya iyisi bir insandı.

- Yani sen, babanın ve arkadaşının arada Amerika'ya gittiğini mi söylemek istiyorsun?

- Evet.

- O devirde hiç de kolay bir iş değildi ki bu. 1926 yılından bahsediyoruz. Şimdiki gibi her gün New York'a uçak kalkmıyordu İstanbul'dan.

- En azından üç kere gittiklerini biliyorum. Son seferinde dönmediler. Neden olduğunu biliyorsun artık.

Kadıncağız hıçkırarak ağlamaya başlamıştı. Turgut gidip buruşuk yanaklarını öptü. İçi sızlamıştı. "Her şey insanlar içindir" diyen atasözü ne kadar doğruymuş. İki kadın, acılarını içerine atıp, gelecek nesilleri utandırmamak için adeta geçmişlerini mezara gömmüşlerdi. Özellikle ninesi... Zaten onların pek de aile büyüklerinden bahsettiğini duymamış, nedeniniyse hiç sorgulamamıştı. Evrak bohçasını alıp, odasına çekildi. Bir şeyler yapmalıydı. Yıkılmıştı. Sabah kalktığında birkaç saat sonra böyle korkunç bir aile sırrıyla karşılaşacağı aklının ucuna bile gelmezdi. Her zaman iki dertli kadını mutlu etmek için çalışmış, hatta geçen kış sürpriz yapıp, Oylat Kaplıcalarında bir hafta tatil yapmalarını sağlayarak ninesinin içten duasını almıştı. Ama asıl yapması gereken iyiliğin başka bir şey oluğunu biliyordu artık. Evin içerisinde varlığı bile belli olmayan ninesine borcu vardı. Hiç değilse elektrikli sandalyede kavrularak can veren babasıyla ilgili gerçekleri öğrenmeliydi.

***

Kapandığı yerden kalkıp, durmadan yükselen alevlere doğru yaklaşmak istedi. O an bir ses duydu. Yerinde kalmasını, daha fazla yaklaşmaması konusunda uyarıyordu. Ses daha önce duyduklarından çok ama çok farklıydı. Ne taraftan geldiğini anlamak için etrafına bakındı. Ancak ses sağından, solundan, önünden, arkasından, gökten, yerden, ağaçların yapraklarından, uçuşan kuşlardan, çiçeklerin tohumlarından, bulutlardan, güneşin altında kızaran kayalardan, karıncalardan, çatlamış topraktan, göç eden kuşlardan, her yerden, her taraftan ve her şeyden geliyordu. Canlı ve cansız ne varsa dile gelmiş ona sesleniyordu. Bir an nutku tutuldu, bayılacak gibi oldu.

***

Akşam inerken Turgut elinde yığınla sararmış kağıtla hâlâ kımıldamandan koltuğunda oturan ve geçmişe dalmış anneannesinin başına dikilmişti.

- Sana yardım edeceğim, bunu ister misin güzelim?

Eskiden güzelim diye iltifat ettiğinde yüzünde güller açan Firdevs Hanım'ın yerinde yeller esiyordu. Durgun, uzak ve yıkılmış haldeydi. Bunca zaman sonra kabuk bağlamış bir yarayı yeniden kanattığı için pişman oldu Turgut.

- Bak güzel nineciğim, en azından bütün bunlara neyin sebep olduğunu öğrenebiliriz.

- Artık ne işimize yarayacak ki evladım? Olan olmuş, biten bitmiş. Kader böyleymiş.

Nihayet ninesini konuşturabilmişti. Devamını da getireceği konusunda ümitlendi Turgut.

- Seni hiç yorup, üzmeyeceğim. Belgelere biraz göz attım. Sadece sorularıma cevap ver.

- Üzme kendini bu konularla evladım. İşin gücün var. Hastaneden bitkin halde dönüyorsun. Ne yapacaksın eski, acı olayları? Ben kabullendim. Allah sana uzun ömür versin.

- Bu kadar basit geçiştiremezsin. Şimdi hafızanı topla ve söyle Lauren adı sana ne ifade ediyor? Düşün bakalım.

Kadıcağız, torununa sabırla bakıp, kırmamak için hatırlamaya çalışıyordu. Lafa yine kapıda beliren annesi karıştı.

- Oğlum, işin gücün yok mu senin? O uğursuz notlarını mı karıştırdın yine? Keşke kimseye güvenmeyip, bizzat yaksaydım hepsini. Koskoca doktorsun, uğraştığın şeylere bak.

- Ben memnunum halimden. Bütün hafta çalıştıktan sonra böyle rahatlıyorum.

- Eski ve saçma sapan defterleri karıştırarak mı? Bir şeyi kafaya fazla takmak iyi değildir.

- Gemi, o lanet gemi.

Turgut, annesine işaret edip, susmasını bildirdi. Anneannesi konuşuyordu. Annesi bıraksa kadın pek çok şeyi daha rahat hatırlayabilirdi.

- Yaşa anneanne! Sen bu yaşta hayatla ve geçmişle annemden çok daha ilgilisin. Gemi demiştin. Notlarda da öyle yazıyor. Ne gemisiydi bu? Haydi biraz daha gayret et.

- Babam, benimle konuşmazdı pek bu konuları. Merak edip karışmaya kalkmamdan korkardı herhale. Arkadaşlarıyla sürekli uzun yolculuklara çıkardı. Onların annemden çok yeri vardı hayatında.

- İzzet mi?

- Evet. Bir de daha yaşlı, beyefendi kılıklı adam vardı. Ona çok saygı gösterirlerdi. Cihan Harbi'nde komutanları mıymış neymiş.

- Anladım. Bir Miralaydan da bahsediyor notlar.

- İyi, saygılı bir adamcağızdı. O da harpten sağ dönmüş, İstiklal Savaşı'na katılmıştı. Her üçünün de madalyası vardı. Gurur duyarlardı. Ama çözemediğim bir amaç uğruna hayatlarını kararttılar.

- Hiç mi bir şey anlayamadın anneanne? Annen de bilmiyor muydu?

- Ne bilsin garibim. Babama deli gibi aşıktı. Güzel adamdı neme lazım. Gençliğinde çok çapkınmış. Ayağındaki aksamayı da buna bağlardı bilenler. Lauren, İskenderiye'den savaş zamanı kalkan bir yolcu vapuruymuş. Büyüdükçe merak edip, bıraktıkları notları karıştırmaya başladım. Okudum, hem de kafamı patlatırcasına ama pek de bir şey anlayamadım. O zamanlar her şey bu kadar kolay değildi yavrum. Sonra İzzet Efendi'nin ailesine ulaşmaya çalıştım.

- Bulabildin mi?

- Evet. İzzet Efendi'nin karısı, olayı haber aldığında yıkılmış, hayata küsmüştü.

- Adlarını, soyadlarını hatırlıyor musun?

- Kızı ben yaşlardaydı. Adı Şefika'ydı. Annesinin adını unuttum. Ama soyadları Yıldırım'dı. Soyadı kanunu çıktığında, cihan harbinde Yıldırım Ordularında savaştığından özelikle almıştı bunu İzzet Bey.

- Türkiye'nin neredeyse yarısının soyadı Yıldırım olmalı. Çok zor iş.

Kadını kendi haline bırakıp, notlara tekrar gömüldü. Kısa süre önce öğrendiği korkunç gerçekten sonra kafası karmakarışıktı. İki genç adam yeryüzünün savaşlarla kavrulduğu bir dönemde Balkan Harbi'yle başlayıp, Birinci Dünya Savaşı'nın en çetin cephelerinden güney cephesinde, çöllerde savaşıp, başlarına gelmedik işler kalmıyor. Mütareke sonrası esir kampından kurtulup, İstiklal Savaşı'na katılıyorlar. Memleket kurtulup Cumhuriyet ilan edilince köşelerine çekilip, özgürlük ve barışın tadını çıkartacaklarına hiç kimsenin akıl, sır erdiremediği yeni bir mücadelenin içine dalıyorlar. Hem de sonunda hayatlarını mahvedecek bir mücadele... Ne zorları vardı? Neden kurtarılmasında katkıları olan ülkede rahat ve huzurlu bir hayat sürmek varken bilinmedik yolculuklarda çıkmışlardı? Bu değirmenin suyu nereden geliyordu? İki arkadaşın Tahtakale'de ortak bir ticarethaneleri olduğunu söylemişti anneannesi. Sürekli çalışanlara teslim edilip, başıboş bırakılan bir iş yerinden ne hayır gelirdi?

Baktığı sayfalar, zamanla bohçada kırışmış, sararmış, kat yerleri okunmaz olmuştu. Bazı yazılar neredeyse kaybolmuştu. Bu da zaten çetrefil olan gizemin çözülmesini daha da zorlaştırıyordu Allah'tan Rüstem dedenin inci gibi yazısı karalamaların arasında rahatlıkla seçilebiliyordu. İlk baktığı ve en dikkatini çeken notlara döndü. Artık sararıp, sertleşmiş sayfaların ertesi gün mutlaka kopyalarını almalıydı.

Vapurun adı: Lauren

Hareket: 1917 Mayıs 21

Liman: İskenderiye.

Yolcu: Azizah.

Soyadı olarak Lindberg'i kullandığını ve tespit edemediğimiz bir tarihte Amerika'ya göç ettiğini öğrendik. Yanında yine Hamilton. C .Lindberg adlı İngiliz vatandaşı varmış.

İstikamet: İngiltere-Liverpool

Altında başka tarzda yazılmış değişik notlar vardı. Bunlar, İzzet Efendi ve notlarda adının Ali Fevzi olduğunu gördüğü miralayın notlarıydı. Yazı karakterlerinden üç kişiden hangisine ait olduğunu çözebiliyordu artık.

Kadının korkunç görevini, neden ısrarla yabancı güçler tarafından korunup kollandığını, ancak birkaç ay önce Miralayımızla yeniden bir araya gelmemiz sayesinde tespit edebildik. Hiç kolay olmadı. Ama asıl zorluklar bundan sonra başlayacaktır. Şimdi çok uzaklardalar ve iğrenç planlarını gerçekleştirmenin peşindeler. Ama yılanın deliğine bile girseler bulup, tümünü yok etmemiz gerekiyor. Allah yardımcımız olsun. Yüce Tanrı, gerçek inananları en iyi bilendir. Yusuf Efendi keşke bana gemide durumu anlatsaydı. Yazık oldu aslan gibi delikanlıya. Gerçi o da miralayın emri dışında bir şey bilemiyordu. Yusuf arkadaşın intikamını da alıp, alnına çaldıkları lekeyi temizlemeliyiz.

Kimdi bu kadın? Bu derece ürkütücü olan amacı neydi? Aradan sayısız, karanlık yıllar geçmişti. Notları yazanlar, büyük ihtimale gizliliği düşünerek pek çok şeyi kayda almamışlar, beyinlerine yazmışlardı. Amerika'ya göç etmekten bahsediliyordu ama notlardaki bilgilerde 1917'de Mısır, İskenderiye'den, İngiltere-Liverpool'a giden Lauren isimli geminin adı vardı.

- Kahve getirdim.

Annesiydi. Az önceki konuşmasına üzülmüştü belli ki. Bir yerde haklıydı kadın. Dedesinin feci bir şekilde yok olduğu olaydan uzak durmak, geride kalanları korumak istemişti herhalde. O nedenle notlarla ve sonunu getiremeyeceği sırlara bulaşmaya niyetli olmamıştı. Şimdiyse aynı şeyi oğlundan da istiyordu. Karşısındaki mindere geçip, oturdu.

- Hayriye Hanım uğradı bugün. Dizlerindeki ağrılardan şikayet edip, sızlanıyordu. "Senin oğlan bana bir ilaç yazıversin." diye rica etti.

- Anneciğim, ben nörologum. Ayrıca hiçbir doktor muayene etmeden ilaç yazamaz.

- Ne yapayım, yalvardı. Ne olacak bir tane ağrı kesici yazıversen. Sevinir garip.

- Olur, tamam anneciğim. Şimdi rahat bırak, şu notlarla uğraşacağım.

Kadın, çaresiz ayrılmak üzereyken birden döndü. Oğlunun elerini tuttu.

- Turgut, yavrum. Sen bana babanın tek yadigarısın. Ne olur dikkat et. Ne kadar zor şartlarda okudun, doktor oldun. Bugünlere geleceğimizi hayal bile edemezdim. Baban öldüğünde aç kalıp, sürüneceğimizi zannetmiştim. Bak şimdi her şey çok farklı. Lütfen, lütfen bu işten uzak dur. Gerekirse ayaklarına kapanıp yalvarırım. Bırak geçmiş, mazide kalsın. Öğrensen ne değişecek? Seni de kaybetmekten ödüm kopuyor.

- Anne, şimdi bu konuşmalara hiç gerek yok. Zamanı gelince ben de evlenmesini bilirim ama şimdi değil.

- Beni seviyorsun, değil mi Turgut?

- O nasıl söz anne? Tabi ki seviyorum.

- Bu acayip yazılar, notlar... Beni çok korkutuyor. Senin için endişeleniyorum. Keşke hiç olamasalardı, keşke kendi ellerimle yok etseydim. Bulaşmanı hiç istemiyorum.

- Peki ya sen beni seviyor musun?

- Yoluna canım feda yavrum.

- O zaman bana yardımcı ol. Yaptığım sadece basit bir araştırma. Merak diyebilirisin.

Tekrar notlara daldı. Annesi mutfağa girmişti. Bu üç insan her şeyi bir yana bırakıp, bir amaç uğruna tüm tehlikeleri göze almaya adamışlardı kendilerini. Bir sebebi vardı. Mutlaka olmalıydı ve yıllar süren inanılmaz çabalarına birileri saygı göstermeli, harcadıkları zamanın, insanüstü fedakarlıkların boşuna olmadığını ispatlamalıydı. Bir gemi ismi, Mısır'da bir liman, hiçbir şey ifade etmiyordu. Rüstem dedenin hayatını detaylı olarak bilseydi belki bir şeyler çıkartabilirdi. Londra merkezli Llyods sigorta şirketine bir elektronik posta göndermeye karar verdi. Gemiler konusunda dünyanın en saygın ismi ve bir numaralı kuruluşlarıydı. Mutlaka kayıtlarından bir şeyler bulunabilirdi. Ama daha iyisini düşünüp interneti açıp, arama motorlarından birisine İngilizce "uluslar arası gemi kayıtları" yazdı. Otuz saniye geçmeden sayfalar dolusu site ekrandaydı.

Rastgele birine girdi. Arama penceresinde geminin adı, tipi, hizmete giriş tarihi, bağlı olduğu limanla ilgili pencerelere Lauren. Sonra da buharlı gemi yazabildi. Tüm bildiği buydu. On saniye sonra ekranda aramanın sonuç vermediği bildirilmekteydi. Yılmadı. Hizmete giriş tarihi olarak 1901-1910 aralığını işaretleyip tekrar denedi. Yine sonuç yoktu. Sonunda rastgele liman isimleri girdi. Olmuyordu. Böyle sonuç almasına imkan yoktu. Uğraşması saatlerini aldı. Ümitsizliğe düşmek üzereyken 1820-1940 yılları arasında denizlerde hizmet veren gemileri, yolcu listelerini ve Amerika'ya giden göçmenlerin kayıtlarını içeren bir başka site ilgisini çekti. Kayıtlar 1820 yılından itibaren yeni dünyaya göçmen götüren gemilerin bilgileriyle başlayıp, 1940 yılına dek gidiyordu. Hangisine bakacaktı? Yığınla kayıt sıralanmıştı. Herbirine sırayla girse, girdiği her site bir sürü başkasına açılacak, içinden çıkamayacaktı. Dipsiz bir kuyuya dalmıştı sanki. Liste yıllara göre İtalya'dan Amerika'ya gidenler, Almanya'dan Amerika'ya gidenler, İrlanda'dan Amerika'ya gidenler şeklide uzayıp gidiyordu. Sonunda İngiltere'den, Amerika'ya göç edenleri incelemeye başladı. Dakikalar geçtiğinde New York Ellis Adası'na varışlarla ilgili kayıtlara ulaşmıştı. Site bilgi vermek için üye olmasını şart koşuyordu. Hemen bunu da yaptı. Ellis Adası, özellikle yirminci yüz yılın başlarında Avrupa'dan gelip, Amerika'ya ulaşan göçmenlerin ilk durağı, yerine göre büyük sevinçlerin ve acıların yaşandığı artık müze olarak kullanılan küçücük bir adaydı. Sırayla Azizah Lindberg ve Hamilton C. Lindberg isimlerini girdi. Nihayet süslü bir sertifika ekrandaydı ve üzerinde "PASSENGER RECORD - YOLCU KAYDI" yazıyordu. Hemen gözlerini açık mavi ve sarı kenar süsleriyle kaplı belgeye dikti. İlk kayıt erkekle ilgiliydi.

Adı: Hamilton

Soyadı: Lindberg

Etnik Köken: İngiliz

Yaşadığı Son Yer: Liverpool- İngiltere

Varış Tarihi: Haziran 1920

Varış Tarihindeki Yaşı: 42

Cinsiyeti: Erkek

Seyahat Ettiği Gemi: Mauretania

Kalkış Limanı: Southampton

Kayıt no: 0023

Kadının kayıtlarıysa çok daha dikkat çekiciydi.

<u>Etnik Köken:</u> Arap Kökenli, İngiliz Vatandaşı

<u>Yaşadığı Son Yer:</u> Liverpool-İngiltere

<u>Varış Tarihi:</u> Haziran 1920

<u>Varış Tarihideki Yaşı:</u> 20

<u>Cinsiyeti:</u> Kadın

<u>Seyahat Ettiği Gemi:</u> Mauretania

<u>Kalkış Limanı:</u> Southampton

<u>Kayıt no:</u> 0024

Şimdi artık bir başlangıç noktası vardı. 1917 yılı mayısında, Mısır, İskenderiye limanından başlayıp, Liverpool ve New York-Ellis Adası'nda biten bir yolculuğu araştırması gerekiyordu. Ya sonrası? Neden dedesi ve arkadaşı bu iki kişiyi takip etmek için bir ömür harcamışlardı. Asıl sorununsa; bu kişilerin Mısır'dan ayrıldıkları güne kadarki yaşamları ve savaştan dönen iki Türk genciyle hayatlarının nerede, neden ve nasıl kesiştiğiydi.Yorulmuştu. Tam ekranı kapatacakken şeytan dürttü. Aynı formata Rüstem Ertürk ve İzzet Yıldırım yazdı. Yıl olarak da her hangi bir yıl bölümünü işaretledi. Sonuç inanılmazdı. Her iki isim 1924 yılında, Baltic adlı gemiyle Southampton-İngiltere'den New York'a seyahat etmişlerdi. Bu kadarı tesadüf olamazdı. Zira varış tarihindeki yaşları da uyuyordu. Biraz daha arasa iki kafadarın başka seyahatlerini de bulacağını biliyordu. Çünkü o seferden ülkelerine dönmüşlerdi. Baltic ve Mauretenia geçmiş yüzyılın başında Avrupa ve Amerika arasında göçmen ve yolcu taşıyan en meşhur gemilerdi. Bu yıllarda Avrupa'dan, yeni dünyaya sayısız yolcu taşımışlardı. Büyük dedesi Rüstem ve onun arkadaşı İzzet bunlardan sadece ikisiydi ve bu seyahatlerin amacının ölümcül bir takip olduğu belliydi artık. Azizah adlı kadının peşinden gitmişlerdi.

**

1 Mart 2003, Ankara

Türkiye Büyük Millet Meclisi'nin önü, Meclis'e çıkan sokaklar ve caddeler adeta bir orduyu besleyecek miktarda polis, çevik kuvvet ekipleri, özel tim elemanları, sivil polislerle doldurulmuştu. Çabaları; Meclis'e ulaşmak, yapılmakta olan tarihi toplantıyı etkilemek için uğraşan protestocuları, sivil toplum örgütü üyelerini, gençleri, öğrencileri durdurmaktı ama güçleri yetmiyordu. Göstericiler, hep bir ağızdan "Türk toprakları Amerika'nın otoyolu değildir, savaşa hayır! Ankara'da Amerikan askeri istemiyorsanız Irak halkına saygı duyun!" sloganları atıyorlardı. Meclis'teyse durum çok daha vahimdi. Çünkü iktidar partisi, AKP milletvekilleri başta olmak üzere tüm vekiller inanılmaz bir baskı altındaydı. Tabanlarından, destekçilerinden, zamanında oylarını aldıkları seçmenlerinden gelen cep telefonları yüzünden bunalmışlardı. En zoruysa, yapmaları gereken büyük vicdan muhasebesiydi.

***

Aynı Saatler, İskenderun Körfezi Açıkları

Amerikan Deniz Kuvvetleri'ne ait sayısız harp gemisi, İkinci Dünya Savaşı'nda yapılan Normandia çıkartmasından bu yana belki de ilk kez bu kadar büyük bir güçle toplanmışlardı. Amiral Alvin Moore yönetimindeki USS Ronald Reagan uçak gemisi, CVN 76 bordo numarası ve tüm azametiyle körfeze doğru yaklaşırken, personeli, Ankara'dan gelecek olumlu haberle az sonra İskenderun limanına demirleyip, günler süren açık deniz mahrumiyetinden kurtulup, rahat bir gece geçireceklerinden emindiler. USS Ronald Reagan filonun sancak gemisiydi ve kumanda merkezi olarak tüm operasyondan sorumluydu. Onun dümen suyunda seyreden diğer gemilerse yakında başlaması beklenen İkinci Körfez Savaşı'nın tüm gereksinimlerini ana karalarından binlerce mil ötede başarmak amacıyla görevlendirilmiş donanmanın en seçkin tekneleriydi. Tabi güverteleri, yatakhaneleri, koğuşları, ambarları, özel olarak yetiştirilmiş deniz piyadeleri, komandolar, hava indirme amacıyla beklemekte olan paraşütçüler, çok amaçlı zırhlı taşıyıcılar, tanklar ve Türkiye'nin güney sınırından Irak'a sokmak istedikleri her konudaki araç-gereçle silme doluydu. Gemilerin arka sahanlıklarındaki pistlerinden kalkan Scorsky helikopterleri sürekli filonun ve uçak gemilerinin üzerinde atmaca gibi dolaşıp, devriye uçuşları yapmaktaydılar. Bağdat'a yöneltilmiş ve hedeflere kilitlenmiş denizden karaya atılan akıllı füzelerse caydırıcılık amaçlarını en iyi şekilde başarıyorlardı. Arka planda Iowa sınıfı kruvazörler, Harpoon füzeleri, MK-46 torpidoları, Sea Sparrow füzeleri, teknolojinin son ürünü hava ve su üstü ve atış kontrol radarlarıyla Knox sınıfı fırkateynler, Tomahawk füzesi taşıyan ve nükleer reaktörlü destroyerler, sayısız yardımcı gemi, mayın gemisi, akar yakıt ikmal gemisi ve cephane taşıyıcıları podyuma çıkmış manken edasıyla durgun suları yarmaktaydılar.

- Bu piyadeler, züppelikleri ve kendisini beğenmişlikleriyle tepemi attırıyorlar artık.

- Nelerini beğeniyorlarmış ki? İspanya açıklarında dört şiddetinde hafif bir fırtınaya yakalandığımızda ne bok yiyeceklerini şaşırıp kusmadık yer bırakmamışlardı.

- Gemiye binmekle denizci olunmuyor. Altı senedir gemilerdeyim. Ben bile daha alışamadım.

- Ohio'lu bir öküzü verdiler yanımdaki yatağa. Sabaha dek osurup duruyor.

- Ya tankçılar?.. Sabahtan akşama kadar ambardaki inlerine çekilip, poker oynamaktan bıkmadılar. Denize düşeriz diye güverteye bile çıkmıyorlar. Akşamları da hep birlikte böğürür gibi şarkılar söylüyorlar.

- Hepsinden ve bu lanet gemiden bıktım. Biran önce İskenderun'a varsak da kendimizi karaya atsak. İlk işim adam gibi bir şeyler yemek olacak. Ton balıklı sandviç, şoklanmış sığır eti ve fasulye konservesi yemekten hasta olacağım.

- Ya Türkler izin vermezse?

- Hiç zannetmiyorum. Buna cesaret edemezler.

- Evet. Ülkemizin tepkisine uğrayacak bir Türkiye ayakta duramaz.

- Daha ekonomik krizden bile çıkamadılar. Washington'dan alacakları yeşil dolarlara fazlasıyla ihtiyaçları var.

- Gece Yarısı Ekspresi filmini gördüğümden beri Türklerden nefret ediyorum. Duyduğuma göre her yerde, birkaç dolar karşılığında iyi kalite haşhaş bulabilirmişiz.

- Ben abazalıktan patlıyorum ve ilk işim kendimi bir genel eve atmak olacak. Acaba İskenderun'da var mıdır?

- Davis, o lanet zenci, Great Lakes'de eğitim görürken sayısız beyaz kadın düzdüğünü iddia ediyor.

- İllnoisli karılar zenci aletine çok meraklıdır.

Gemilerin güvertelerinde can sıkıntısından patlayan genç denizcilerin konuştukları aşağı yukarı bunlardı. Başlayacak olan savaşın açacağı ve bir daha kolayca sarılması mümkün olmayan yaralar pek umurlarında değildi. Ancak hiçbirinin aynı dakikalarda liman ve son hazırlıklar için komutasındakilere emirler yağdıran Amiral Alvin Moore'un suratının Pentagon'dan gelen bir mesajla renk değiştirdiğinden haberleri yoktu. Akdeniz güneşi altında mayışıp, artık bir an önce sahile çıkma hayalleri kuran denizciler, gemilerinin bir süre sonra geniş bir daire çizerek önce güneye, sonra da geldikleri yöne, açık denize doğru dümen kırdıklarını anladıklarında beyinlerinden vurulmuşa döndüler.

Türkiye, yıllar sonra bile yaşayacak olan nesillerin utançla anacağı bir hatadan dönmüş, Amerika'ya dur demişti. En azından Irak'ta kısa süre sonra öldürülecek sivillerin, kadınların, çocukların direk sorumlusu ve böylesine haksız bir savaşın kirli işbirlikçisi olmayacaktı. İstanbul, Ankara başta olmak üzere tüm memlekette sevinç dalga dalga yükselirken, Amerika'da ve İskenderun'a yanaşmak için dakikaları sayan gemilerde inanılmaz bir öfke vardı. Bu olamazdı. Türkiye, böyle bir şeye nasıl cüret edebilir ve Amerika'nın isteğini nasıl geri çevirebilirdi? Firkateynlerden birisinin helikopter platformunda aldığı haberden sonra adeta kahrolmuş durumdaki Yüzbaşı Davis Johnson, hırsından titriyordu. Atış kontrol sistemlerinden sorumluydu ve Bağat'a kilitlenmiş füzelerin bir an önce hedefe doğru yola çıkığını görmeyi dört gözle beklerken, nankör Türkler her şeyi berbat etmişti. Elinden gelse birkaç Tomahawk'ı Ankara'ya göndermekten bir saniye bile tereddüt etmezdi. Güney Carolina'da doğmuş, büyümüş artık her alanda boy gösteren zencilerden, insan hakları ve eşitlikten söz eden Manhatan'daki entellerden, en çok da kendisini terk edip, Arap kökenli bir Amerikalıyla kaçan karısından nefret ediyordu.

***

Annesi, ellerinde meşaleler ve silahlarla kapıya dayanmış sayısız kasabalı erkek ve arka planda insanı görmekle bile dehşete düşüren korkunç kıyafetleriyle sıralanmış Ku Klux Klan üyelerine yalvararak bir şeyler anlatmaya çalışıyordu. Kendisi ve kardeşleri, ihtiyar ninelerinin bacaklarına sarılmışlar, olanları korkuyla seyrediyorlardı. Akşam karanlığında özellikle meşaleler ve evin biraz ötesine dikilmiş, alev alev yanmakta olan haç görüntüyü daha da feci hale getirmişti. Ön sırada öfkeyle konuşan beyaz adamların çoğu komşularıydı ve babasından ne istediklerini, neden bu kadar acımasız olduklarını anlayamıyordu küçük Edbert.

- Lütfen Bay Collins, kocamı tanıyorsunuz. O kadının da ne mal olduğunu çok iyi biliyorsunuz. Eşim böyle bir şeyi asla yapmaz, aklından bile geçirmez.

Karşısındaki adam, onu dinlemiyordu bile. Annesinin konuşmalarıysa kalabalık güruhtan çıkan gürültülerin arasında çoktan kaybolmuştu. Karşı evlerden birinin penceresinde arada sırada bahçede oynadıkları arkadaşı Durwad'ı gördü bir an. Onun beyaz bir ailenin, ak tenli çocuğu olduğu için ne kadar şanslı olduğunu düşündü. Ama o da bir şey yapamazdı. Sadece korkuyla olanları izliyordu. Sonunda kapıya dayanan adamlar, zavallı annesini sertçe iterek içeri daldılar. Artık çığlık çığlığa ağlayan kadını kimse dinlemiyordu. Evin altını üstüne getirerek, sonunda dolapların birisine saklanmış olan babasını bulduklarında yaşananları anılarının arasından silebilmek için yapamayacağı şey yoktu Edbert'in. Babasının yüzü, gözü aldığı darbelerle anında kan revan içerisinde kalmış, her yönden inen tekme ve yumruk yağmuru altında bacaklarından bağlanıp, sokaklarda sürüklenerek belediye binasının önündeki meydana kadar götürülmüşü.

Lanet olsun, o meydana gitmemeli, onları, o aşağılık yaratıkları takip etmemeliydi ve hiçbir şey görmemeliydi. Ama gitmişti ve bunun için hayatı boyunca pişmanlık duyacaktı. Peşlerinden koşmuştu. Çünkü Bay Collins, bir gün bahçede oynarken başını şefkatle okşamıştı. Ona yalvarırsa, kendisini kırmayacağını, babasını kurtaracağını ummuştu. Bay Collins'se o gece babasının meydana yığılmış çalıların üzerindeki kütüğe bağlanmasından sonra meşalesiyle çalıları tutuşturan ve çırpınan adamcağızı kalabalığın tezahüratları arasında canlı canlı ateş veren kişi olmuştu. Yanmakta olan babasının çıkarttığı sesler o güne dek Edbertin duyduğu en başka, en korkunç feryatlardı ve ne yazık ki oldukça uzun sürmüşü.

- Bu kara böceklere haddini bildirmezsek, bir gün gelir, utanmadan başkanı bile olmaya kalkarlar. Beyaz Saray'da zenci bir başkan ve kara derili bir first lady... Tanrı korusun!

Kulaklarına inanamıyordu küçük Edbert. Bunları söyleyen yanında dikilip, canlı bir meşale haline gelmiş olan babasını kıpırdamadan seyreden bayan Norma Jones'ti. Her pazar en şık kıyafetlerini, şapkasını giyip, eldivenlerini takarak kiliseye giden, dolu gözlerle ilahilere katılan, yoksullar için gönüllü olarak çalışan kadının bu sözleri söylediğine inanmak istemedi Ama duydukları doğru ve kesindi. O günden sonra bir daha asla kiliseye gitmedi küçük çocuk. Babasının kül olmuş cesedinin gömülmesinden sonra, onu parasını çalmakla suçlayan Evelyn Lewis'in aslında parayı kumar borcu yüzünden zor durumda olan erkek kardeşine verdiği, kocasının korkusundan bu yalanı uydurduğu ortaya çıktı. Ama o gece babasını bir insanın en korkunç acılar çekmesine sebep olacak yöntemlerle öldürenlerin hiçbirisi ceza almadı. Yıl 1964, yer Georgia eyaleti, Madison kasabasıydı. Babası sırf zenci olduğu için diri diri yakıldığı yıl sekiz yaşında olan küçük zenci Edbert, bugün 47 yaşındaydı ve zencilerin, beyazlarla aynı otobüse binemediği, aynı üniversiteye gidemediği günlerden CIA'nın en önemli bölüm şeflerinden birisi olmak için çok uzun bir yoldan gelmişti.

"Ey Rabbimiz, onları da onların babalarından, eşlerinden ve soylarından iyi olanları da kendilerine vaat ettiğin cennetine koy. Şüphesiz sen mutlak güç sahibisin. Hüküm ve hikmet sahibisin."

Masasında açık olan İngilizce Kur'an'ın Mü'min suresinde böyle yazıyordu. Asıl macerası altı yıl önce tesadüfen okuduğu Mevlana'ya ait,

"Gel, yine Gel!
Ne olursan ol, yine gel!
İster kâfir ol, ister putperest ol, ister mecusi,
İstersen yüz kere bozmuş ol tövbeni...
Yine gel! Bizim dergahımız umutsuzluk kapısı değil,
Umut kapısıdır. Yine gel."

dizeleriyle başladığında, kafasını masasına dayayıp, hıçkırarak ağlamıştı. Büyük bir düşünür, yüzyıllar önce asla gidip görmediği, hiç bilmediği Anadolu'nun bir köşesinde herkese, ne olduklarına, kim olduklarına ve renklerine bakmaksızın kucak açmıştı. Demek onca yıl önce kara derili zencileri de kabul edecek, kapılarını seve seve onlara açacak insanlar vardı. Georgia yerine, Konya denilen şehirde yaşasaydılar babası öldürülemeyecek, birileri üzerinde güneşin doğmakta olduğu ve zencilerin de o güneşin altında özgürce yaşayacağı dünyanın kapılarını onlara açacaktı.

***

- Metin, gerçekten kumlara gömülmüş bu koca çelik sütunun altında önemli bir şey olduğundan emin misin?

- Az kaldı Celal, neredeyse merakımızı giderecek kadar kazdık. Yoruldun, biliyorum ama bu kesinlikle başka bir şey. Baksana metalin üzerinde Almanca yazılar var.

- Benim tükenmeme az kaldı. Bizim hazineci manyaklarla dalga geçerken halimize bak. Tüm bu gizliliğin sebebi ne?

- Eğer birileri haber alırsa o dakika hurda toplayıcılar buraya üşüşür, iki gün sonra keşfimizden eser kalmaz.

- Sence ne keşfettik?

- İnan bilmiyorum ama az daha kazarsak hiç ummadığımız bir şeyle karşılaşacağımıza dair ciddi bir his var içimde.

- Burada, kumun metrelerce altına mı?

- Evet, bizim hazinecilerin bulduğu kesinlikle basit bir çelik sütun değil. Altında ne olduğunu öğrenmezsem çatlarım. Özellikle aklımdan geçense harika bir şey olur.

İki arkadaş keşiflerinden bu yana akşamları mesai çıkışlarında ve hafta sonlarında dikkat çekmeden kumun üzerine çıkan çelik sütunun ucunu kuru ağaç dallarıyla kapatıp, dikkatlerden gizlemişler ve hemen yanından dikine bir kuyu açarak azimle aşağı doğru iniyorlardı.

- Kaç metre kalmıştır Metin?

- Çok değil, bugün bir şeyler bulmuş oluruz, varmış oluruz.

Son metrelerde oldukça zorlanmaya başlamışlardı. Zira dikine indikleri çukurda derine gittikçe daha sert ve fosilleşmeye dönmüş katmanlarla karşılaştıklarından kazmak zorlaşıyor ve yukarılarda geniş bir ağızla başladıkları çukur mecburen daralıyordu. İki kişinin aynı anda sığması artık imansızdı. Bu yüzden nöbetleşe kazmaya başlamışlar, daralan çukurda havasızlıktan sıkıntıya düşen rahat nefes almaya çıkarken, diğeri aşağı iniyordu.

- Metin, baksana galiba kazma metal bir şeye çarptı.

Delikanlı yer üstüne henüz çıkmış, dar geçitte uyuşan kollarını dinlendiriyordu. Duyduğu habere heyecanlanmıştı.

- Rahat ol Celal, çık dinlen. Nefes alayım, ben inerim.

- Üzerindeki kumları biraz daha açayım, gelirim. Sen keyfine bak.

- Ben de o arada fener alıp geleyim. Gerekecek.

Celal, hırsla kazmaya devam ederken, bir yandan endişeliydi. Ne yapıyorlardı? Buldukları, kumlara dikine gömülmüş çelik sütun neydi? Üstelik kazmasının çarptığı metalle ilgili olarak hiçbir fikri yoktu. Artık görmeye başladığı metalin üzerindeki tüm tortuları arkeolog titizliğiyle temizlemeye başladı. Üzerinde anlamadığı yazılar ve işaretler olan sert, çelik yuvarlak rahatça görülüyordu. Sadece çelik bir daire değildi buldukları. Üzerinde tekerlek şeklinde başka bir çelik aksam da ortaya çıkmıştı.

- Yetiştim Celal!

Aynı anda yukarıdan vuran ve Celal'in elindeki küçük fenerden çok daha güçlü aletin ışığı ayaklarının dibini aydınlattı.

- Artık çık Celal, ben alıyorum nöbeti.

- Bir dakika! Altımdaki şey kıpırdıyor. Ses de bir garip, sanki aşağıya inen bir geçidin üzerindeyim.

- Çok dikkat et. Çürümüştür. Sağlam dur.

- Çok sağlam ve yeni gözüküyor.

- Celal, inanamıyorum. Biraz kenara çekilsene. Işığı tam üzerine tutayım.

Celal, çukurun duvarına yapıştı. Metin'se, ışığı çukurun dibinde gördükleri acayip metalin üzerine tuttu.

- Olamaz Celal, bu olamaz.

- Ne görüyorsun Metin, daha doğrusu ne anlıyorsun gördüğünden?

- Söylediğimde asla inanamayacaksın.

- İnanmak mı?

- Sıkı dur Celal. Yanılmamışım. En baştan düşündüğüm gibi. Çünkü bir denizaltının giriş kaportasının üzerinde duruyorsun.

- Neee, denizaltı mı? Benimle dalga mı geçiyorsun? Kumların altında ne işi var koca denizaltının?

- Böyle b..tan şakalar yapmadığımı bilirsin. Kaportanın üzerindeki yazılara bakılırsa büyük ihtimalle bir Alman denizaltısı.

- Nasıl bu kadar emin olabiliyorsun?

- Endüstri meslek lisesinde okurken kendi isteğimle askeri bir tersanede staj yaptım. Bu sürede iş gereği defalarca denizaltılara girdim, çıktım. Biliyorsun elektro-mekanik bölümünü bitirdim. Aşağıda kesinlikle koca bir denizaltı var. Tam üzerinde dikiliyorsun. Sadece giriş kaportası şimdikilerden biraz küçük. Demek ki oldukça eski model.

- Şimdi ne yapacağım?

- Direksiyona benzeyen daireyi sıkıca tut, sola çevir. Ama artık paslanmıştır, açılması çok zor olacak, döndürebileceğini zannetmem.

Aşağıdan Celal'in zorlandığına dair derin nefes sesleri, kısa inlemeler ve metal gıcırtıları geliyordu. Sonunda ani bir cayırtı ve Celal'in "Uyy, anacığım!" feryadı duyuldu. Aynı anda çukurdan gelen "pofff!" şeklindeki acayip bir gürültüden sonra, inanılmaz derecede garip bir koku çukurdan dışarıya adeta gaz patlaması gibi fışkırmıştı.

- Metin, çek beni yukarı kardeş. Zehirleneceğim, çabuk!

Metin, hemen arkadaşının beline bağlı olan kalın ipe var gücüyle asıldı. Ama koku dışarıda olduğu halde gözlerini yakmıştı. Arkadaşının çukurun dibindeki halini düşünüp, daha bir gayretle davrandı. Celal, çukurun ağzına çıktığında bayılmak üzereydi.

- Off, o neydi be? Öleceğimi zannettim.

- Yıllardır kapalı olan bir mekanı yeniden açtık. İçeride biriken gazlar olmalı. Koku biraz etkisini kaybetsin ben de uğraşırım.

- Gerek yok.

- Yok mu?

- Evet, çünkü açıldı. İlk günkü gibi rahatlıkla açıldı.

- Harikasın Celal, bekleyelim, tüm gazlar boşalsın. Ondan sonra ineriz.

***

Beyaz Saray, Washington

Tezkerenin Türkiye Büyük Millet Meclisi'nde reddedilmesinden sonra adeta çılgına dönen Başkan Bush'un o sabahki keyfi eşi Laura'yı bile fazlasıyla rahatsız etmişti. Aslında First Lady, kocasının garipliklerine, özellikle Jameson marka viskileri bir biri ardına devirmesinden sonra başlattığı saçma olaylar dizisine alışkındı ama bu sabah o bile kocasının halini yadırgamıştı. Her şeyden önce kuzeyden ve Irak'ın en zayıf cephesinden Bağdat üzerine yürüyemeyecek olan Amerikan ordusu hesaplanandan çok daha fazla zayiat verecekti. Bu da bir süre sonra halkın tepki göstermesine, evlatları tabutla gönderilmeye başlayan annelerin Beyaz Saray kapısına dayanmasına sebep olacaktı. Tüm bunları kadın başına düşünürken, eşinin gamsızlığı sinirlerini bozuyordu.

- Savunma Bakanı az önce aradı. Toplantı için acele etsen iyi olacak.

- Sekreterime bir saat ertelemelerini söyle. Chapel'e gideceğim.

"Yüce Tanrım, bu olamaz. Kabus yeniden başlıyor. Hem de böylesi büyük bir savaşın arifesinde..." diye düşündü Laura Bush. Anlaşılan başkan yine o lanet rüyalardan birisini görmüştü o gece. Her zaman sakin ve düzeyli bir evlilik yapmak istemiş ama şimdi her gün yeni bir skandala imza atan iki kız evladın, önce alkole batmış, şimdi de kendisini peygamber zannetmeye başlayan bir dünya liderinin eşi olmuştu. O bunları düşünürken, başkan çoktan Beyaz Saray'ın bir alt katında bulunan ve Chapel olarak adlandırılan küçük kiliseye girip, diz çökmüştü.

Amerika'da son yıllarda Evangelistlerin sayısı yetmiş milyona yaklaşmıştı. En büyük amaçları; İncil'de yer alan kehanetleri gerçekleştirmekti, en sıkı takipçileri Amerika Birleşik Devletleri Başkanı ve "Şahinler" denilen yakın kadrosuydu. İnançlarına göre, kıyamet iki binli yıllarda Ortadoğu'da kopacak ve onlar da İsa Mesih sayesinde dünyaya hakim olacaklardı. Bu kıyameti çabuklaştırmaksa Amerikan menfaatlerine yapılabilecek çok değerli bir hizmetti. Başta Bağdat olmak üzere tüm Ortadoğu ve Türkiye'de zamanında özel olarak gönderilmiş misyonerler sayısız Evangelist kilisesi açmayı şimdiden başarmışlardı. Artık sırada Irak'ı dünyanın Evangelist merkezi yapmak ve insanlığı bu kilisenin altında toplamaktı. Gerekirse zor kullanmaktan çekinmeyeceklerdi. Ortadoğu ve Asya'daki petrol yatakları başta olmak üzere tüm değerli kaynaklara sahip bir güç onlar inanılmaz bir düştü ve bu rüyanın gerçekleşmesini Türkiye geciktiriyordu. Bunun hesabını verecekleri gün elbette gelecekti.

Diz çöküp, şükrettiği yerden doğrulurken hâlâ gördüğü rüyanın etkisindeydi. Aslıda o bir rüya değildi. Bir öngörüydü. Tanrı ona elini uzamış, ardından iyilerin, kötüleri temsil eden Gog ve Magog orduların karşısında büyük savaşı kazandığını görmüştü. İyiler, Amerika ve onun lideri olan kendi şahsıydı. Kötülerin başındaysa Türkiye geliyordu.

***

- İpi en yakındaki ağaca bağladım. Ne olur ne olmaz. Diğer ucu da kaportaya kadar indir. Oradan da ikinci ipi kaportaya bağlar, devam ederiz.

- İkinci ip kaç metre Celal?

- En az altmış metre vardır.

- Koku biraz azaldı. Haydi davranalım.

Önden Metin indi çukura. Tam kaportaya vardığında açık kapaktan aşağı tuttu feneri. İnanılmazdı, bu fenerin ışığında tertemiz bir zemin ve inmesi için kullanacakları denizci merdiveni gözüküyordu. Merdiven sanki ilk günkü gibi pırılpırıldı. Ancak bir insanın inebileceği darlıktaki basamaklara ilk adımını attığında neredeyse nefesini tutuyordu. Her an bir şeyin kırılacağını, çökeceğini düşünüyordu ama bastığı gümüşî renkteki basamaklar oldukça sağlamdı. Sonunda en alt basamağa basıp, tabana vardığında gördüklerine inanması çok zordu. Çünkü burası gerçekten bir denizaltının harekat merkezindeydi. Sanki bu sabah kuma saplanmıştı. Ancak askeri tersanede gördüklerinden daha küçük ve etraftaki cihazlara bakılırsa bayağı eski bir modeldi. Her şey yerli yerindeydi. Sanki önemli bir teftiş için özellikle temizlenmiş, düzenlenmişti. Çevresine göz gezdirmeye başladı. Her yan cihazlarla, göstergelerle, kadranlarla, navigasyon aletleri, mekanik harita ve rota masaları, sonar, radar ekranlarıyla doluydu. Feneri alabandalara tuttu. Mekanın her santiminin olabildiğince ekonomik olarak kullanılmış olduğu hemen anlaşılıyordu. İleriye doğru ikinci bir geçiş kaportası ve ardında bulunduğu bölümden daha dar olan koridor gözüküyordu. Bir an yukarda, metal kasalara monte edilmiş ekranlara, onların yanındaki duran ve çok eski zamana ait olduğu görülen garip kulaklıklı, iri telefonlara ve elektrik dağıtımında kullanılan kontrol panellerine baktı. Mesleği gereği bunlara hiç de yabancı değildi. Bulunduğu bölüm şu an için teknenin en geniş yeriydi. Tüm cihazların, panellerin üzerindeki yazılar ilk günkü canlılıkta ve Almancaydılar. Köşede gördüğü üzerleri deri minder kaplı birkaç tane arkalıklı sıra ve önlerindeki masa hemen yanındaki küçük bir başka bölmeye açılıyordu. Krupp marka fırın nedeniyle burasının mutfak olduğunu anlamak çok kolaydı. Küçük masa ve sıralarsa bu bölümün yemek ve dinlenmek için kullandığını gösteriyordu. "Tıpkı Yedi Cücelerin evine benziyor." diye düşündü Metin. Bu derece dar ve küçük bir mekanda hayat nasıldı acaba? Mutfak raflarındaysa fırtına ve sarsıntıda yerlerinden fırlayıp, parçalanmamaları için özel olarak sabitlenmiş bardaklar, fincanlar, bira kupaları ve sayısız mutfak aleti göze çarpıyordu. Burayı tanıyordu, bir yerden gözü ısırıyordu. Meşe tahtasından yapıldığı belli olan sıralar, masa ve hemen yan alabandanın üzerine büyük bir emek harcanarak yapılmış manzara resmi hiç de yabacı değildi.

- İyi misin Metin? Biz neredeyiz Allah aşkına? Nasıl bir yer burası? Ahhhh!

Gürültüden Celal'in de aşağıya geldiği ve dar mekanda kafasını bir yere çarptığı belli oluyordu. Üstelik çarptığı şey; daha önce metal sütun zannettikleri denizaltının periskopunun tekne içerisinde kalan kısmıydı.

"Alman konsolosluğu, evet Alman konsolosluğunda görmüştüm bu resmin benzerini." diye sayıkladı Metin. Nereden hatırladığını çıkartmıştı. O esnada Celal de başını tutarak yanına gelmişti.

- Resim hoşuna gitti galiba?

- Seneler önce bir taşeronun yanında çalışırken Alman konsolosluğunda iş almıştık. Konu; binadaki bazı elektrikli akşamların, panoların tamiri ve yenileriyle değiştirilmesiydi. Tabi her zaman sıkı güvenlik önlemleri ve başımızdaki Alman görevlinin kontrolü altında çalışıyorduk. Sadece saat sabah onda ve öğleden sonra üçte alt kattaki küçücük bir kafeteryada dinlenip bir şeyler içebiliyorduk. On beş dakika iznimiz vardı. Oranın duvarında da aynı buradakine benzer bir manzara resmi vardı. Patronum resmin Almanya Alplerinden bir tasvir olduğunu söylemişti. Bence kesinlikle bir Alman denizaltısındayız.

- Burada her şey yeni. Ne kaza izi var, ne patlama, ne de kırık dökük eşyalar, parçalanmış cihazlar, kablolar... Ben bir şey anlayamadım.

- Ben de anlayamadım Celal. Burada olamayan bir şey daha var.

- Olmayan mı?

- Evet, arkadaşım. Bu denizaltıda ölüler yok, kurumuş iskeletler yok, kafatasları yok. Kısaca sen ve benden başka kimse yok. Daha önce teknenin parçalanıp, dağıldığını, içerisinin kemiklerle dolu olduğunu düşünmüştüm. Ama şimdi bir müzenin içerisinde olduğumu düşünüyorum. Sadece sahiplerince özellikle terk edilmiş garip bir müze.

- Metin, bir şey söyleyebilir miyim?

- Efendim?

- Korkuyorum.

- Ben de Celal, ben de... Hem de çok.

***

CIA merkez binanın koridorlarındaki olağan dışı hareketlilik tüm personelin fazlasıyla dikkatini çekiyordu o sabah. Irak üzerine yapılacak olan harekat son anda Türkiye'den yediği çelmeye rağmen her an başlamak üzereydi. Aslında koşuşturmaca haftalar öncesinden başlamış, 11 Eylül'de tarihinin en büyük uyurgezerliğini yaşayan kuruluş, adını kurtarmak için var gücüyle çalışıyordu. Edbert, odasının kapısından koltuğunda klasörlerle çıkıp, asansöre doğru yöneldiğinde kendisini adeta New York Beşinci Cadde'de yürüdüğünü zannetmişti. Ortalık ana baba günüydü. DS&T şeklinde kısaltılan Directorate Science and Technology bölümünün başkanıydı. Kısacası görevi; CIA'nın tüm operasyonlarını, çalışmalarını, rutin görevlerini bilim ve teknolojinin en son yenilikleriyle desteklemek ve bu desteği sürekli yenilemekti. 11 Eylül'deki hezimetten sonra gelen personel sürgününde görevinden alınanlardan birisinin makamına laik görülen ilk zenciydi. Ayrıca ne kadar zor ve stratejik bir işle uğraşması gerektiğini iyi biliyordu. Zeka düzeyi, organizasyon becerisi ve bilimsel alt yapı olarak görevini yapmakta zorlanacağına dair en küçük bir kuşkusu yoktu ama kafası haftalardır karışıktı. Hem de çok...

Babasının kilisenin en sadık üyelerinin gözleri önünde, onların alaycı tezahüratları arasında yakılmasından sonra din ve Allah'la olan tüm ilişkisi kopmuş, o kargaşada babasını kurtarması için Tanrı'dan beklediği mucizenin bir türlü gerçekleşmemesi güven ve inancını sarsmıştı. Ama üç senedir durum çok başkaydı. İkiz Kulelere ve Pentagon binasına yapılan saldırılardan sonra tüm ülke adeta Müslüman düşmanı kesilmişken kalbinin bir köşesinde hiç durmayan bir sızı bu olayların arkasındakilerin asla gerçek Müslümanlarla ilişkilendirilemeyeceğini söylüyordu. Aslında Washingon da, başkanın çevresindekileri ve onların ahtapotun kolları gibi her tana yayılmış uzantılarının yediği haltları, çevirdikleri dolapları anlamak için fazla zeki olmaya gerek yoktu. O gerçek Müslümanları tanıyordu ve seviyordu. İstanbul'da iki sene önce görevli olarak geçirdiği yedi aylık süre hayatındaki yeniden doğuştu. Orada babasının linç edilmesiyle ilgili gördüğü kabuslar azalmış, ruhunu kavurup, mide krampları geçirmesine sebep olan kin ve nefret nöbetleri azalmış, ilk kez ruhu huzur bulmaya başlamıştı ve buna ihtiyacı vardı. Etiyopya asıllı zenci köle Bilal-i Habeşinin, Müslümanların ilk müezzini olduğunu, Mekke alındıktan sonra Kabe'nin damına çıkıp, ezan okumakla görevlendirildiğini, İslam'ın Peygamberi Muhammed tarafından hayatı boyunca yanında taşınıp, büyük saygı gördüğünü, hatta bizzat Hazret-i Muhammed tarafından Ensardan Ebu Rüveyha ile kardeş yapıldığını okumak onu hiç olmadığı kadar etkilemişti. Kara derili bir ırkdaşı yüzyıllar önce

İslam dininin kurucusu tarafından en onurlu görevlerle şereflendirilip, saygı görmüştü. Babasıysa iyi bir Hristiyan'dı ama din kardeşlerince sırf rengi yüzünden diri diri yakılmıştı. Görev bitimi New York'da hava alanında indiğinde artık eski Edbert ölmüştü. Ama hâlâ karısına durumu nasıl izah edeceği konusunda kararsızdı. Çünkü eşi bugüne dek Hristiyanlık ve reddettiği Tanrı'ya karşı olan kayıtsızlığına sessizce katlanmıştı. Şimdi karşısına geçip, başka bir dine ilgi duyduğunu, salt bu ilginin bile kendisini yıllardır yaşadığı boşluktan kurtardığını ve en zoru da artık bir Müslüman olarak yaşamak ve Tanrı'ya yıllar sonra başka bir din aracılığıyla bağlanmak istediğini nasıl açıklayacağını bilemiyordu.

Giriş katına indiğinde diğer bölüm başkanlarını kendisini bekler vaziyette buldu. Hiç konuşmadan bir görevliyi takip edip, kapıda bekleyen siyah camlı ve zırhlı arabalara yöneldiler. Çok önemli bir toplantıya gittikleri bildirilmişti ama ne yeri, ne de konusu belliydi. Ayrıca neden CIA merkezinde yapılmadığına anlam verebilen yoktu. Sadece araçlara binmekle yetindiler.

Toplantı Pentagon'daydı. Bunu anladıklarında hepsi biraz daha gerildi. Demek işin içinde yüksek rütbeli askerle de olacaktı. Bu da hararetli tartışmaların başlaması ve bir türlü anlaşıp, ortak bir noktaya varamayacakları fikirlerin havada uçuşması demekti. Ancak tahmin ettiği gibi olmadı. Başkan Bush, son derece neşeli bir halde kendilerini bekliyordu ve açıkladığı çok gizli ve iğrenç plan Edbert'in tüylerini diken diken etmeye yetmişti.

***

Denizaltıya ilk girişlerinin üzerinden üç gün geçmişti. Metin ve Celal, ikinci ziyaretlerini ancak akşam mesai sonrası gerçekleştirmekteydiler.

- Fotoğrafların çoğu sararmış ama bazıları hâlâ net olarak görülebiliyor Metin. Her halde personelin toplu resimleri.

Artık geldikleri yerin komutana ait kamara olduğunu ikisi de anlamışlardı. Küçük ama düzenli bir mekandı. Bir insanın zorlukla sığabileceği yatak, yatağın sağ alt mobilyasında çekmeceler, küçük bir lavabo, ayna, sadece kullanmak gerektiğinde duvardaki menteşesinden boşaltılarak kullanabilen minicik bir masa özenle yerleştirilmişti. Yeşil çuhadan yapılmış bir panoda pek çok fotoğraf vardı. Siyah kışlık üniformalarını giymiş çeşitli rütbelerdeki denizciler, Alman bayrağının göndere çekili olduğu bir denizaltının önünde gülerek poz vermişlerdi. İlk kez içinde oldukları teknenin dışardan görünüşüne şahit oluyorlardı. Bordosunda U-27 yazıyordu. Resmin üzerindeki tarihse 6 temmuz 1915 olarak yazılmıştı. Akıbetlerinin ne olduğunu bilemedikleri denizcilerin siyah-beyaz hatıraları iki arkadaşı hüzünlendirmişti. Ayrıca, dev bir yolcu gemisinin çeşitli fotoğraflar panoya asılmış, altına RMS Lusitania yazılıydı. Dört bacalı, iki direkli muhteşem bir tekneydi. Daha fazla oyalanmadan kamaradan çıktılar. Artık torpidoların bulunduğu mahaldeydiler. Kovanların üzerinde vanalar, kullanma talimatları ve metallerin aşınmaması kullanılmış olan gres yağları olduğu gibi duruyordu ve artık en uç bölüme gelmişlerdi.

- Bak, burada aşağıya açılan bir kaporta var.

Metin'in gösterdiği yere çekinerek baktı Celal. Aslında bu kapalı ve esrarengiz ortamda daha fazla kalmak istemiyordu ama çevirme vanasına asılıp, kaportayı açmaya çalışan arkadaşına çok istemese de yardım etmek zorunda kaldı. İki dakika sonra önde Metin arkada Celal daracık geçitten aşağı iniyorlardı.

- Bugünlük araştırmamız yeterli Metin. Çıkmak istiyorum.

- Yoruldun mu?

- Bunaldım. Kapalı ortamda panikliyorum.

- Tamam, söz! Birkaç dakika ver. Ardından bırakırız.

Bulundukları yer zorlukla ayakta durabildikleri bir ambara benziyordu ama artık boştu.

- Bunun Alman gemisi olduğunu söyledin. Bulduğumuz her şey teorini ispatlıyor ama bu yazıların anlamı ne olabilir?

Celal küçük ambarın gri boyalı duvarına tutuyordu feneri. Birileri adeta hapishane duvarlarına yazılan karalamaların benzerleriyle donatmışlardı her yanı..

- Resmen Arapça yazılar bunlar.

- İstersen yanımda kağıt kalem var. Bir kısmını kopyalayalım.

- Sen yazadur Celal, ben arka bölüme geçek istiyorum.

Sürünerek geriye doğru hareket etti. İkinci kaportayı fark etmişti Metin. Zorlanmadan açtı. Bulunduklarından daha büyük bir mekandı ve feneri içeride gezdirdiğinde çeşitli metal sandıklara dolu olduğunu gördü. Hepsinin kapakları çok iri ve sağlam asma kilitlerle sabitlenmişti. Buraya kadar kaynak makinesi indirmenin ve havasız bir ortamda hem çalıştırmanın, hem de çıkan gazları tahliye etmenin imkansızlığını biliyordu Metin. Bir dahaki sefere çok kaliteli bir demir testeresi getirmeleri gerekiyordu.

- Yazdın mı?

- Becerebildiğim kadarıyla birkaç cümleyi kopyaladım. Sen ne buldun?

- Bir düzine kadar sağlam ve metal sandık. Herhalde çelik. Kilitli hepsi.

- Açmayı düşünmüyorsun herhalde.

- Kızacaksın ama içlerinde ne olduğunu görmek için can atıyorum. Beni yalnız bırakmayacaksın değil mi?

- Tedirginim. Nasıl bir durumla karşılaşacağımızı, neden ilgililere haber vermediğimizi bilmiyorum ama sonuna dek yanındayım.

- Söz veriyorum. Sandıklarda ne olduğuna bakıp, içlerinden tek bir şey almadan. Yarın son bir kez gelip, sağlam bir testereyle keseriz kilitleri.

Tekrar geldikleri yoldan dışarıya çıkıp, biraz da torpido bölümünde oyalandılar. Burası ayrıca personelin ve küçük rütbeli askerlerin yattığı yerdi. Dar ve uzun ranzalardan belli oluyordu. Köşedeki toplu kullanım için monte edilmiş elbise dolabında üniformalar asılıydı. Özel kullanım için ranzaların altına yerleştirişmiş yatay dolaplarsa kapakları üstten açılan, basit ve küçük şeylerdi. Bir denizaltıda yaşamak çok büyük özveri gerektiriyordu. Zaten kısıtlı olan mekan insanı ihtiyaçlardan çok üst üste yığılmış gibi gözüken silah sistemlerine, yıllar öncesinin araçlarına ayrılmıştı. Sol taraftaki, kapısı paravan şeklinde açılabilen küçük kamaranın içerisindeki cihazlarla telsiz bölümü olduğu kolayca anlaşılabiliyordu. Dolapların birisinin kapağını açıp, yukarı kaldırdı Celal. Artık kemikleşmiş bir tıraş sabunu, teneke kutuda siyah ayakkabı boyası, bir çift pabuç, ayakkabı fırçası, birkaç madeni para, sararmış iç çamaşırı, iki kutu konserve ve başka bir kutuda fosilleşmiş kurabiyeler, sararmış bir kurdeleye sarılı mektuplar vardı. Hepsi bir askerin küçük bir teknede kendisine yarattığı özel dünyasındaki gereksinimleriydi. Kimdi, genç miydi, nereye gitmişti, diğerleri gibi her şeyi bırakıp, neden ortadan yok olmuştu? Anlamak imkansızdı. Kapağının iç kısmına yapıştırılmış bir kadın resmine ikisi de sempatiyle baktılar. Kadın yirminci yüzyıl başlarında yeni kullanılmaya başlanan mayolardan birisini büyük bir cesaretle giymişti. Yüzme kostümü, boynundan dizlerinin altına kadar inen kumaşıyla hemen hemen tüm vücudunu sarmıştı. Paçalarına fırfırlar dikilmiş, başına taktığı bone benzeri şeyin de kenarları dantel benzeri süslerle çevrilmişti. O yıllar için demek ki son derece açık ve seksi bir görünümdü. Onu dolap kapağına yapıştıran denizci hüzünlendiğinde, kendisini yalnız hissettiğinde ya da keyfi yerinde olduğunda açıp bakıyordu. Yan yana sıralanmış diğer dolaplarda da benzer eşyalar ve resimler asılıydı. Çoğu o yılların revü yıldızlarının siyah beyaz resimleriydi. Sadece bir tanesine bıyık ve sakal yapılmıştı. Büyük ihtimalle o fotoğrafı asan denizcinin muzip bir arkadaşının elinden çıkmaydı. Öldürmek, yıkmak, bombalamak için inşa edilen teknenin içerisindeki insani nesneler ikisini de heyecanlandırmıştı.

- Burası resmen konserve edilmiş. Geleceğe ulaştırmak için konserve edilmiş bir denizaltının içerisindeyiz.

Metin'in bu sözleri durumu en iyi anlatan ifadeydi aslında.

***

Artık bir başlangıç noktası vardı Turgut'un. Ancak tasnif ettiği evrakların çoğuna henüz bakamamış, sadece belediye başkanının gizlemediği bir zevkle ilettiği idam konusuna saplanmıştı. Hangi maksatla iki genç vatanlarını, evlerini, eşlerini, çocuklarını bırakıp, yüz yıla yakın bir süre önce çok zor şartlara defalarca Amerika'ya gidip, bununla da yetinmeyip, o koca ülkenin en uzak ucundaki sakin bir kasabayı kana boyamışlardı. Olayların notlarda adı yazılı olan ve yok edilmesi gerektiği bildirilen kadınla mutlaka bir ilgisi vardı ama neden? Bu kadından ne zarar gelmişti ve gelecekti? İğrenç katiller olarak tarihe geçip, ölümlerin en kötüsüyle yok dilmelerine kadar gitmelerine sebep olacak ne yapmıştı onlara? Bilgisayar ekranında Oregon eyaletinde 1864 yılından 2000 yılına dek icra edilen idamlarla ilgili bilgi veren bir site vardı şimdi. Sayfanın başında 1965 yılındaki hali gösterilen gaz odasına ürpererek baktı. Demek o tarihten itibaren elektrikli sandalye yerini gaz odası kullanılmıştı. Kısaca bir göz attı. Önceleri suçluları asarak cezalarını infaz etmişlerdi. Asılarak idam edilen son kişi; 1931 yılında bir polisi öldürmekten suçu bulunan beyaz bir delikanlıydı. Daha sonra eyalet meclisinin önce elektrikli sandalye ve gaz odası için aldığı kararlar ve son olarak zehirli iğneye dönüştürülen idam tarihi ve metotlarından, bahsediliyordu. Oldukça iç sıkıcı bir konuydu. Daha fazla oyalanmasına gerek yoktu. Cesaretini toplayıp geniş listeye, yıllara göre göz atmaya başladı.

Adı:	Roberts E. Mike	Higgins Claude
Suçun İşlendiği Yer:	Umatilla	Lane
Suçun Cinsi:	Cinayet	Cinayet
İdamın Tarihi:	20 Mart 1904	18 Eylül 1907
İdamın Metodu:	Asarak	Asarak

İdam edilenin doğum yeri, mesleği, idam esnasındaki yaşı gibi daha yığınla bilgi vardı. Listeyi aşağıya doğru tarayıp, 1926 yılına geldi. Oldukça yoğun bir yıldı ve o esnada kullanılan elektrikli sandalye pek boş kalmamıştı anlaşılan. Sonunda aradığı utanç dolu bilgiye erişmişti.

Adı:	İzzet Yıldırım	Rüstem Ertürk
Suçun İşlendiği Yer:	Salisbury	Salisbury
Suçun Cinsi:	Cinayet	Cinayet
İdamın Tarihi:	12 Aralık 1926	12 Aralık 1926
İdamın Metodu:	Elektrikli Sandalye	Elektrikli Sandalye

Oturduğu yerde yanmakta olduğunu hissetti Turgut. Büyük dedesi o an acaba neler hissetmiş, vücudundan binlerce voltluk elektrik geçip, beyninden, ayaklarına devre tamamlarken çektiği korkunç acı karşısında ne yapmıştı? Ama ortada öldürülen masum kadınlar ve çocuklar vardı ve suçlular büyük dedesi ve arkadaşıydı. Ardından Oregon tarihi boyunca idamlarla ilgili detaylı bilgi veren sitelere girmeye başladığında istediğinden de çok daha fazlası elinin altıdaydı ve teknolojiye şükrediyordu. Zira Salisbury kasabasında 1886'dan beri yayın yapan mahalli bir gazetenin elektronik arşivlerine ulaşmıştı. Arşiv arama penceresinde tarih kısmına 1926 yazdı. Yılın başlangıç günlerinde pek de önemli haberler yoktu aslında. Çoğu çok çetin geçen kış şartları, kereste işinde çalışan işçilerin ve sendikalarının mücadeleleri, bir kaç yangın, ölüm ve kasaba sakinlerine dair cemiyet haberleriydi. Anlaşılan Salisbury kasabası gerçekten sakin bir yerdi. Tabi 14 Eylül 1926'ya kadar. O günün başlığı kara ve iri puntolarla "Vahşi Katliam" olarak yazılmıştı. Renksiz resimlerde olay yeri en korkunç ayrıntısına kadar gösterilmişti. Geniş bir salonda ölü vücutlardan saçılan kanlar döşeme dışında merdivenlere, duvarlara, hatta tavana dek sıçramıştı. Koltuklar, masalar, sandalyeler devrilmişti. Kan gölü içerisinde delik deşik olarak yatan cesetlerin çoğu kadın ve çocuklardı. Sadece iki yetişkin erkeğe ait vücut o kargaşada seçilebiliyordu. Altındaysa "Bunu yapanlar insan olamaz" cümlesi yazılmış, ardından cinayetin detayları, öldürülen masum insanlar, zavallı sakin kasabalarının onurlu geçmişi, huzurları bozulan hemşehriler, çeşitli ilgililerle yapılan röportajlar sıralanmıştı. Ama suçlulardan bahsedilmiyordu. Demek ki hemen yakalanamamışlardı. Ancak asıl midesini bulandıran şey; büyük dedesi ve arkadaşının hepsinin kesinlikle öldüğünden emin olmak istemesi ve bu uğurda sayısız mermiyi kurbanların üzerine boşaltmasıydı. Ertesi günün gazetesine geçtiğinde büyük dedesinin ve arkadaşını tüm sayfayı kaplayan resimlerini ve iri harflerle "Canavarlar Teslim Oldu" başlığı içini burktu. Hemen tanımıştı. Zira iki arkadaş son yolculuklarına çıkmadan önce Beyoğlu'nun meşhur fotoğrafçılarından birinde birlikte resim çektirip, ailelerine bırakmışlardı.

Şimdi artık sararmış olan resim de bohçadaydı. Demek bir daha dönemeyeceklerini biliyorlardı. Sayısız polisin arasında elleri kelepçeliydi ve bellerine bağlanmış bir zincirden çıkan uzantının ayaklarını ancak küçük adımlar atabilecek kadar sıkılıkta çevrelediği görülmekteydi. Yazılara, çevrede toplanmış suçluları linç etmek için polisle itişip karışanlara hiç dikkat etmedi. Tek ilgisini çeken şey: her ikisinin de suratındaki korkusuz ifade, temiz giyimleri ve başlarını dik tutmalarıydı. İnanılmaz derecede rahat ve huzurlu oldukları her hallerinden belliydi. Tıraşlı yüzlerindeki belli belirsiz gülümseme vardı, yakalarına taktıkları İstiklâl Madalyaları üzerlerine vuran flaş ışıklarında parlıyordu. Hızla diğer günlere geçti. Sadece ana başlıklarla ilgileniyordu. Olaydan bir sonraki gün kendiliklerinden teslim olmuşlar ve cinayetleri işlediklerini itiraf etmişlerdi. "Neden daha önce teslim olmadınız?" sorusuna, "Hazırlık yaptık, temizlendik, banyo aldık, Tanrı'ya şükrettik" şeklinde acayip bir cevap vererek ilgilileri şaşırtmışlardı. Gerçekten de özel olarak teslim anı için hazırlandıkları, son derece şık takım elbiseler, pahalı pabuçlar giydikleri, saçlarını taradıkları, adeta hapse değil, baloya gidercesine hareket ettikleri rahatlıkla anlaşılıyordu. Mutluluklarıysa gözlerinden belliydi.

Bir gün önce masum kadınlar ve çocuklar başta olmak üzere on kişiyi öldürmüşlerdi ama gözlerinin içi gülüyordu. Az önce onlara duyduğu sempati soğukkanlı hallerinden dolayı yok olmaya başlamıştı. Bakmak istemediği bir fotoğrafa istemeden de olsa gözleri takıldığında aralarındaki tüm bağlar koptu. O gece öldürülen üç yaşındaki bir kız çocuğunun giren mermilerle parçalanmış kafatası ve duvarlara saçılmış kanının resmi gazetenin tüm sayfasını kaplamıştı. Bırakmak istedi ama yapamadı. Rüstem, her ne kadar büyük dedesi olsa da daha tüyü bitmemiş çocukların katiliydi. Tarafsız davranmalıydı. Tarihleri atlayarak mahkeme kayıtlarıyla ilgili arşivleri tetkik etmeye başladı. Anladığı kadarıyla cinayetlerden çok kısa süre sonra başlayan mahkeme esnasında kasaba resmen ayağa kalkmıştı. Gazete "mahkeme binası önünde inanılmaz bir kalabalığın toplandığını, salona girmek isteyenlerin büyük bir kargaşa oluşturduğunu" yazmaktaydı. O günlerde çekilmiş fotoğraflarsa tek kelimeyle rahatsız ediciydi. Ön planda ellerinde büyükler tarafından yazıldığı belli olan pankartları taşıyan olan küçük çocuklar kalabalığın tazyikiyle ne yapacaklarını bilemez halde ve oldukça şaşkındılar. Gençler, kadınlar, erkekler Rüstem ve İzzet'i mahkemeye getiren hapishane aracını sarmışlar, olayları bastırmaya çalışan polisle çatışmaktaydılar. İç sayfalardaysa salona giremedikleri için öfke kusan, sorun çıkartanlar, hatta meraklarını gideremenin üzüntüsüyle histerik şekilde ağlayan kadıların resimleri vardı. Turgut için resmi kayıtlar önemliydi. Bir sonraki günün gazetesinde davanın fotoğraflarını ve kayıtlardan bazı örnekleri bulabildi. Büyük dedesi ve İzzet mahkemede de başları dik ve sakindiler. En az bir film yıldızı kadar alımlıydılar. Sadece zayıflamışlardı. Hapiste neler yaşadıklarını kimde bilemezdi artık. Muhabir, iki aşağılık katilin bu derece rahat ve sakin davranmalarını, adeta yaptıklarıyla övünen bir havada olmalarını nefret kusan cümlelerle anlatırken, hakimin salondaki uğultuyu susturmak için çok uğraştığını, hiçbir avukatın katileri savunmaya yanaşmaması nedeniyle baronun atadığı bir avukatın istemeden bu görevi yüklenmek zorunda kaldığını yazıyordu.

İlk sorgulanan İzzet'ti.

- 14 Eylül 1926 gecesi Buckley yolu, 12 numarada bulunan ve Walter ailesine ait olan eve gittiniz mi?

- Evet.

- Evde bulunan dört çocuk, iki kadın ve iki erkeğin öldürülmesinden siz mi sorumlusunuz?

- Evet, biz öldürdük.

- Onlarla kişisel sorunlarınız mı vardı?

- Evet.

- Bu cinayetleri planlayarak mı işlediniz?

- Evet.

- Ülkenizden Amerika'ya kadar olan uzun bir seyahati sırf bu nedenle mi göze aldınız?

- Evet.

- Yani planlayarak ve kasten öldürdünüz onları?

- Evet.

- Daha önceden tanıyor muydunuz onları?

- Hayır.

- Tanımadığınız insanları öldürmek için neden bunca yolu kat edip, planlar yaptınız.

- Ölmeleri gerekiyordu.

- Anlayamadım. Son cevabınızı bir daha tekrar eder misiniz?

- Ölmeleri gerekiyordu?

- Neden?

Burada cevap yoktu. Aynı soru defalarca sorulmuş ama İzzet cevap verme-meyi tercih etmişti. Kurbanların avukatının sorduğu soruları yeminli bir tercü-man Türkçeye çevirmişti. Defalarca Amerika'ya gittiklerine göre her ikisinin de dertlerini anlatabilecek kadar İngilizce biliyor olmaları gerekiyordu ama kural-lar bu uygulamayı gerektiriyordu. Gazete tercümanın kim olduğunu ve nere-den geldiğini belirtmemişti. Rüstem dedeyse çok daha kısa kesmiş tüm suçla-maları kabul emişti. Ancak en dikkat çekici olan; "Pişman mısınız?" sorusuna, her ikisinin de salondakilerin aleyhte tezahürat yapmalarına sebep olacak bir netlikle "Asla!" diye cevap vermeleriydi.

Sonuçta jüri Amerikan adalet tarihinin en kısa toplantısını yapıp, beş daki-kada oy birliğiyle idamlarına karar vermişti. Sonrasıysa; mahkeme önünde se-vinç gösterisi yapanlar, caddeleri dolduranlar, yol kenarlarında toplanıp tartı-şanlar, öldürülenlerin kurdelelerle süslü resimlerini taşıyanlardı. Gazetenin on iki aralık sayısıysa özel bir baskı olarak yayınlanmıştı. Gece yarısı iki acımazsız Türk'ün yaptıkları katliamın sonucu olarak sırayla elektrikli sandalyeye oturtul-duğunu, son ana kadar sakin oldukları, asla pişmanlık belirtmedikleri anlatılı-yordu. İdamdan bir gün önce bildirmeleri istenen son arzularına verdikleri ce-vapsa, yalnızca idamdan önceki geceyi aynı hücrede geçirmek ve son yemekleri olarak tarifini verebilecekleri Türk usulü tereyağlı pilavdı. İlk istekleri kurallar gereği kabul edilmemiş ama pilav hazırlanmıştı. Yemekten sonra her ikisi de yı-kanıp, talepleriyle daha önceden kendilerine temin edilmiş olan Müslümanların kutsal kitabı Kur'an'dan bazı ayetler okumuşlar, Rüstem, Türkçe olduğu anlaşı-lan hüzünlü bir ezgiyi seslendirmeye başlamış, ona diğer hücredeki İzzete de ka-tılmıştı. Ne söylediklerini soran gardiyana Yemen Türküsü olduğunu, hayatla-rında özel bir yeri olduğunu anlattıklarını yazmaktaydı. Daha sonra idamların gerçekleştirilmesi anındaki kanuni işlemleri, hazır bulunanları, kurbanların ya-kınlarını temsil edenleri uzunca anlatıp, iki Türk katilin sessiz ve rahat bir şekil-de elektrikli iskemleye yürüdüklerini bildiriyordu. Ayıca iki arkadaşın vedalaşma istekleri de kabul edilmemişti. Turgut'un gözleri dolmuştu ama kimin için ağla-ması gerektiği konusunda kararsızdı. Sonucu bildikleri halde idama koşarcasına gidenlere mi, öldürülenlere mi, her iki tarafın geride kalanlarına mı? Sonunda hepsi için ağladı. Daha sonraki gazeteler, katledilen masum insanların hatırası-na kasaba meydanında yapımına karar verilen anıttan bahsederken, gözüne çar-pan başka bir haber o durumda bile gülmesine sebep oldu. Zira Kate isimli bir genç kız, sırdaşı olan arkadaşına, mahkemeler sırasında gördüğü Rüstem'e sırıl sıklam aşık olduğunu, idam gecesi onun için ağlayıp, dua ettiğini söylemişti. Tabi arkadaşı bu haberi kısa sürede tüm kasabaya yayınca önce kızın evi taşlanmış, camlar kırılmış, evden can havliyle kaçmaya çalışa Kate'nin saçları kasaba meydanında koyun kırpma makinesiyle kırpılıp perişan haldeki genç kız kasaba çıkışına kadar kovalanmıştı. Artık o kaltağın Salisbury kasabasında yaşama hakkı yoktu.

- Üzülme evladım. Utanç duyma. Babam dünyanın en merhametli, en vicdanlı insanıydı. Arkadaşı İzzet de öyle.

Başını kaldırdı. Karşısında anneannesi vardı.

- Neden öldürdüler o zavallı insanları? Ailemiz için ne kadar feci bir şey. Araştırmaya başladığıma pişman oldum. Neden anneanne?

- Öldürdüklerinin hepsi için içim cayır cayır yandı. Aylarca ağlamaktan sokağa çıkamaz hale gelmiştim.

- Soruma cevap vermedin anneanne. Neden?

- Bilmiyorum yavrum. İnan ki en küçük bir bilgim yok. Karısına, yani anneme de bir şey anlatmamıştı. İzzet Efendi de.

- İzzet Efendi'nin de anlatmadığını nereden biliyorsun?

- Bir zamana kadar İzzet Efendi'nin geride kalan dul hanımıyla görüştüğümüzü söylemiştim. İdamlarından sonra annemle arayıp, bulmuştuk onları. Ama hiçbir şey bilmiyorlardı.

- Ne zamana dek görüştünüz?

- Olanlardan sonra İzzet Efendi'nin eşi faza dayanamadı, hastalandı. İki sene sonra vefat etti. Bizim de bağlantımız koptu.

- Sizi yalnız bırakıp, ne hale düşeceğinizi hesaba katmadan iğrenç bir maceraya atılmakla ellerine ne geçti? Nasıl bir sorumsuzluk bu?

- Onlar sorumsuz değillerdi. Bu seyahatlere çıkmadan önce Tahtakale'de ortak bir şirketleri vardı. Kumaş ithalatı üzerineydi zannedersem. İdamlarından iki ay sonra tanımadığımız bir beyefendi kapımızı çaldı. "İzzet Efendi ve babamın avukatı olduğunu" söyledi. Elinde banka cüzdanları vardı. Annem ve İzzet Efendi'nin eşi adına gitmeden önce bankada açtıkları hesapları gösteren cüzdanlardı. Hesaplardaki meblağlar yıllarca rahatça yaşayacağımız kadardı. Son seyahatlerinden önce işlerini tasfiye edip, tüm kazançlarını geride kalanlara bırakmışlardı. Yani senin düşündüğün gibi sorumsuz değillerdi.

Turgut'un cevabını beklemeden kapıya yöneldi. Tam çıkacakken geri döndü. Unuttuğu bir şey varmış gibiydi.

- Ayrıca ne İzzet Efendi, ne de babam böylesine vahşi cinayetler işleyecek insanlar değillerdi. Öyle olsa ilk ben hissederdim.

- Ama öldürdüler, suçlarını da kabul ettiler.

- Biliyorum.

- Öyleyse?

- Demek ki öldürmeleri için, o masum insanları yok etmeleri için çok geçerli sebepleri vardı. Yoksa dünyanın bir ucuna ölmeye ve öldürmeye gitmez, bizleri boynu bükük bırakmazlardı. Çok üzgünüm ama insanlar bazen istemedikleri şeyleri de yapmak zorunda kalırlar.

- Hiçbir mantık yok bu sözlerinde. Ya ufacık çocuklar? Merhametli babanın delik deşik ettiği minicik gövdelerinin fotoğraflarını gördüm. Onları da öldürmek için haklı sebepleri mi vardı?

- Mutlaka, yoksa babam bir an bile düşünmeden kendisini öldürürdü ama onlara kıymazdı.

- Bunlar geçek olamaz.

- Annen tek evladımdı. Kadın başına hiçbir şey yapamazdı. Ama sen erkek torunumsun. Akıllısın ve büyük okullar bitirip doktor çıktın.

- Yani?

- Çok az ömrüm kaldı. Hayatımın son günleri sen ve annen sayesinde huzur içerisinde geçti. Bir tek o yara içimde kanar durur. Gerçeği bilebilseydim gözüm açık gitmezdi. İyi ya da kötü. Artık hiç dert etmezdim. Bazı akşamlar babamı görüyorum rüyamda. Hep üzgün, hep durgun. Öylece evin önündeki arsadan, incir ağacının yanından geçip gidiyor.

Ninesinin Turgut'un hayatında herkesten başka bir yeri vardı. Çocukluğu boyunca tüm sıkıntılarına rağmen halini, acısını hiç belli etmemiş, yoktan var etmiş, özellikle yaşam şekli olan Osmanlı zarafeti, kibarlığı ve asaletiyle evlerine gelen tüm arkadaşlarının hayranlığını kazanmıştı. Turgut okuldayken bir konuk getirse, anneannesi ne yapar eder, komşulardan ödünç alır, bakkala veresiye yazdırır ama sofralarını bir şölene dönüştürmeyi başarır, hiç durmadan surat asan annesine karşın Turgut'u arkadaşlarının önünde onurlandırırdı.

- Merak etme anneanne. Amerika, gitmediğim yer değil. Kongreler, seminerler nedeniyle defalarca gittim. Uzmanlık bursu esasında iki sene kaldım. Bu kez de senin için gideceğim. Sonuna dek mücadele edip gerçeği bulacağım ama bana söz vereceksin. O gerçek hayatımız boyunca utanç duymamıza, çok daha fazla acı çekmemize sebep olacak derecede feci bile olsa başını dik tutup, bugüne kadar olduğun gibi metin olacaksın.

Anneannesinin cevabının ne olacağını aslında çok iyi biliyordu ve en kısa zamanda Amerika'ya doğru yola çıkması, bu sabah Salisbury kasabasının ukala belediye başkanının karşısına dikilmesi gerekiyordu. Üstelik Deniz'i de görüp,ona kendisini affettirmesi için bir şansı olabilirdi. Bu işe birden çok sevinmeye başlamıştı.

***

- Ne oldu, bayağı geciktin Metin?

- Son anda vinçlerin birisinin motorunda aşırı yüklemeden dolayı arıza çıktı. Onunla uğraştım. Hazırsan gidelim.

- Bu arada o duvardan kopyaladığım yazıları tercüme ettirdim.

- Harikasın, neler yazıyor?

- Bir arkadaşım akıllı çıktı. Şimdi edebiyat fakültesinde okuyor. Ara sıra görüşürüz. Ona gittim. Yardımcı oldu. Fakültedeki öğrenim görevlilerinden birisine okuttu.

- Hoca, Arapçadan tercüme etti demek.

- Tam değil. Çünkü yazıların bir kısım eski Türkçe. Aslında iki farklı kişi tarafından yazıldığının hemen belli olduğunu söyledi. Arapça ve eski Türkçe. Çok benziyorlar ama aynı değiller.

- Acayip, o ufacık bölmede iki kişi vardı demek.

- Birinin ismi Kemal, diğerinin Kasım. Yazıların altına isimlerini koymuşlar.

- Merak ettim, anlatsana.

- İşte burada!

Celal, cebinden bilgisayarda yazılmış tercümeyi çıkartıp, uzattı.

"Hasan oğlu, Kastamonulu Kemal. Bir daha sılaya dönemeyeceğimi biliyorum artık.

O Alman subayın neden bizimle ilgilendiğini anladık. Ona inandık. Şimdi kimse bizi kurtaramaz.

Hata yaptık, zalimler, Kasım, o hiç iyi değil. Çok zorladılar."

Alt kısımdaysa:

"Mübarek oğlu Kasım. Agrah aşireti. Medine. Kemal, ahh onu da yaktım. Hastayım. Daha fazla......"

- Tanrım, tüm bunlar, hiçbir şey anlayamıyorum.

- Duvardaki yazıların sadece küçük bir kısmını kopyaladım. Gerçi çoğu zamanla bozulmuş Ama yinede hepsini tercüme ettirirsek bir sonuca varabiliriz.

- En azından iki kişi olduklarını biliyoruz. Kemal ve Kasım. Kemal kesinlikle Türk. Kasım'sa büyük ihtimalle Arap kökenli. Peki kumların altına saplanmış ve terk edilmiş bir Alman denizaltısında işleri ne?

- Bu da bizim maceramız Metin. Önceleri korkuyordum. Tedirgindim ama artık seninle sonuna kadar gitmek için can atıyorum. Bu iş bezmeye başladığım hayatıma renk getirdi. Sayende harika şeyler öğrendim ve bilgi sahibi olmanın ne kadar özel bir şey olduğunu anladım. Hava karardı. Bir an önce sezdirmeden denizaltımıza girelim.

- Deniz altımız mı?

- Gerçekten artık evimiz gibi geliyor bana.

- Peki ya ilgililere bildirme fikrin?

- Biraz daha bekleyebiliriz değil mi? Tekne ve içindekilerle ilgili birçok şeyi biz çözersek devleti de rahatlatmış oluruz. İlgililerin uğramaları gereken yığınla işleri var zaten.

- İyi ki seni tanımışım Celal.

Tekrar evleri olarak gördükleri denizaltının içerisindeydiler ve artık çok daha rahat hareket ediyorlardı. Çünkü geçen günlerde denizaltının kumlar üzerine çıkan periskop uzantısını ve açtıkları giriş çukurunu gizlemek için tam o noktaya tahtalardan bir kulübe inşa etmişler, arkadaşlarına bazı geceler orada yatacaklarını, zira yatakhanede çok gürültü olduğunu söylemişlerdi. Tabi kapıya da kocaman bir asma kilit takmayı ihmal etmemişlerdi. Artık aşağıda ne olduğunu kimse anlayamazdı.

- Demek bu ufacık yerde iki kişi yaşadı. Çok zor olmalı.

- Çıkmadan önce tüm yazıları kopyalayacağım. Vakit alsa bile uğraşmaya değer.

- Ancak bu sefer aynı kişiye götürmeyelim. Adam sonunda şüphelenecektir.

- Tercüme büroları var. Meraklı da davranmazlar.

Küçük bölmenin duvarlarındaki yazılara bir kez daha baktılar. Orada pek çok şey saklıydı. Ardından ambar bölüme geçtiler. Yanlarında demir, testereleri, çekiçler, keserler, çakılar, tornavidalar vardı. En yakındaki metal sandığın asma kilidini kesmeye başladılar.

- Öff be, dakikalardır uğraşıyoruz. Amma da sağlammış.

- Biraz da bana ver testereyi. Bugün hepsini açmadan buradan çıkmam. Sabaha dek sürse bile uğraşmaya değer.

Azmin sonu selametti ve on dakika sonra yarısına kadar kesilmiş olan asma kilidin demirini keserle vurup, zayıflatarak kopartmayı başarmışlardı. Birlikte kapağa saldırdılar.

- Su geçirmez hale getirilmiş. Baksana tek sorun asma kilit değil.

Sandığın içerisinde farklı şekil ve büyüklüklerde paketler vardı ve hiç bilmedikleri kalın yağlı kağıtlara benzer ambalajlarla sıkıca sarılmışlardı. Şimdi sıra çakılarını kullanmaya gelmişti. Önce en yakındaki paketi deldiler ve boyunca kestiler.

- Alt tarafı taştan bir kafaymış. Korumak için neden bu kadar özenmişler ki?

Metin, fener ışığında taştan kafaya alıcı gözle baktı. O kadar basit değildi. Büyük ihtimalle toprak altından çıkartılmış tarihi eserlerle karşı karşıydılar.

- Bunlar binlerce yıllık tarihi hazineler Celal. Boşuna zahmete girmemişler.

Sırayla tüm paketleri açtılar. Hepsinden toprak ve taştan küçük heykeller, çanaklar, testi benzeri, harika figürlerle dolu mutfak gereçleri ve süsler, tabletler çıkmış, ambarın tabanına yayılmıştı.

- Bunlardan bizim köyde tonla çıkıyor. Ne zaman çift sürmek için toprağı kazsalar mutlaka benzer parçalar hatta daha büyükleri çıkar.

- Almanlar ve Türkler Birinci Dünya Savaşı'nda müttefikti. Bu yüzden o zamanki Osmanlı toprakları Alman askerleriyle doluydu. Anlaşılan bu denizaltı savaşmaktan çok tarihi eser kaçakçılığı için kullanılmış.

- Koca denizaltıyı bu taş, toprak parçaları için mi kullanmışlar?

- Bu kadar basit değil. Avrupa ve Amerika'daki büyük müzeler bizim topraklarımızdan kaçırılmış tarihi eserler, hazineler hatta dev tapınaklarla dolu. Çoğu da savaşlar sırasında kaçırılmış. Şimdi kültür bakanlığı geri almak için çaba sarf ediyor.

Diğer sandıkları da sırayla açtılar. Birkaç sandıktaki Almanca yazılı evraklar, haritalar dışında hepsi tarihi eserdi. Bir yere kadar gelip tıkanmışlardı.

- Bundan sonra daha neler yapabileceğimizi bilmiyorum Celal. Tarihi eserlerin yeri müzelerdir.

- Haklısın. Hemen mi haber vereceğiz?

- Kararsızım.

- Ben duvardaki tüm yazıları kopyalayacağım. Onları tercüme ettirdikten sonra düşünelim istersen.

- En iyi fikri verdin.

***

Dearborn Şelaleleri, Oregon

Araçta altmış yaşlarında bir kadın, daha yaşlı bir erkek ve henüz otuzlu yaşlarda bir delikanlı vardı. Altı saat önce Salisbury kasabasından hareket etmişler, sahili geride bırakıp, on sekiz - doğu yolunda devam etmişlerdi. Yaşlı adam başlangıçtan beri hiç konuşmamış, sadece düşüncelere dalmıştı. Kadınsa direksiyondaydı ve son derece rahat, sakin bir halde aracı kullanıyordu. Sağında oturan oğluna yan gözle baktı. Yıllar önce kendisine aslında kim ve ne olduğu anlatılmış, bir gün mutlaka geleceğine inandıkları o muhteşem gün için hazırlanmıştı. Büyük gurur duyuyordu. Heyecanını saklamayı başaramayan oğlunun elini tuttu, okşadı. "Her şey harika olacak." dedikten sonra sağdaki çıkıştan başka bir yola sapıp, kuzeye doğru ilerledi. Yol kenarındaki tabela Wind River kızılderili rezervasyonuna yaklaştıklarını gösteriyordu. Civarda yaşayan Shasoni kabilesinden sağ kalanlar yüz yıl kadar önce Amerikan Hükümeti tarafından bu bölgede yerleşmeye zorlanmışlardı. Sonunda Dearborn şelalelerini geçip, ıssız bir yola saptı. Üç kilometre sonra aracı durdurup, tüm farları kapamıştı. Çok beklemediler. Ansızın aydınlandı ıssız yol. Dört adet büyük, siyah renkli Land Rover araç ve arkalarında Amerikan deniz piyadeleri dolu iki zırhlı taşıyıcı yanlarında durdular. Önce piyadeler inip, yol kenarına mevzilendiler. Ellerindeki otomatik tüfeklerle her an ortaya çıkabilecek düşmanla çatışmaya girecek gibiydiler. Sonra siyah araçlardan CIA görevlileri indi teker teker. Bazıları, kafalarına takılı mikrofonlu kulaklıklarla sürekli bir yerlerle konuşuyorlardı. Sonunda içlerinden birisi beklemekte olan arabanın kapısını açtı.

- Her şey hazır.

Kadın son bir kez yanında oturan oğluna baktı. Ardından yolda yaptığı gibi elini tutup, "Her şey güzel olacak."dedi. Yapacak bir şey kalmamıştı. Oğlu önce arka koltuktaki adama, sonra yanındaki annesine gülümsedi. Araçtan inip, CIA görevlilerinin arasında yürüyüp, büyük,siyah araçlardan birisine bindi. Az sonra delikanlıyla birlikte geldikleri gibi hızla ayrılmışlar, yol eski ıssızlığına dönmüştü. Kadın ve erkek aralarında hiç konuşmadılar. Sadece biraz ileriden gürültüyle kalkıp, üzerlerinden geçen helikopteri görüp, içerisinde olduğunu bildikleri oğullarını bir kez daha düşündüler. En yakın hava alanına götürüyorlardı. Oradan da özel bir uçakla Washington'a götürülerek emin ellere teslim edeceklerdi. Tekrar evlerine dönmeleri sabahı bulmuştu. Kadın eve girmeden önce arka taraftaki geniş ve ağaçlık bir alanda kurulu olan aile mezarlığına girdi. Bir tanesinin önünde diz çöktü. Mezar taşında "Azizah Walter", ölüm tarihi 1926 yazıyordu. Mezarın üzerini okşadı. Bir gün bunları yaşayacağından hiç şüphesi yoktu.

Mezarlarında yatan aile büyükleri artık huzur bulacaktı. Yüzlerce yıldan bu yana uğrunda canlarını ortaya koydukları görev başarılmıştı. Oğlu değerini anlayacak ellerdeydi ve dünyanın kaderini değiştirecekti. Çok uzun ve zor bir yolu kat etmişlerdi. Üstelik çok tehlikeli bir yoldu. Bunları düşünürken 1926 yılındaki katliamın diğer kurbanlarının mezar taşlarına baktı. Her zaman ölümün pençeleri üzerlerinde olmuştu. "Aşağılık Türkler" diye söylendi. Ama başaramamışlardı. "Mahkemede çok mutlu ve huzurluydunuz, kökümüzü kuruttuğunuzu düşünüyordunuz. Elektrikli sandalyeye güle oynaya gittiniz neredeyse. Ama boşuna öldünüz. Bizi durduramazdınız ve durduramadınız. İşte buradayım. Görevimizi başaran biz olduk." Büyük hayalleri tek bir eksikle başarılmıştı. Bir de en büyük kayıplarını bulabilselerdi o zaman önlerinde hiçbir güç duramazdı. Yarın kayıpları için kaybolduğu günden beri gelenek haline getirdikleri üzere üç gün yas tutup ağlayarak bulunabilmesi için dua edecekti.

***

Bugün Kasım'a çok eziyet ettiler. İyi derecede Arapça bilen bir Alman subayı başında dikildi, durdu. Çok dövdüler. Sorular soruyorlar. Ama elimizdekinin ne olduğunu biz de bilmiyoruz ki. Nereden bulduğumuzu soruyorlar. Arkadaşım iyi dayandı. Ben de her şeyi göze alıp dayanacağım. Onlardan nefret etse bile kabilesinin başına iş açılmamalı.

Denizin altında gidebilen bir gemideyiz. Bu gavurlar neler de yapıyorlar. Ama çok zalimler.

Bana bugün bilmediğim bir iğne yaptılar. Radyo dedikleri bir aletleri var. Her yerle konuşuyorlar.

Sandığımızı her gün inceliyorlar. Bugün bizi sorguya çeken Alman subay, kocaman bir camla bakarak uzun uzun inceledi. Kaç gündür güneş yüzü görmedik. Sorgulayıp, bu fare deliği gibi yere atıyorlar.

Kemal'in anası için üzülüyorum oğlunu ona götürecektim. Ama başımı derde soktum. Artık hiç görüşemeyecekler. Nasıl inandık onlara? Daha fazla tahammül edemeyeceğim. Ayağımdaki yara kangrene çevirdi her halde. Çok acıyor, alev gibi yanıyorum.

Kasım arkadaş dün gece öldü. İki gündür sayıklıyordu. Ahh, Allah'ım neden? Ne var o melun sandıkta? Elimizden aldılar ama bizi rahat bırakmadılar.

Alman subay bugün hiç insaflı değil. Kıyasıya vurdu. Artık bilsem de söyleyecek halim yok. Keşke ben de Kasım gibi ölüp kurtulsam. Bu daracık yerde çıldırıyorum.

Ahh, bir an önce ölebilsem ne güzel olurdu.

Bugün Almanlar çok mutlu. Sevinçten havalara uçuyorlar. Güya, sandıktakilerin ne olduğunu bulmuşlar. Zaten hiç umurumda değil. Her nasıl olduysa sorgucu subay omzumu okşadı. Akşam günlerden bu yana ilk kez güzel yemekler verdiler. Şimdi o lanet şeyleri nereden bulduğumuz konusunda sorular soruyorlar. Ama bu kez dostça davranıyorlar. Kasım onca dayağa sorguya rağmen söylememişti. Ben de söylemeyeceğim. Günlerim artık gecelere karıştı.

Bugün denizaltı suyun üzerine çıkmış, beni de hava almam için çıkarttılar. Nerede olduğumuzu bilmiyorum ama haftalar sonra denizi, bulutları ve güneşi görebildim. Ne yazık ki çok geç artık.

- Kemal ve Kasım'ın duvara yazdıkları notlar bunlar. Tümünü tercüme ettirdim.

- İki arkadaş, bu daracık geçitte çok büyük acılar çekmişler. Notlardan rahatlıkla anlaşılıyor. İşkence, sorgulama, açlık... Kasım zaten ölmüş ama Kemal'in de bu denizaltıdan sağ çıkamadığı son cümleden belli oluyor.

- Ne istiyorlardı o delikanlılardan Almanlar?

- Neden buradaydılar?

- Yanlarındaki neydi?

- Almanlar için neden bu kadar önemliydi?

- Neden kandırıldıklarını düşünüyorlardı?

İkisi de aynı soruları sürekli tekrarlıyorlardı, ilk kendisine gelen Metin oldu.

- Saçmalıyoruz. Sormak değil, bulmak olmalı işimiz.

- Haklısın, öyleyse sandıklardakileri bir daha gözden geçirmekle işe başlayalım.

- Sandıktakilerden ve Almanların onlarla çok ilgilendiklerinden bahsediliyor yazılarda.

- Ben böyle önemli bir şey görmedim.

- Ben de ama yeniden bakalım.

Sandıkları didik didik ettiler. Her şey vardı ama duvar yazılarında bahsedilen önemde bir şey olmadığına kanaat getirdiler. Gerçi hâlâ ne aradıklarını bilmiyorlardı. Sadece diğerlerinden farklı bir şey bulamamışlardı. Hüsrana uğramışlardı. Metin küçük heykelciklerin birisini cebine koydu. Maksadı hangi eski uygarlığı ait olduğunu öğrenmekti.

**

"Sevgili Edbert,

Önümüzdeki hafta salı günü A.B.D'deki bazı işlerim için Washington'da bir süre konaklayacağım. Bu zaman içerisine beni misafir edersen sevinirim. Bu arada Türkiye'den istediğin bir şey varsa lütfen söyle.

Turgut Kalender"

Mucize buydu işte. Acaba Tanrı'ya yeniden dönüşünün bir armağanı mıydı? Hemen Turgut'tan gelen elektronik postaya cevap yazmaya koyuldu.

"Sevgili Turgut,

Senin gibi bir dostun evimde konuk olması bana onur verir. Uçuş detayını bildirirsen seni hava alanında karşılamak isterim. Eşim de çok sevinecektir.

Sevgiler

Edbert

Not: Sorun olmayacaksa tanıdığım en mükemmel hanım olan anneannenin hazırlayacağı herhangi bir şeyi getirebilirsen çok mutlu olurum."

Biraz da olsa umutlanmıştı. Günlerdir aradığı çıkış için Turgut bir ümit, bir ışık olabilirdi. İstanbul'daki görevi esnasında tanışmışlar, kısa sürede son derecede anlamlı bir dostluk kurmuşlardı. Bunlar kolayca unutulacak şeyler değildi. Özellikle Turgut'un evinde gördüğü konuk severlik hiçbir şeyle kıyaslanamazdı. Anneannesi Firdevs Hanım nasıl olsa mesajını anlar, torunu hava alanına giderken özenle hazırlayıp, bozulmaması için özel olarak sardığı zeytin yağlı yaprak dolmasını Edbert'in tatması için çantasına sokuşturdu. Düşünecekti. Arkadaşı tanıdığı en aklı başındaki insanlardan birisiydi. Gelmekte olan büyük tehlikeden bir şekilde onu haberdar etmeliydi. Belki birlikte bazı çareler bulabilirlerdi. Çareler olmasa bile fikir yürütüp, bir plan yapabilirlerdi. Zira Başkan Bush'un, İsrail işbirliğiyle perdeye koymak istediği kıyamet oyunu bir başlarsa bir daha asla önü alınamayacak boyuttaydı.

***

- Metin, yemeğini biraz çabuk bitir. Seninle konuşmalıyız.

Celal, heyecanlandığı zaman kaşları istem dışı seğirirdi ve şimdi de o haldeydiler. Öğlen yemeğini çabucak bitirip, tepsisini bulaşıklığa götürüp, dışarı çıkmakta olan arkadaşının peşine takıldı.

- Ne oldu? Uyuşmuş gibisin.

- Buldum onu.

- Nasıl?

- Dün akşam bir türlü rahat edemedim. Ambarın duvarında ilgimi çeken bir yer vardı. Bölümdeki metal sac kesilmiş, bir insanının rahatlıkla geçebileceği kadar kısım sanki önce yerinden çıkartılmış, ardından yeniden kaynaklanmıştı. Ama bütününe bakıldığında, sanki güzel bir kumaşa yama yapılmışçasına tekrardan kaynaklanmıştı. İçim rahat etmedi. Gece seni uyandırmaya kıyamadığımdan tek başıma denizaltıya gidip, aşağı indim. Yanıma Muhsin ustanın alındığı günden beri bir türlü kıyıp, kullanmamıza müsaade etmediği yeni, portatif kaynak makinesini ve duman maskelerini de aldım. Yamayı kestiğimde sabahın dördüydü. Daracık yerde iki büklüm kaynak makinesini kullanıp, sac levhayı kesmekten dolayı her yanım tutulmuştu ama karşılığını almıştım. Metin, levhanın arkasındaki bölmede bir sandık var. Bugüne dek hiç görmediğimiz ve diğerlerinden farklı bir sandık

- Büyüksün Celal, resmen tüm umudumu kaybetmiştim. Ama keşke tek başına gitmeseydin tekneye. Başına her şey gelebilirdi. Sandığı açtın mı? Ne var içerisinde?

- Açamadım. Çekindim. Ne bileyim, faklı, çok ama çok farklı bir şeyler olduğunu hissediyorum sandığın içerisinde.

- Akşamı bekleyemem. Öğlen paydosunun bitmesine yarım saat var. Çalılıkların arkasından dolaşıp, hemen denizaltıya gidelim.

- Metin, farklı, bugüne dek hiç bilmediğim bir korku sardı beni. Belki o sandığı hiç açmamalıyız, içerisindekini görmemeliyiz.

- Celal, sen tanıdığım en cesur insanlardan birisisi. Basit bir sandık nasıl bu kadar etkileyebilir seni?

- Hayatım boyunca insan olarak pek çok şeyden korktum. Çocukken karanlıktan, ablamın dayaklarından, sonraları işsiz kalmaktan. Her kesin bir sürü korkusu vardır. Ama bu çok farklı bir şey. Gördüğüm an neredeyse dizlerim boşaldı.

- Yorgundun Celal, yıllar öne terk edilmiş bir denizaltının içerisinde yalnız başınaydın, fenerin ışığı gölge oyunları yapıyordu. En önemlisi; maske bile taksan, kaynak nedeniyle çıkan duman ve gazlar başını döndürmüş olabilir.

- Hayır Metin. Ama seninle geleceğim.

On dakika geçmeden bir zamanlar Kasım ve Kemal'in Almanlarca esir tutulup, sorgulandığı bölmedeydiler. Az ilerideki ambarda görülen bir kenara atılmış kaynak makinesi, maskeler ve Celal'in pabucunun teki arkadaşının gerçekten inanılmaz bir korku ve panikle orayı terk ettiğini gösteriyordu. Gülümsemesini belli etmeden başını sakınarak o yöne yürüdü. Arkadaşının alınmasını istemiyordu. İlk olarak Celal tarafından kesilerek yere yatırılmış sac levhayı gördü. Oldukça kalındı. Arkadaşı iyi iş çıkartmıştı doğrusu. Sonra yerinden çıkartılan levhanın boşluğunda karanlık bir fırın ağzı gibi gözüken ambara bakıp, feneri o tarafa tuttu. Celal, Metin'in önce olduğu yerde çakıldığını, ardından çok aydınlık bir ışık demetine maruz kalındığında yapıldığı gibi sürekli gözlerini kırpıştırmaya başladığını, feneri titreyen elinden düşürdüğünü ve son olarak "Tanrım Celal, ne olursun , hemen çıkalım buradan." diye inlediğini duydu. Ardından yere yığılan bir vücudun gürültüsü geldi. Metin bayılmıştı.

***

- Düşündükçe kahroluyorum. O iğrenç evrakları zamanında yok etmiş olmayı çok isterdim.

- Anneciğim, bütün bunlar çok eski zamanlarda yaşandı. Dünya çok değişti. Korkma. Amerika'da kimse bana bir şey yapamaz. Ortaya çıkıp, "Büyük dedemi neden idam ettiniz ulan?" diye nara atacak değilim. Sadece resmi arşivleri, mahkeme kayıtlarını inceleyeceğim. Hatta bunun için kendim uğraşmayıp, bir avukat bile tutabilirim. Bana güç ver. Anlayışlı ol.

O anda gözü yaşlı anneannesi odaya girdi. Konuşmalarını duymuştu. Bir köşeye ilişti. Annesi hâlâ onu caydırmaya çalışıyordu

- Çok çektik oğlum. Sen tüm olanaksızlıklarımıza rağmen zengin çocuklarını geride bırakıp tıp fakültesini kazandın. Şimdiyse tanınan ve sevilen bir doktorsun. Sana hiçbir zaman yeni bir şey giydiremedim. Hep babanın eskilerini kesip biçerek idare ettim. Bir gün olsun isyan etmedin. Tam rahat edecekken bu işler nereden açıldı başımıza? İyi bir kızla evlenip, yuvanı bilmeni istiyorum. Olan olmuş, biten bitmiş. Küllenmiş bir ateşi yeniden alevlendirmek kime ne yarar getirir? Bugünlere çok zor geldik. Bu saatten sonra başımızı sıkıntıya sokmaya ne gerek var?

- Anneciğim, neden bu kadar büyütüyorsun? İzinliyim. Bütün yıl hastanede boğuştum durdum. Gitmemin bir nedeni de biraz kafa dinlemek, oradaki arkadaşları ziyaret etmek, azıcık dinlenip, keyfime göre alış veriş yapmak. Tabi senin siparişlerini de ilk olarak düşüneceğim. Ayrıca Amerikalı yetkililer uzun süre önce olsa da konu hakkında bilgi vermek ve arşivleri açmak zorundalar. Hepsi bu. Ayrıca beni en çok üzen; bu olayı benden saklamanız.

- Büyük dedenin dünyanın bir ucunda elektrikli sandalyede can verdiğini öğrenseydin başın göğe mi erecekti? Aklıma gelen başıma geliyor. Şimdi sen de o memlekete gidip....

- Tamam, lütfen saçmalama da yardımcı ol anne. İzzet Efendi'nin ailesiyle anneannemin zamanında irtibatı olmuş, sonra kopmuşlar. Bu konuda bilgin var mı? Çünkü döndüğüm an onları aramaya başlayacağım.

- Gerçekten bilmiyorum. Bunlar annemin bile çok gençliğinde yaşamış. Ayrıca bilsem de söylemem. Artık hayatta ancak torunları kalmıştır ve büyük ihtimalle onlara da anlatılmamıştır. Gidip, hayatlarını cehenneme döndürmene izin veremem.

- Merak etme anne. Gideceğim ve çok iyi haberlerle döneceğim. Bu iş oldukça mide bulandırıcı. Sonuna dek araştırıp, bu facianın altındaki gerçeği bulacağım. Anneannemin acısı hiç değilse son günlerinde bitecek. İzzet Efendi'nin de torunları büyük dedeleriyle utanç duymayacaklar. Sadece dualarını benden esirgeme. Yarın sabah yola çıkıyorum. Dönüşte her şey çok başka olacak. Bunu hissediyorum.

***

- Artık iyisin, değil mi Metin?

- Merak etme. Hem de çok iyiyim. Sadece büyük bir aptallık yaptım.

- Hayır, suç senin değil. O sandıkta asla anlayamayacağımız bir şey var. Yanına dahi yaklaşmamız tehlikeli oluyor. Sanki büyülü, hatta lanetli. Işık huzmesi gibi bir şey mi gördün? Sanki bakınca insanın ayaklarının bağı çözülüyor, içi çekiliyor.

- Bunlar masallarda olacak şeyler Celal. Birbirimizi etkiledik. Zaten garip ve esrarengiz ortamda olmayan şeyleri var gibi gördük.

- Yani vazgeçmiş değilsin?

- Niye geçelim? Biraz kafayı toplayıp sakinleşelim, sonra ilk işimiz ambardaki sandık. Sen ne buldun?

- Senin aldığın küçük heykelciği arkadaşlar vasıtasıyla bu taraklarda bezi olan bir herife gösterttim. Aslında açıkçası antikacı adı altında eski eser ticareti yapan biriymiş. Heykelin Mezopotamya kökenli olduğunu, tarih içerisinde o bölgeye yerleşen Asurlular, Babilliler veya Sümerlerden birine ait olduğunu söylemiş. Tabi nereden bulduğumuzu sormayı ihmal etmemiş.

- Belliydi zaten. Almanlar, Birinci Dünya Savaşı'nı kaybetti ama Osmanlı topraklarından yağmaladıkları tarihi eserleri müzelerine kazandırmayı başarmışlar.

- Denizaltıyla tarihi eser kaçakçılığı. Bayağı meraklıymışlar.

- Denizaltının bordo numarası U-27. O küçük kamaradaysa devrin en önemli yolcu gemilerinden birisi ve İngiliz Cunard Steamship Lines şirketine ait olan Lusitanya'nın resmi vardı. Biraz araştırdım. O gemi, 7 Mayıs 1915'te hâlâ meçhul bir şekilde batmıştı. Daha doğrusu müttefikler İrlanda'nın güneyinde büyük bir patlama soncu batan gemiyle ilgili olarak Alman denizaltılarını ve silahsız bir yolcu gemisine saldırmaktan çekinmeyen Alman Hükümeti'ni suçlamışlar. Özellikle o tarihlerde geminin battığı bölgeye yakın bir rota izleyen U-20 bordo numaralı Alman denizaltısı ve torpilleri şüpheleri üzerine çekmiş, Alman Hükümeti'yse, Lusitenya'nın masum bir yolcu gemisi olmadığını, batmadan önceki dev patlamanın gemide yolcu dışında çok fazla miktarda cephane taşındığını gösterdiğini, dolayısıyla artık düşmana ait bir savaş gemisi olarak kabul edildiğini iddia etmiş. Konu hâlâ tam olarak aydınlatılmış değil. Son araştırmalar ve gemi enkazına yapılan dalışlar, kazanları ısıtmak için kullanılan kömür tozunun torpil isabetinden sonra meydana gelen dev patlamaya sebep olabileceğini göstermiş.

- Sandıkla ne ilgisi var?

- Kamarada Lusitenya'nın resmi asılı. Bunu özellikle yapmışlar. Olaysa hâlâ aydınlatılamamış. Belki de denizaltımız, koca yolcu gemisini batırılışının baş suçlusu kayıtlarda adı hiç geçmiyor ama o resmi mutlaka övünme ve zafer duygularıyla astılar.

- İstihbaratları, geminin taşıdığı çok özel bir yük hakkında ihbar almışlardı. Böylece saldırmaları şart oldu. Tabi, gemi batmadan önce özel kargoyu, yani bizi korkutan sandığı ele geçirdiler. Nasıl bir senaryo? Sence mantıklı mı?

- Oldukça ilginç ama Lusitanya çok çabuk batmış. Yani o kargaşada gemiye çıkıp, böyle bir eylemi gerçekleştiremezlerdi. Doğru olduğunu bile düşünsek sandığın varlığı Kasım ve Kemal'le ilgili. Notlar bunu açıkça gösteriyor. Onların denizaltıda ne işi var? Çözümü imkansız denilebilecek bir muamma.

- Tabi, hâlâ sadece bize ait olduğunu düşündüğümüz bir denizaltı kumların metrelerce altıda yatıyor. İçi kaçırılmakta olan tarihi eserlerle dolu. Adeta özellikle terk edilmiş, neredeyse müze gibi bir tekne. Bir de içinde ne olduğu bilemediğimiz, yaklaştığımız zaman bizi elektrik çarpmışa çeviren bir sandık.

- Haklısın. Aslında ilgililere çoktan haber vermeliydik. Sonunda başımız fena halde belaya girecek.

- Ben, o gemi ve içerisindekileri çok benimsedim. Sen de öyle. Böylesine bir macera herkese kısmet olmaz. Sonuçta ne gemiye zarar vermeyi, ne de içerisindekilere dokunmayı aklımızdan bile geçirmiyoruz. Sadece bu fırsatın tadını çıkartalım. Tekneye ilk girdiğimiz andan itibaren hayatım değişti. Gerçekten hiç bu kadar anlamlı ve renkli günler geçirmemiştim.

- O zaman biraz daha heyecana ne dersin?

- Ben hazırım. Bir sandıktan korkmak gerçekten cehalet.

- Evet, sandığı açıp, merakımızı giderdikten sonra jandarmaya isimsiz bir ihbarda bulunup, denizaltının kötü ellere geçmeden devlet tarafından kontrol altına alınmasını sağlarız.

- Mesai sonrası buluşmak üzere Metin. Bu akşam sonuna dek gideceğiz. Ben korkup vazgeçmeye kalksam bile lütfen buna müsaade etme.

- Söz Celal! Bu akşam o sandığı açmadan geriye dönmeyeceğiz.

**

Amerika Birleşik Devletleri, Washington

- Eğer bu korkunç hikayeyi senin gibi ciddi ve CIA'de bölüm başkanı olan biri anlatmasaydı, kesinlikle aklını kaçırdığından şüphelenip uzak dururdum. Ancak şaka bir yana, asıl bu fikri uygulamaya kalkanlar aklını kaçırmış olmalı.

- Ve bunların başında Amerika Birleşik Devletleri Başkanı ve çevresindeki şahinleri var. Bilemiyorum, tüm bunları sana anlattığım için belki de vatanıma ve görevime ihanet ediyorum. Ancak birine anlatmalıydım. Bu kişi sadece sen olabilirdin. Üstelik bu feci projenin başarılması için en kritik görevlerden biri de makamım dolayısıyla bana verildi.

- İstifa edemez misin?

- Artık çok geç. Başkanın da hazır bulunduğu özel toplantıda bildirildi tüm bunlar. Yani istifa etmeme olanak yok. Ayrıca edebildiğimi düşünelim, o zaman bu faciayı durduracak kimse kalmayacaktır. Tabi bundan kendime pay çıkartmıyorum. Zira tek başıma yapabileceğim hiçbir şey yok. Karşımızda Amerika Birleşik Devletleri Hükümeti, İsrail, her geçen gün güçlenen Evangelistler ve desteklemek için can atacak yığınla ülke, kurum, kuruluş var. Aslında sadece düşünmek, üzülmek ve çenemizi yormak düşüyor bize.

- Gerçekten içinden çıkılması imkansız bir durum. Bu sadece Amerikan Hükümeti'nin değil, pek çok ülkenin işine gelecek. Sandığımızdan fazla ülke, hatta pek çok Müslüman ülkenin menfaatlerine hizmet edecek. Tarihi bir fırsat olarak görüp, üzerine hazine bulmuşçasına atlayacaklardır.

- Üstelik bu projenin gerçekleştirilebilmesi için Başkan Bush'un en güvendiği kişilerin başında geliyorum. Sence de durum oldukça çaresiz değil mi?

- Üzülme Edbert, Öncelikle ülkem adına bana tüm bunları anlattığın için minnettarım. Şu kadarını söyleyeyim. Yöneticileriniz ve yardakçıları Türkiye'yi hafife alıyorlar. Başkan Bush, biraz Türk tarihini inceleseydi insanlarımızın en zor durumlarda bile nasıl mücadele ettiklerini, yarattıkları mucizevi kahramanlıkları ve İstiklal Savaşı'nı kazanarak yoktan var ettikleri Cumhuriyetlerine ne kadar düşkün olduklarını anlardı. Bu şeytani projeye asla müsaade etmeyeceklerdir. Göreceksin, bu plan geri tepecek. Şimdi bana biraz zaman vermelisin. Olayın üzerinde düşüneceğim. Oregon'a hareket etmeden önce burada bazı işlerim var.

- Deniz mi?

- Evet ve oldukça umutsuz bir durum. Arlington Memorial Hospital'e uğrayacağım. Ziyaretimi nasıl karşılayacağını bilemiyorum.

- Bol şans. Oregon'a gitmek konusunda neden bu kadar acele ediyorsun?

- Bir an önce ülkeme dönerek, zaten seyahatime karşı duran annemi meraktan kurtarmak istiyorum. Eski ve üzücü bir hikaye... Dönüşte yine uğrayacağım. Tüm detayları sana anlatırım. Şu an ne yapabileceğimi ben de bilmiyorum açıkçası.

- Yardımcı olabileceğim bir konu varsa aramaktan sakın çekinme.

- İkinci aşamada ciddi olarak yardımına ihtiyacım olacak dostum. Ayrıca dönüşte başkanınızın planı hakkında daha uzun konuşur, çareler ararız.

***

Beyaz Saray, Washington

- Bir daha harekatla ilgili haberleri Başkan'a iletmek için kesinlikle beni kullanmamanızı rica edeceğim generalim.

- Bu bir görev ve size ait.

- O zaman istifamı biraz sonra elinize ulaştırabilirim.

- Sakin ol. Git bir kahve iç. Ayrıca Oval Ofis'ten gelen gürültüler neydi?

- Ne olduğunu gayet iyi biliyorsunuz generalim. İstifam konusunda kararlıyım. Başkan da olsa kimse benim onurumla böylesine oynayamaz.

Amerikan Kara Kuvvetleri albay üniforması giymiş, Pentagon görevlisi daha fazla beklemeden odayı terk etti. Generalin bu saygısızlık hakkında düşünecek hali yoktu. Çünkü az sonra bizzat başkanın yanına girmesi gerekiyordu. Tezkerenin geçmemesi ve Türkiye'nin Amerikan birliklerinin kuzeyden Irak'a girmelerine izin vermemesi üzerine güneyden, Basra Körfezi'nden başlayan harekat, hiç düşünmedikleri kadar kötü gidecek, baştan hiç hesaplanmamış olan aksiliklere yol açacaktı. Tecrübeli bir asker olarak bunu çok iyi anlıyordu. Sürenin geçmesini ve başkanın az da olsa yatışmasını bekliyordu ama sekreter Oval ofise beklendiğini bildirince istemeden de olsa uymak zorunda kaldı. Özellikle sekreterin başkanın çok öfkeli olduğunu işaret etmesi iyice canını sıkmıştı. Şimdi burada olmamak için çok şeyi feda ederdi ama sekreter kapıyı aralayıp, generali cehenneme buyur etti.

- İsrail Hükümeti neden hâlâ cevap vermedi? CIA bu konuyu hafife mi alıyor?

Başkanın yüzü pencereye dönüktü. Kendisini görmüyordu bile. Ama soruları hemen sıralamakta bir sakınca görmemişti. Odanın tabanı, başkan tarafından fırlatıldığı belli olan fincan, bardak kırıklarıyla doluydu.

- Bay başkan, bu konuda sürekli irtibat halindeyiz. İsrail Hükümeti konunun çabuk karar vermeye gelmeyecek kadar hassas olduğunu bildirdi.

- Nasıl olur? İsrail'in önüne altın tepsi içerisinde tarihlerinin en büyük fırsatını sunuyoruz. Onlarsa böylesine bir mucizeye şükretmek ve sahiplenmek yerine nazlanıyorlar. Özellikle Türklerin bize oynadığı tezkere oyunundan sonra böylesine bir şansı yakalamış olmak bizim için muhteşem bir lütuftur. İsa Mesih'in çarmıha gerildikten sonra Lut gölünde yürürken havaileri tarafından görülmesinden, bu yana böylesine bir mucize görülmedi. Harekatın başından beri Tanrı her fırsatta yanımızda olduğunu hissettirdi. O bizimle ve kutsal zaferimiz için bize el verdi. Ama bazıları bunu hâlâ anlayamıyorlar.

General bir kez daha kaderine lanet etti. Ama birilerinin özellikle imkansız saçmalıklara bulaşmış tüm politikacılara mantığın yolunu göstermeliydi.

- Bay Başkan, İsrail bu konuda titiz ve ayrıntılı bir çalışma yapmakta kesinlikle haklıdır.

- Anlayamadım. Ne demek bu?

- Bakınız, mucize olduğunu söylediğiniz konu CIA dışında bir kaynaktan tarafınıza ulaştırıldı. Üstelik çok da uyun bir zaman seçildi bunun için. Yıllarca CIA'da önemli görevler üstlendim. Hiçbir konu Amerika Birleşik Devletleri Başkanı'nın önüne örgüt tarafından araştırma ve incelemesi yapılmadan getirilmemeliydi. Bazıları kasten bizi atladılar.

- Ve de çok haklılar. 11 Eylül saldırılarında CIA ve siz sayın yöneticileri derin bir uykuda olduğunuz için kaynak kişiler sizi atlamayı tercih etti. Toplum ve kuruluşların üzerinde yarattığınız kötü etkiler nedeniyle bu sizin suçunuzdur.

11 Eylül saldırıları konusunda generalin söyleyecek çok şey vardı. Saldırı hazırlıklarının Amerikan derin devleti içerisine sızmış olan şahinler kanadının adamlarınca görülmezden gelindiğini, CIA'daki uzantılarının da bu konudaki sayısız ihbarı hasır altı ettiğini artık çocuklar bile anlamışlardı. Üç -eş tane Arap genci nasıl olur da kimseye sezdirmeden pilot okullarında ders alır, aralarında haberleşir, planlar yapar, sonra aynı saatlerde havalanan uçakları kaçırıp, tam on ikiden vurarak dünya ve Amerika'nın kalbi olan noktalara dalış yapabilirlerdi? Böylesine bir organizasyon, koordine ve şaşmaz bir dakiklik El Kaide bile olsa hiçbir örgütün becerebileceği iş değildi. Bunların kim olduğunu, şimdi aynı kişilerin başkanın dini inançlarını, tarih ve kültür konusundaki cehaletini kullanarak bu konuyu gündeme getirdiklerini çok iyi biliyordu ama sessiz kalmayı tercih etti. Amerika'nın Irak'ta yapacağı harekat için "Haçlı Seferlerini başlattık." cümlesini sarf eden bir başkana ne anlatabilirdi? Bir avuç gözü dönmüş, Amerika ve dünyayı ele geçirmek, tarihi değiştirmek adına kutsal kitaplarda geçen konuları bile kullanmaktan çekinmiyordu ve başkan da neredeyse kurtarıcı Mesih olduğuna inanacak hale gelmişti.

- Neden sustunuz general?

- Susmamın sebebi, haksız olmam değildir efendim. Sadece artık bu konuları tartışmak için çok geç. Tezkere nedeniyle Türkiye'ye olan öfkeniz bazı çevrelere yıllardır uykuda beklettikleri fırsatı önünüze sürme şansı verdi.

- En umutsuz zamanımda bana rüyalarımda bile göremeyeceğim bir hizmette bulundular. Amerikan ordusunun şerefli bir generali olarak sizin de sevincimi paylaşmamız gerekirdi. Türkiye konusunda artık öfkelenerek vakit kaybetmek istemiyordum. Onlar için savaş sonrası gerçekleştireceğim planlarım vardı ama şimdi her şey değişti. Çok pişman olacaklar. Projemiz sadece şimdi değil, savaştan sonra ve çok uzun yıllar boyunca mükemmel şekilde menfaatlerimize hizmet edecektir. Türkiye dersini fazlasıyla aldığı gibi, Ortadoğu'yu istediğimiz gibi şekillendirmemize de büyük katkılar sağlayacak bir çalışmadan bahsediyorum. İsrail'in tutumunu anlayabilmem imkansız. Belki de konunun ne kadar özel ve önemli olduğu kendilerine yeterice iyi anlatılmadı tarafınızca. Şükranla karşılamaları gerekliydi.

Başkanın öfkesi ve inançları öylesine güzel kullanılıyordu ki bir şey demenin imkanı kalmamıştı. Türkiye Müslüman ülkeler arasında çok farklı bir konuma sahipti ve bu durum 1980'li yıllardan, yani o zamanki Amerikan Hükümeti'nin onayı ve CIA in desteğiyle ülkede gerçekleştirilen 12 Eylül darbesinin en önemli amaçlarından biriydi ama geçen süre içerisinde tüm çabalara karşın tam olarak başarılamamıştı. Başarısızlık, Türk halkının diğer Müslüman ülkelerin vatandaşlarından çok daha farklı düşünmesi, millet, devlet, ulusal birlik ve tam bağımsızlık konusunda oldukça hassas olmalarından kaynaklanıyordu. Amerika'ysa bu özellikleri sadece kendi halkına yakıştırıyordu. Başkaları, hele Müslüman ülkeler bu konuda hadlerini bilmeliydi. Koca Amerika'ya diklenip, ülke topraklarını askerlerinin geçişine açmayan Türkiye artık bardağı taşırmıştı ve çok oluyordu. Şimdiyse inanılmaz bir fırsat başkanın avuçlarının içerisindeydi ama intikam alma duyguları harekatın heyecanına da karıştığı için avuçlarında tuttuğu büyük tehlikenin farkında değildi. Gördüğü dini rüyaların günlük yaşamını ve tüm kararlarını fazlasıyla etkilediği her halinden belli oluyordu.

- Böyle bir planı harekete geçirmeden önce bunun sadece Türkiye, İsrail ve Müslüman ülkeler üzerindeki etkisini değil, tüm dünyayı nasıl değiştireceğini ciddi olarak araştırmak gerekir. İsrailli yöneticiler altın bulmuş gibi olayın üzerine atlamadılar. Hâlâ üzerinde kafa yoruyorlar. Çünkü yaşadıkları tehlikeli coğrafya ve tarihten çıkarttıkları acı dersler çok dikkatli olmalarını gerektiriyor. Bugün menfaatlerine hizmet edecek olan bir silah yarın geri tepip, kendilerine çevrilebilir. Ayrıca Türkiye değil sadece bölgede, tüm dünyada da pek çok konuda İsrail'le en yakın ülke durumunda. Hem Türkiye'yi kaybedip, hem de kendi kalelerine gol atabilirler. Aynı tehlike bizim için fazlasıyla geçerli. Yaratacağımız canavar, bir gün bizi ısıracaktır. Bin Ladin örneğinde olduğu gibi...

General çok haklıydı ama bunu başkana anlatması çok zordu. Bir zamanlar Ruslara karşı kullanmak için büyütüp, besledikleri Bin Ladin artık onların gözünü oyuyordu. Türkiye'yi dize getirmek, tezkerenin intikamını almak için yaratacakları yeni canavar zamanı gelince Amerika için öldürücü olabilirdi.

- Bu savaşı bir an önce minimum kayıpla ve zaferle sona erdirmek zorundayız. Birkaç güne kalmaz, Amerikan bayrağına sarılı tabutlar uçaklara yüklenmeye başlayacak. Sense oturmuş, bana nutuk çekiyorsun.

- Bu savaş hiç bitmeyecek. Evet, her şeye rağmen ordumuz Bağdat'a girip, Saddam'ı ölü veya ele geçirecektir. Adamlarımız şimdiden bazı üst düzey Iraklı yöneticilere, komutanlara, hatta Saddam'ın yakın çevresine el altından ulaştı. Hepsini bir bir satın almaya başladılar. Merak etmeyin, çok korktuğumuz özel eğitimli Irak birlikleri biz onlarla karşılaşmadan silahlarını bırakıp, ortadan çekilmiş olacak.

- Daha ne? Bu da diplomatik bir başarı değil mi?

- Ya sonra efendim? Vietnam'a da güneyin davetiyle kolayca girmiştik ama elli beş bin kayıp, yüz binlerce yaralı, sakat, ruh hastası olmuş asker ve kırılış bir onurla kaçtık. Ortadoğuysa tam anlamıyla Pandora'nın kutusu. Bir cehennem ve biz bu kutunun kapağını açıyoruz. Asıl kayıplarımız ve tepkiler büyük harekatın bitiminden sonra başlayacaktır. İki hata sonra Bağdat'a gireceğimizi gösteriyor tecrübelerim. Ama bu zaferi nasıl koruyacağımızı ben de bilemiyorum. Ne yazık ki Türkiyesiz bir Amerika, Ortadoğu ve Irak da bir hiçtir. Asla üzerlerinde tehlikeli oyunlar oynayıp onları küstürmemeliyiz.

Başkan Bush, yan gözle televizyona bakarken sol gözü kötü şekilde sinirlendiğini belli edercesine seğirmeye başlamıştı. Hızla döndü.

- Generalim, daha doğrusu size generalim demeye dilim varıyor. Bu konuşmalarınız rütbenizi düşürmemi gerektirmektedir ama prensiplerime sığmaz. Şahsınıza değil taşıdığınız rütbeye saygılıyım. Lütfen bu planla ilgili olarak İsrail Hükümeti'yle başlattığınız görüşmeleri başka bir yetkiliye devredin ve izne çıkın.

General, Oval ofisten çıkarken, tarih başta olmak üzere her türlü yararlı bilgi ve malumattan yoksun bir adamın Amerika ve dünyanın kaderini elinde tutmasından daha fazla dehşet duymaya başlamıştı. Yine de bu planın bir parçası olmayacağı için mutluydu. Kırılan onurunu düşünmekse açıkçası umurunda değildi. Harp akademisini birincilikle bitirmiş, askeri bilgisine pozitif bilimleri de eklemiş son elli senelik dönemde dünyada olup, bitenleri, bu süre zarfında Türk-Amerikan ilişkilerini, Missouri gemisinin ve Amerikan denizcilerinin yıllar önce İstanbul da nasıl büyük kalabalıklarca karşılandığını, kahraman muamelesi yapıldığını, genel evlerin bile onlar için yeniden boyandığını, Kore'de Amerikalılar için ölen Türk askerlerini ama Başkan Johnson'un İsmet İnönü'ye yazdığı mektupla her şeyin nasıl içine ettiğini, Türk kamuoyunun bunu hakaret ve özgürlüklerine saldırı olarak kabul edip nasıl tersine döndüğünü, sinmesi beklenen İsmet İnönü'nün "Her zaman için yeni bir dünya kurulur ve Türkiye bu dünyada yerini alır." sözünü... Missouri'den yıllar sonra İstanbul limanına yanaşan altıncı filoya ait gemilerin denizcilerinin Türk gençlerince "Go Home" sloganlarıyla nasıl deniz döküldüğünü çok iyi biliyordu. Zamanında bir Amerikan gemisi ve mürettebatı kahramanlar gibi karşılanmış, yıllar sonra alıncı filonun denizcileri aynı Türkler tarafından hırpalanıp, denize dökülmüştü. Türkleri kızdırmaya ve gururlarıyla oynamaya gelmezdi. Ama bunu başkana anlatacak adam gerekliydi. Tarih tekerrürden ibaretti. Bilmemek olmazdı.

***

- Ülennnnn Metinnnn! Koşşş, telefonun varrrr!

Ustanın işportacı gibi haykırması tüm kum ocağından, tabi Metin ve Celal tarafından duyulmuştu. Birkaç dakika sonra çalışma mahalline geri dönen Metin'in heyecanını ilk fark eden doğal olarak Celal oldu.

- Kim aramış?

- İnanmayacaksın ama Alman konsolosluğundan aradılar.

- Gerçekten inanılmaz. Sebep?

- Ben dün aradım. Nasıl bir sonuç alacağımı bilemediğim için sana söylememiştim. Sadece Birinci Dünya Savaşı'nda kullanılan U-27 bordo numaralı denizaltı için araştırma yaptığımı söyledim. Pek ilgilenmediler açıkçası. Ama bugün arayıp askeri ateşeliklerinin konu hakkında yardımcı olmak için bugün saat dörtte randevu verdiğini söylediler.

- Daha ne istiyorsun? Hemen izin al.

- İlgileri beni şaşırttı. Her şeyden önce ben telefonumu vermemiştim ki. Zaten Alman konsolosluğunun bir Türk'e yardımcı olmak için peşinden koşması yeterince garip.

- Herhalde arayan numaraları gösteriyor santralleri. Bu ilgi beni endişelendirdi. Yine de gideceğim.

Metin'in ilk işi; patronun karşısında ezile büzüle mazeretler uydurup, izin almaktı. Ardından soluğu önce Sarıyer'de aldı. Otobüs ya da minibüs beklemeye sabrı yoktu. Paraya kıyıp, taksiyi tuttuğu gibi randevu saatine yarım saat kala Alman konsolosluğunun önündeydi. Vakit geçirmek için yukarı çıkıp, biraz Taksim'de dolaştı. Saat dörtte hiç ummadığı kadar kolaylıkla konsolosluk binasında özel bir salona alınmıştı. Daha önce aynı yerde çalıştığı halde bu kısımlara girmelerine müsaade edilmediğini düşündü. Ayrıca kapıda ciddi bir aramadan geçirlerdi. Şimdiyse her şey çok kolay olmuştu.

- Merhaba Metin Bey. Erich Kuefer. Almanya Federal Cumhuriyeti İstanbul Konsolosluğu Askeri Ateşelik görevlisiyim. Albayımız Almanya'da olduğu için yerine vekaleten bakıyorum. Nasılsınız?

Önce sıcak ilgi, ardından iri kıyım, güleç yüzlü, sarışın Alman'ın akıcı Türkçesi Metin'i şaşırtmıştı. Hemen ayağa kalkıp, elini uzattı.

- Teşekkür ederim. Bir an şaşırdım.

- Altı senedir ülkenizde görev yapıyorum. Dilinizi öğrenmem normaldir. Ben de gençliğinize şaşırdım doğrusu. Açıkçası bu kadar genç bir insan beklemiyordum.

Daha doğrusu, orta yaşın üzerinde, olgun bir araştırmacı bekliyordum. Belki bir öğrenim görevlisi ya da gazeteci... Yine de böylesine daha da sevindim. Son zamanlarda ülkem dahil, pek yok yerde gençler artık kitap ile okumazken çok sevindirici bir durum. Emrinizdeyim. Buyurun, odama geçelim.

Metin daha da şaşırmıştı. Bu kadar yakın bir ilgi beklemiyordu. Önden giden ateşeyi takip edip, harikulade döşenmiş bir odaya girdiler, çok geçmeden hoş bir sekreter ne içmek istediğini soruyordu. Birlikte kahveye karar verdiler.

- Santral görevlisi aradığınızda sizi sekreterime bağlamış. Normalde böyle konular için Alman Kültür Merkezi'nin ve kütüphanesinin telefonu verilir. Bu sayede araştırmanızdan haberdar oldum. Aslında bir hata yapılmış ama hoş bir hata. İlgimi çekmeyi başardınız. Ancak ilgi alanınız beni şaşırttı. Göreviniz nedir? Birinci Dünya Savaşı'nda yer almış bir Alman denizaltısı sizi neden bu kadar ilgilendirdi?

"Ben bir kum ocağında teknisyen olarak çalışıyorum ve alanımızdaki kum yığınlarının altında ülkenize ait koca bir denizaltı gömülü mü?" diyecekti. Asıl ateşelik görelisinin bu ilgisi Metin'i rahatsız etmişti. Yalan söylemek zorunda olduğunu hissediyordu.

- Özel sektörde muhasebeciyim efendim.

- İlginç merakınızdan dolayı ben sizin asker kökenli olabileceğinizi sanmıştım.

- Askerliğimi tecil ettirdim. Açıköğrenim fakültesine devam ediyorum.

- Çocuk sayılabilecek yaştaki bir Türk gencinin bu ilgisini neye borçlu olduğunu bilmek istemiştim sadece. Çünkü pul biriktirmek gibi basit bir merak değil sizinkisi. Yaşıtlarınız genellikle son model arabalarla ilgilenirken araştırmanız her türlü takdire değer. Hangi okulu bitirdiniz?

Yine yalan söylemek zorundaydı.

- Ticaret lisesini bitirdim ama teknoloji, eski tekneler, denizaltılar ve mekanik konularına çok meraklıyım. Ayrıca ne bulursam okurum. Ekonomik sebeplerle üniversiteye gidemedim. Belki de bu yüzden.

- Güzel ama neden pek çok denizaltı varken sadece U-27?

Artık olay sorgulamaya dönüşmüştü. Madem ki gelmişti, sonuna dek gitmeliydi.

- Biraz tesadüf sonucu. Birinci Dünya Savaşı tarihine ilgi duyuyorum. Tabi yirminci yüzyıl başlarında kullanılan tüm tekneleri incelemek isterdim. Mesela o yıllarda kullanılan transatlantikleri, buharlı gemileri, eski lokomotifleri ama tabi ki imkan yok. Aslında diğer U botları da beni çeken konulardandır.

- Ben de sizin telefonunuzdan sonra konuyu araştırdım. 1917 yılında Ege Denizi'nde kaybolmuş. Savaşın başından beri adından büyük kahramanlıklarla bahsedilen bir denizaltı. Son derecede yetenekli personele ve çok özel bir komuta sahip.

Metin içinden "Acaba Lusitanya gemisinin batırılışı da bu kahramanlıklara dahil mi?" diye geçirdi.

- Personelden kurtulabilen olmuş mu?

Bu soru ateşenin kaşlarını çatmasına neden olmuştu.

- Ne yazık ki personelden de en küçük bir iz yok. Toplam 29 kişi.

"Ne yazık ki kumlara gömülü teknenin içerisinde de yoklar. Peki nereye gitti bu kadar denizci?" diye düşündü Metin.

- Bu arada ben sizin için bazı belgeler hazırladım. İşinize yarayacağını tahmin ediyorum.

Masasının çekmecesinden bazı resimler, U botlarını konu alan Almanca birkaç kitap çıkarttı.

- Bakın bu da komutanın resmi. Yüzbaşı Johan Krause.

Hemen tanımıştı Metin. Resim kamarada buldukları fotoğraftaki subaydı. Sadece burada daha genç ve dinç görünüyordu.

- İlginize ve benim için yorulmamıza çok teşekkür ederim.

- Hiç önemli değil delikanlı. Araştırmacı ruhun beni çok memnun etti. İstediğin an yeniden görüşebiliriz. Bir telefon etmen yeter ve sakın bundan çekinme. Konsoloslukta olmak seni sıkarsa bu dışarıda da olabilir. Mesela Çiçek Pasajında bira içip, sohbet edebiliriz. Bu arada bende araştırman için başka bilgiler toplarım. Senin için Hamburg'taki Deniz Müzesi'ni arayacağım. Hatta Kiel'de İkinci Dünya Savaşı'nda kullanılmış bir U bot sergileniyor. Kim bilir, bir gün seni oraya da gönderebilirim.

Dışarıya çıktığında delikanlı buram buram terlediğini fark etti. Ateşenin bu kadar üzerine düşmesinden fazlasıyla ürkmüştü. Kuefer'se hiç vakit kaybetmeden Berlin'deki bir numarayı çevirdi.

- Alo, ben Kuefer.

- ....

- Görüştüm ama henüz bir şey çözemedim.

- ....

- Anlıyorum. Ancak ilk seferde fazla sıkmaya gelmez.

- ....

- Onunla yeniden görüşmem gerekli. Bu nedenle ilgisini çekecek bir şeyler temin edin ve gönderin. Mesela küçük denizaltı maketleri, resimli kitaplar iyi olur.

- ....

- Yalan söylediğini anlamam zor olmadı. Çok acemi. Telefon numarasından çalıştığı ya da yaşadığı yeri tespit edebiliriz.

- ....

- Gemide ne olduğunu bilmesine imkan yok. Öyle olsa buraya gelmeye asla cesaret edemezdi.

- ....

- Düşünebiliyor musunuz? Gemidekini ele geçirebilirsek dünya tarihinin en önemli hadisesini yaratmış oluruz.

- ....

- Tabi boşuna heveslenmiş de olabiliriz. Deniz altı seksen sekiz yıl önce Ege'de kaybolmuştu. Şimdiye çoktan yok olup gitmiştir. Bu kadar genç bir insan konu hakkında daha fazla bilgiye sahip olamaz. Bizim tarafımızda bile sadece birkaç kişinin gerçeği bildiğini düşünürsek bence masumane bir merak da olabilir. Delikanlı çok zeki ama yine de boşuna ümitlenmeyelim.

- ....

- Tabi ki her şeye rağmen irtibatı kesmeyeceğim. Gözüm üzerinde olacak. Hiç merak etmeyin. Eğer bir şey biliyorsa mutlaka öğreneceğim.

Metin'in zeki olduğunu düşünmekte haklıydı Alman subay. Çünkü U-27 bordo numaralı denizaltının varlığı Ege Denizinde kaybolduğu Birinci Dünya Savaşı yıllarında Berlin Harp karargahında görevli birkaç üst düzey yönetici ve asker dışında hiç kimse tarafından bilinmiyordu. Dahası Alman Deniz Kuvvetleri İstihbarat Servisi dışında kimseye anons edilmemişti. Başta Lusitanya gemisinin batırılışı olmak üzere bir çok önemli ve gizli görevlerde kullanılmış hayalet bir tekneydi. Harp yıllarındaki düşmanlarının dahi böyle bir tekneden haberi yoktu. Başta denizaltının komutanı olmak üzere tüm personeli yakınlarına görev yerleri olarak yaşlı bir denizaltı destek gemisinin adını bildirmek zorundaydılar ve irtibatları o adres yoluyla sağlanırdı. Doğal olarak U-27 kaybolduğunda hurda destek gemisi römorköre bağlanıp, Kuzey Buz Denizi açıklarına çekilip, ateşe verilerek batırılmış, personelin geride kalan yakınlarına resmi yazıyla hepsinin açık denizde uğradıkları bir İngiliz saldırısında kahramanca savaşarak düşman denizaltılarının torpidolarına hedef olarak denizin dibini boyladıklarını bildirilmişti. Bu kadar üst düzeyde gizli tutulan bir konuyu, adı kayıtlarda bile olmayan hayalet bir tekneyi az önce karşısında kahve içen delikanlının bilmesine iman ve ihtimal yoktu. Bu işin içinde mutlaka bir iş vardı. Üstelik U-27 nin kayboluşunun hiçbir zaman açıklanmamasının ve olayın büyük bir gizlilik içerisinde kalmasının çok önemli bir nedeni vardı. Hayalet denizaltı adına yakışacak bir şekilde özel, hem de çok özel bir yük taşıyordu. Duyanların dudaklarını uçuklatacak, soğuk terler döktürecek denli ürpertici bir yüktü ve ne yazık ki U-27 ile birlikte kayıplara karışmıştı. Metin adlı genci asla gözden kaçırmamalıydı. Saf numarası yapan çocuk çok önemli bilgilere sahipti. Kuefer'se bu sırrı öğrenmek için ömrünün kalanını bile verebilirdi. Çünkü buna fazlasıyla değerdi. Aynı dakikalarda Metin, Taksim'de bulduğu ilk telefon kulübesinden nefes nefese arkadaşını aramakla meşguldü.

- Alo, Celal, fazla konuşamayacağım ama en azından şimdilik denizaltıdan uzak durmalıyız.

- Zaten imkansız. Yorgunluktan ölüyorum. Giriş çukurumuzun üzerine inşa ettiğimiz kulübeyi boyadım, çatıya bulduğum eski kiremitleri yerleştirdim, hurda iş makinelerini traktörle çekip, kulübenin etrafına yerleştirdim. Artık gören sarayımızın yıllardır orada olduğunu sanacak. Ayrıca odanın tabanından denizaltıya indiğimiz çukurun üzerine tahtayla, onun da üzerine eski bir halıyla kapattım.

Metin'in duyguları karmakarışıktı ama içi az da olsa rahatlamıştı. Hiç değilse onu anlayan ve her zaman yanında olan Celal gibi bir dostu vardı. Ancak bundan sonra ne yapmaları gerektiği konusunda hiçbir fikri yoktu. Bu belaya Celal'i de karıştırmış olmaksa en büyük sıkıntısıydı.

***

Amerika Birleşik Devletleri, Washington

- Bu kadar zamandan sonra ne yapmamı, ne söylememi bekliyorsun Turgut?

- Hiçbir şey, gerçekten hiçbir beklentim yok Deniz. Sadece hazır Washington'a gelmişken seni görmek, hatırını sormak istedim.

- Biraz geç kalmadın mı?

- Eski bir dost olarak buradayım. Geçmişi tartışmaya gelmedim.

- Evet, tüm yalvarmalarıma rağmen beni bırakıp, Türkiye'ye döndün. Şimdiyse eski bir dost olduğunu söylüyorsun. Hangisine üzüleyim acaba? Sensiz ne yapacağımı düşünmeden beni bıraktığına mı, yoksa bir anda sevgilin, müstakbel hayat arkadaşı sıfatından eski dost mertebesine düştüğüme mi?

- Seni sürekli aradım, telefon ettim. Telefonları yüzüme kapattın. Yazdıklarıma cevap vermedin.

- Ne yapmalıydım sence?

- Gitmek zorundaydım. Bu şehirde boğuluyordum. Ayrıca tek istediğim; ülkeme dönerken senin de yanıma olmandı.

- Artık bunları tartışmayalım. Faydası da yok. Nasıl gidiyor işlerin İstanbul da?

- Mutluyum açıkçası. Buraları da aramıyorum. Tek eksiğim, sensiz olmak. Bu arada işlerin nasıl?

- Gördüğün gibi çok zor da olsa kendimi kabul ettirdim hastanede. Hem kadın olmak, hem de Türk olmak bana her türlü engeli çıkartmaları için yeterli sebepti ama işte ayaktayım ve görevimin başındayım.

- Kalbim hâlâ boş ve senden sonra kimse olmadı.

- Bunları söylemek için gelmedin her halde ziyaretime?

- Basit bir tartışma ve inatlaşma kopmamıza sebep oldu. Bense hâlâ sevgini istiyorum. Çocukça hareket ettik. Ortada ciddi bir neden yoktu. Seni düşünmediğim bir günüm bile olmadı.

- O yüzden mi ilk uçakla dönmemecesine İstanbul'a uçtun?

- Anlatmıştım sana. Artık Washinton'da tek bir gün dahi kalmaya tahammülüm yoktu. Ülkeme dönüp, seninle orada bir hayat kurmak istiyordum.

- Benim en az bir yıl daha bu hastanede kalmam gerektiğini de biliyordun.

- Senden sadece bursunu bırakmanı istedim. Sense beni değil, bursunu tercih ettin. Aynı eğitimi Türkiye'de alabilirdin.

- Tıp fakültesini bitirebilmem için babam yıllarca yeni ayakkabı almadı kendisine. Kardeşinin eskileriyle idare etti. Annem, apartmanlarda merdiven sildi. Huysuz, yaşlı hastalara, şımarık çocuklara bakıcılık yaptı. Beğenmediğin o burs, annem ve babam için en büyük armağanımdı. Başarım için gece gündüz dua eden o insanlara "Ben bursumu sevdiğim adam uğruna terk edip, geri geldim." diyemezdim.

- İkimiz de haklıydık belki ama inan ki sana olan sevgimde değişen hiçbir şey yok. Geçmişi unutalım. Ben hazırım. Sakin ol. Acele etme. Bir hafta sonra yeniden Washington'a döneceğim. O zaman bir kez daha konuşalım. Eski günleri hatırına beni kırma.

- Nereye gideceksin?

- Oregon.

- Batı kıyısı. Seminer mi?

- Hayır, uzun bir konu dönüşte anlatırım.

- Acelen var galiba?

- Evet.

- Güzel, bir taşla iki kuş vurmayı planlıyorsan fazla ümitlenmemeni tavsiye ederim.

- Başka biri mi Deniz?

- Hayır. Benim de hayatımda kimse olmadı. Ama senin de yeniden yaşamıma girmen için bir sebep yok.

***

Tel Aviv, Mossad Karargahı

Dünyanın üzerinde en çok konuşulan ve gizemli örgütü olan Mossad her zamanki gibi daha sabahtan iş yükünü almış, memurlar ofisler arasında koşturuyordu. İkinci Irak harekatının başlaması zaten yoğun olan tempolarında canlarına okumuştu. İlk Körfez Savaşı'nda Saddam'ın üzerlerine gönderdiği Scud füzelerini kimse unutmamıştı. Üstelik kurulduğu günden bu yana İsrail'in dokunulmazlık imajına çok büyük bir yara açmıştı. Şimdiyse aldıkları dersten dolayı özellikle Kuzey Irak ve Bağdat Mossad ajanlarıyla kaynıyordu. 1980'li yıllarda personelin sayısı 2000 civarındayken son yıllarda bu rakam neredeyse 1200'e düşürüldüğünden çoğunun işi başından aşkındı.

Yaacov Patskin, Mossad bünyesindeki sekiz bölümden en önemlisi olan "Collections" kısmında çalışan ve yetenekleriyle her geçen gün sivrilen Rusya göçmeni bir Yahudi ailesinin üyesiydi. Sekiz yaşında Kiev'i terk edip, İsrail'e yerleştikleri günlerde yaşadıkları, hayatında epeyce sızı bırakmıştı. Her şeyden önce doğduğu büyüdüğü yerlerden ayrılmak zordu ama bu Yahudilerin kaderiydi. Bir zamanlar topraklarından sürülüp, tüm dünyaya dağıtılmışlar, gittikleri ülkelerde çoğunluk baskı ve zulüm görmüşler, engizisyon mahkemelerindeki işkencelerin ardından Nazi kampları, gaz odaları gelmişti. Ama İsrail son duraktı. Batısı deniz, diğer tarafları da Araplarla çevrili bu coğrafyada ayaklarını yere sağlam basmalı, uyanık olmalı ve yeni bir sürgüne daha maruz kalmamalıydılar.

Çünkü Tanrı'nın vaat ettiğine inandıkları topraklar son şanslarıydı. İsrail'deki ilk yıllarında ailecek yaşadıkları Kibutz, Komünizm'i tanımış olan Yaacov için pek zor değildi. Yine de Rusya'yı özlemediği söylenemezdi. En azından sülalelerinden bazı kişiler hâlâ oradaydılar. 1951'de o zamanın başbakanı Ben Gurion tarafından kurulmuş olan Mossad, bugüne dek başta Entebe baskını olmak üzere dünyaya parmak ısırtan operasyonlarıyla haklı bir üne sahipti. Her yerde adamları vardı. Özellikle son yıllarda Suriye, İran, Etopya'da yaşayan Yahudi kökenlikleri İsrail'e kaçırmakla meşguldüler Ayrıca eskiden komünizmle yönetilen ülkelerdeki ırkdaşlarını da öz vatanlarına getirmek baş uğraşılarıydı. Tüm bu insanların İsrail'e zenginlik ve renklilik kazandırdığını düşünüyordu Yaacov. Bölümü, yurt dışındaki operasyonlardan sorumluydu ve örgütün en önemli kanadıydı. Dünyanın her yerinde çoğu diplomatik temsilcilik görüntüsü altında ofisleri vardı ve akıl almaz bir coğrafyaya hükmediyorlardı.

- İzak Behar görüşmek istiyor.

Haberi veren sekreterinin annesi bir Fas Yahudisi, babasıysa Polonya Yahudisiydi. Kızsa İsrail'de doğmuştu. Az sonra odasına girecek olan yardımcısı İzak ise Türkiye doğumlu bir Yahudi'ydi. Ataları yüz yıllar önce İspanya'daki Engizisyon zulmünden kaçmış, Osmanlı İmparatorluğu'na sığınmıştı. İşte İsrail buydu. Dünyanın her yöresinden gelmiş, aynı dine ve ırka mensup insanların yüz yıllar sonra aynı potada eritmeyi başarmış bir ülke.

- Günaydın Yaacov.

- Selam İzak. Yeni gelmişsin.

- İstanbul'daydım. Bu mevsimde güzeldir. Daha doğrusu her zaman güzeldir. Bazı aile büyüklerimiz, "Bu yaştan sonra doğup, büyüdüğümüz toprakları terk edemeyiz." dedikleri için halen orada yaşıyorlar.

- Belki de doğrusunu yapıyorlar.

- İstanbul da doğdum, büyüdüm. Hiçbir zaman baskı görmedik. Yığınla Türk arkadaşım var halen. Ama cemaatimiz son yıllarda küçüldü. Başlıca neden; bir türlü bitmeyen ekonomik krizlerdi. Neyse bir gün seni de götürmek istiyorum. Dedemin evi hâlâ ayakta ve iki inatçı ihtiyarın bir yere ayrılmaya niyetleri yok. Orada beş yüz yıldan fazla bir tarihimiz, okullarımız, ibadethanelerimiz var.

- Benimse canım sıkkın ve az sonra sen de sıkılacaksın.

- Telefonda söylemiştin. LAP (Lohamah Psichologit) (Mossad'ın psikolojik savaş ve propaganda bölümü) ne diyor bu konuda?

- Henüz birkaç üst düzey görevli dışında kimseye iletilmedi. Senin fikrini sormuştum. Türkiye de doğdun, büyüdün, inançlarını, geleneklerini, kafa yapılarını çok iyi biliyorsun.

- O zaman söyleyeyim, Başkan Bush ve yanındakiler bence akıl hastanesine kapatılmalı.

- Neden bu kadar peşin hükümlü davranıyorsun? Önümüze inanılmaz bir fırsat çıktı. Hele böylesine bir kargaşada nasıl hiç düşünmeden sırt çevirebiliyorsun? Bu savaş bittiği an hiçbir şey artık eskisi gibi olmayacak. Suudi Arabistan'dan, Mısıra, Ürdün'den, Suriye'ye kadar bütün Ortadoğu yeniden şekillenecek. Hükümetler, kraliyet aileleri devrilip, sınırlar değişecek. Kısa süre sonra sıra Asya'daki Türk Cumhuriyetlerine gelecektir. Dünyayı yöneten tüm enerji kaynakları el değiştirecek. Bugün Irak'ta sayısız görevlimiz var. Amerika olmasaydı bunu nasıl başarabilirdik? Askerlerimiz Kuzey Irak'taki Kürt gruplara eğitim vermeye başladı bile. Birkaç hafta öncesine dek bunu hayal bile edemezdik. Şimdi aynı ülke bize birlikte dünyayı sonsuza dek yönetmek ve tarihi değiştirmek fırsatını veriyor. Hem de nasıl istersek o yönde değiştirip, kontrol edeceğiz. Türkiye'nin tezkere konusundaki inadının süper ülke olarak adlandırılan Amerika'yı derinden sarstığını, bir sürü planı allak bullak ettiğini gördük, yaşadık. Gerçi sonuçta kazançlı çıkan biz olduk. Yüzyıllar boyu zulüm, işkence ve haksızlık altında inleyen ırkımız bunu fazlasıyla hak etti.

- Sakin ol ve lütfen bu konuyu üst makamlara tabi ki hükümet yetkililerine rapor etmeden önce iyice çalış. Ama kendi saplantılarından bağımsız düşün. Bugünleri mumla arayacak duruma gelmemiz söz konusu. Allah'tan bu ülkede senin vereceğin rapora kıçlarını bile silmeyecek kadar akıllı ve mantıklı yöneticiler var.

- Anlamıyorsun, yirmi birinci yüzyılda her şey bizim için çok farklı olabilir. Üstelik tüm bunlar kutsal kitaplarda aynen yazılmış. İlahi adalet tecelli ediyor ve bu projeyle birlikte Büyük İsrail ülkümüze bir adım daha yaklaşıyoruz. Akdeniz'den Fırat Nehri'ne, Azerbaycan'dan Kızıl Deniz'e, Basra Körfezi'nden Toros dağlarına, oradan güney Türkiye'ye kadar yayılmış Kutsal Yahudi İmparatorluğu, Büyük Kenan ülkesi...

- 1948'den beri üzerinde yaşadığımız bir avuç toprağı savunmak için verdiğimiz savaşı, ölen binlerce insanı, her gün otobüslerde kendilerini havaya uçuran canlı bombaları, en kötüsü asla sahip olamadığımız huzur ortamını düşünürsen, ele geçirmeyi hayal ettiğin uçsuz bucaksız toprakları korumak için ödeyeceğimiz bedeli de göz önüne almamız gerekir. Tabi ele geçirebilmeyi başarabilirsek...

- İsrail'in gücüne inanmıyor musun?

- Hiç aklına getirmediğin bir şey var Yaacov. Türkiye asla diğer Müslüman ülkelere benzemez. Karşında altı gün savaşında pabuçlarını bırakıp, kaçan Arap askerlerini bulacağını zannedersen çok ama çok yanılıyorsun.

***

- Günaydın, size nasıl yardımcı olabilirim acaba?

Resepsiyonda görevli kız cıvıl cıvıldı. İri kalçaları, benekli suratı ve özensiz giyimi yaşadığı kasabanın dışına bile çıkmamış taşralı haline tam olarak uyuyordu. Hemen yan duvara büyülterek asılmış çok eski ve renksiz fotoğraflar Full Moon Motel'in yüz yıldan fazla olan tarihini gözler önüne sermekteydi. Adeta küçük bir müzeydi ve geçen sürede pek az şeyin değiştiği hemen anlaşılıyordu.

- İyi günler. Bir odaya ihtiyacım var.

Kız, tekrar tüm doğallığıyla gülümsedi.

- Bir bakalım, sizin için ne yapabilirim. Kasabamızın en iyi mevsiminde geldiğiniz için şanslısınız. Bugünlerde hem kilometrelerce uzunluktaki plajımız, hem de şelaleler harika olur. Tabi Krater Gölü'ne gitmek isterseniz sizin için tur operatörleriyle görüşebilirim. Ayrıca küçük bir ücret karşılığında yaşlı Samuel'in teknesiyle günlük geziye çıkıp, balinaların göçünü izleyebilirsiniz.

- Yabancı olduğumu nasıl anladınız?

- Kasabamız oldukça küçüktür. Yeni simaları hemen tanırız. Evet, bir saat sonra boşalacak bir oda var. Vadiye bakıyor.

- Hiç önemli değil. Tutmak istiyorum.

- Güzel, şu formu doldurur musunuz? Nakit mi, kredi kartıyla mı ödeyeceksiniz? Geceliği altmış dolar. Buna kahvaltı da dahildir.

- Nakit.

Ardından tüm otellerde bulunan bilgi formunu doldurup, kıza uzattı. Turgut özellikle Kalender olan kendi soy adı yerine, büyük dedesi Rüstem'in soy adı olan Ertürk'ü yazmıştı. Tepkileri merak ediyordu. Yanılmamıştı. Neşeyle anahtarı uzatan benekli suratlı görevli, yan gözle, formalite icabı göz attığı formu tam çekmecesine koymak üzereyken bir anda sarardı. Yüzündeki benekler iyice belirginleşmişti.

- Burada soy adınızın Ertürk olduğu yazılı. Yanılıyor muyum acaba?

- Yanılmıyorsunuz. Soyadımdır.

Kız, anahtarı hızla çekmecesine koymuştu.

- Biraz bekleyebilir misiniz?

Bu kadar çabuk nefret dalgalarının arasında kalacağı hiç aklına gelmemişti Turgut'un. En azından ukala belediye başkanının karşısına dikileceği ana kadar işlerin yolunda gideceğini zannediyordu. Beklerken duvardaki tarihçeye bir göz attı. Motel, uzun yıllar önce civardaki ormanları değerlendirip, kereste ticareti yapmak amacıyla doğudan gelenlerin ihtiyacını karşılamak için kurulmuştu.

- İyi günler efendim.

Arkasına döndüğünde şaşkın genç kızın yanına kırk yaşlarında bir erkek vardı.

- İyi günler.

- Size yardımcı olamayacağımız için gerçekten çok üzgünüz. Ama görevlimiz bir hata yapmış.

- Anlayamıyorum, ne hatasından bahsediyorsunuz?

- Maalesef hiç boş odamız yok.

- Biraz önce olduğu söylendi. Hatta anahtarı bile almak üzereydim.

- Ne yazık ki Elizabeth, daha önceden rezerve edilmiş bir odanın anahtarını yanlışlıkla size vermek üzereymiş. Özellikle bu mevsimde çok önceden ayırtmak dışında otelimizde yer bulmanın imkanı yoktur. Bakın ne diyeceğim, otobanda, ilk çıkıştan altı numaralı güney yoluna dönerseniz plaj civarında sayısız yeni motel var. Kaçırmanıza imkan yok.

- Ben burada kalmak istiyorum ve az önce tüm işlemim yapıldı. Sadece birden fikrinizi değiştirdiniz. Sebebini sormanın hakkım olduğuna inanıyorum.

- Sorunu size izah ettim. Sadece yerimiz yok ve bir hata yapılmış. Bunun için özür dilerim.

- Bunu yeterli bulmuyorum. Kasıtlı hareket ediyoruz.

- Sizden burayı terk etmenizi istiyorum. Aksi halde polis çağırmak zorunda kalacağım.

- Neden? Bana açıklama yapmak zorundasınız.

- Elizabeth!

Adamın adeta emredercesine seslenmesi üzerine benekli kız hemen telefona sarıldı. Karşı tarafta hattı açan kişiye aceleyle konuşmaya başladı.

- İyi günler Mr. Clark, şerif Robinson'la görüşmem gerek.

- ....

- Kendisi ofiste değil mi?

- ....

- Dinleyin Mr. Clark, buraya hemen bir ekip göndermeniz gerekiyor.

- ....

- Teşekkür ederim. Acele ederseniz sevinirim. Geçmişte kalmış felaketleri yeniden yaşamak istemiyoruz. Birileri yine kasabamızın huzurunu bozmak üzere. Lütfen engel olun.

***

- O zamanlar trenden inip, istasyon caddesi boyunca yürümüştük. Yolda tramvay rayları da vardı. Bahçe içerisinde eski bir köşkte yaşıyorlardı. Evden istasyon gözüküyordu. Yani çok yakındı. Görsem hemen tanırım kızım.

- Ohh, ne ala valla. Anne çıldırtma beni. Senin buraya son gelişinin üzerinden bir dünya savaşı, Kore Savaşı, Kıbrıs çıkartması, sayısız hükümet, üç tanede askeri darbe geçti. Sen tutmuş tramvay raylarından, eski köşkten bahsediyorsun. Ben de senin aklına uyup, sabahın köründe yollara düştüğüm için en az senin kadar enayiyim.

- Niye umutsuzsun kızım. Bak elimde adres ve iki isim var. Kaç sene önce unutmayayım diye ilk okul diplomamın arkasına yazmıştım. İyi ki aklıma geldi. Elimle koymuş gibi buldum. Allah'ın izniyle evlerini de bulacağız.

- Eski köşk dedin. Buralarda artık yirmi katlı apartmanlar yükseliyor. Tramvaylarda çoktan hurdaya çıktı, çürüdü. Haydi, diyelim ki evi eski yerinde hiç değişmemiş olarak bulduk. Ya orada yaşayanlar. Çoğunun artık kemiği bile kalmamıştır. Kimi bulup, ne anlatacağız? Bu saatten sonra hangi akılla bu işlere sıvandınız. Bir şey değil Turgut da sana benzedi. Şimdi dünyanın bir ucunda başına dertler açmıyordur inşallah.

Firdevs Hanım, kızının çenesini hiç dinlemiyordu bile. Yıllar önce küçük bir kızken kadersiz annesiyle yaptıkları yolculuğu, geçtikleri sokakları hatırlamak ve evin yerini çıkartmak için can atıyordu.

- Ben şuradaki markete sorayım, adresi gösteririm. En iyi esnaf bilir. Çünkü evin çok yakında olduğunu hissediyorum.

Ardından huysuzluk yapan kızını hiç dinlemeden yaşından beklenmedik bir çeviklikle markete daldı.

- İyi sabahlar evladım. Bir adres arıyoruz. Eski bir aile dostu. Bu yakınlarda olması gerek. İstirham etsem, yardımcı olabilir misiniz?

Market sahibi bu kadar zarif ve nazik bir konuşmayı çok uzun süredir duymamıştı. Dolayısıyla yaşlı kadının elindeki adrese dikkat kesildi.

- Bakayım teyzeciğim. Mesnevi Sokak no: 12. Evet, yakınsınız. Caddeyi takip edin, ilk ışıklardan sola dönün. Sağdaki ilk sokak.

- Allah razı olsun, tuttuğun altın olsun evladım.

Hemen beynine yazdığı tarife doğru hareketlendi. Kızı arkalarda kalmıştı ama umurunda değildi. İlk ışıklardan sağa döndü. Hafızası daha da canlanmıştı. Sonra soldaki ilk sokağa saptı. Buraya kadar her şey güzeldi ama artık Mesnevi Sokak onun yıllar önce adımladığı sokak değildi. Ne köşk, ne ıhlamur ağaçları kalmıştı. Ağaçların arasından gözüken istasyonsa dev blokların arkasında kaybolmuştu. 12 numaralı köşkün yerindeyse on beş katlı, her katında ferah balkonlu dörder daire bulunan koca bir bina dikilmişti. İçi cız etti.

- Gördün işte anne. Boşuna yorulduk ve zaman harcadık. Artık dönelim.

- Sabret kızım. Lütfen sabret. Birilerine soralım. Belki hâlâ tanıyanlar vardır.

Şimdi hedefinde koca binanın girişinde görevli kapıcı vardı. Kızının itirazlarını dinlemeyeyse hiç niyeti yoktu.

- Efendi oğlum bir bakar mısın?

- Buyur anne.

Kapıcı tereddütsüz giriş kapısını açıp, onları içeri aldı.

- Evladım, biz çok eski bir tanıdığımızı arıyoruz. Bir zamanlar bu koca apartmanın yerindeki köşkte yaşarlardı.

- Ahh, teyzeciğim, burada köşk varken ben daha donla dolaşıyordum. Kim bilir şimdi nerelerdedir.

- Leyla Hanım vardı. Bir de kızı. O zamanlar benim yaşımdaydı. Adı Şefika'ydı.

- Sen kaç yaşındasın anneciğim?

- Düz hesap sekseni geçtim. Ne yapacaksın yaşımı?

- En son ne zaman görmüştün?

- Valla yavrum, çocuktum işte.

- Sözümü geri aldım. Ben o zaman doğmamışım bile.

- Belki hâlâ burada yaşıyor olabilirler.

- Yok teyzeciğim. Buradaki köşk 1967 yılında satılmış. Yerine bu bina yapılmış.

- Kimler tarafından satıldığını biliyor musunuz? Belki daire karşılığı satmışlardır. Çocuklarını, mirasçıları ya da torunlarını bulabiliriz.

- Sanmam. Eskiler, köşkü satanlardan "Deli Saraylı" diye bahsederlerdi. Ama ne gördüm, ne tanıdım. Eski dediğim insanlar da öldü gittiler.

- Peki bu köşkü satın alıp, binayı diken kişileri tanıyor musunuz? En azından onların bilgisi vardır.

- Burayı Refik Bey diye bir adam yapmış. Çoktan öldü. 19 numarada yeğeni yaşıyor.

- Yanına gidebilir miyiz?

- Biraz asabi ve huysuzdur. Yalnız bir adam. Geleni gideni yok. Bana da kızabilir.

- Çok uzun yoldan geldik yavrum. Bir rica ediver.

Kapıcı, karşısındaki yaşlı kadını kırmak istemiyordu. Sonunda masasındaki dahili telefonun ahizesini kaldırıp, bir numara çevirdi.

- Alo, Sinan Bey günaydın.

- ....

- Aşağıda yaşlı bir hanım var. Sizi birkaç dakika ziyaret etmek istiyor.

- ....

- Hayır, bir şey satmıyor.

- ....

- Yardım da toplamıyor. Öyle biri değil.

- ....

- Akrabanız da değil. Sadece amcanızla ilgili görüşecekmiş.

- ....

- Teşekkür ederim.

Kapıcının alnında terler birikmişti. Derin bir nefes aldı, asansörü işaret etti.

- Asansörle dördüncü kata çıkın. Sizi zorla kabul etti. Kimseyi istemez evinde. Sokağa bile çıktığını pek görmedim. Ayda bir giyinir, kuşanır bir yerlere gider, akşama döner.

Firdevs Hanım çoktan asansöre doğru yönelmiş, çağrı düğmesine basmıştı.

- Anne, elin delilerinin yanında ne işimiz var? İnşallah terslemez. Buradan başka yere asla gitmem. Gerekirse seni bırakıp, eve döneceğim.

- Sus, biraz çeneni kapat kızım. Kocakarılara suç bulurlar. Senin çenen sabahtan beri hiç durmuyor. İstiyorsan hemen dön. Allah'a şükür evime dönecek kadar halim, gücüm var hâlâ.

Sonunda lobiye inen asansöre bindiklerinde kızı hâlâ söylenip duruyordu. Saniyeler sonra 19 numaralı dairenin kapısını çalıyorlardı. Kapı, sert simalı birisi tarafından açıldı.

- Sinan Bey'le mi müşerref oluyorum acaba?

- Ne istemiştiniz? Amcamla ilgili bir sorununuz varsa ne yazık ki yardımcı olamam.

Adamın kibarlık filan takacağı yoktu. Bir an önce ana kızı başından savıp, elinde tuttuğu piposuna dönmek istediği belliydi. İçeriye bile davet etmemişti.

- Size zahmet verdik evladım. Sadece amcanız bu binanın yerindeki köşkü satın aldığı zaman...

- Amcam kanunsuz hiçbir iş yapmamıştır. Neden onu arıyorsunuz?

- Sakin ol yavrum. Kimseyi suçladığımız yok. O köşkte yaşayan insanlar çok eski ahbabımızdı. Doğal olarak evi satın alan amcanız ya da sizler belki haklarında malumat sahibinizdir diye düşündük. Leyla Hanım'dı ismi. Kızının adı da Şefika'ydı. Yaşıyorsa benim yaşlarımda olmalı. Belki duymuşluğunuz vardır.

- İçeri buyurmaz mısınız?

Adam isimleri duyduğu an değişivermişti. Geniş ve ferah bir salona aldı anne ve kızı. Yer gösterdi. Karşılarına oturdu.

- Leyla Hanım, yıllar önce ölmüş. Onu hiç tanımadım. Sadece bilgim var. Ama Şefika Hanım hâlâ yaşıyor.

- Beni çok sevindirdin yavrum. Ama yaşadığından emin misin?

- Eminim. İki gün önce kendisini ziyaret ettim.

- Yani bayağı yakından tanıyorsunuz.

- Evet. Hem de tanıdığım en mükemmel hanımefendidir kendisi. Bu evden sadece onu ziyaret etmek için ayda bir çıkarım. Şefika Hanım da sadece amcamın mezarını ziyaret etmek için nadiren dışarı çıkar.

- Amcanızın mezarı mı?

- Doğru. Amcamın en büyük aşkıydı çünkü. Refik amcam son nefesini verene dek yanında ve elleri ellerineydi. Ama asla birleşemediler.

***

Erich Kuefer, Atatürk Havaalanı dış hatlar gelişte heyecanla beklediği misafirini karşıladıktan sonra birlikte konsolosluğa ait bir araca binerek şoföre talimatını verdi. İstikametleri Florya sahilindeki kaliteli et lokantalarından biriydi.

- Gideceğimiz yere hayran kalacaksınız. Geleneksel Türk yemekleri, özellikle et çeşitleri konusunda adeta bir ekol. Ülkeyi ziyaret eden yabancı politikacılar, hatta İngiltere Kraliçesi bile burada ağırlanmıştır.

- İlgine teşekkürler Erich. Yemekler kadar anlatacaklarını da merakla bekliyorum.

- Orada çok daha rahat konuşuruz. İstediklerimi getirdiniz mi Herr Brandt?

- Fazlasıyla.

Artık et yemekleriyle ünlü lokantanın kapısına gelmişleri. Garsonlar tarafından karşılanıp, kendileri için ayrılmış, kalabalıktan uzak bir masaya yerleştiler.

- Kuefer, umarım bu çabalarımız genç bir delikanlının basit bir merakından dolayı değildir. Yani boşa kürek çekmediğimizden emin olmak istiyorum.

- Bu sefer oldukça ciddi bir durumla karşı karşıya olduğumuzu hissediyorum Herr Brandt.

- Bu konunun benim için Türkiye'ye piyangodan çıkmış bir gezi ve iyi yemeklerden öteye gitmeyeceğinden korkuyorum. Antalya'da yerimi ayırttınız mı?

- Şüphenizi olmasın. Geçen sene Alman milli yüzme takımının dahi kamp yapıp, çok memnun kaldığı bir otelde on günlüğüne yer ayırttım. Memnun kalacaksınız. Daha önce sizinle bir çok şeyi çözebileceğimize inanıyorum. Bu konuda en fazla biliye sahip kişisiniz. Aynı zamanda 1917 yılından beri aradığımız büyük kayıpla ilgili hem tarihsel, hem de içerik olarak çok saygın bir uzmansınız. Doğal olarak aklıma ilk gelen siz oldunuz.

- Çok şüpheli ve umutsuzum. Gemiden son olarak 1917 yılında mesaj alındı. Günlerdir Berlin Harp Karargahı'yla karşılıklı görüşmeler yapılıyordu. O günün şartlarında binlerce kilometre uzaklıktaki bir denizaltıyla haberleşmek oldukça zordu. Denizaltıdakiler ellerindekinin ne olduğunu sonunda anlayabilmişlerdi. Bu haber özel bir şifreyle ve çok gizli olarak karargaha iletildiğinde hazır bulunanlar kulaklarına inanamadılar. İmkansız ve inanılmazdı. Gemi komutanını mesajlarla defalarca sorguladılar. Adamın harp ve zaten çok zor olan denizaltı koşulları nedeniyle dengesini yitirdiğini düşünüyorlardı. Hatta en kıdemli subaya komutanı tutuklayıp, emniyetli bir yere hapsetmesini ve idareyi ele almasını istemeyi bile düşündüler. Ama kıdemli subay da komutanı doğruluyordu. Ayrıca her ikisi de Alman denizaltı filosunun en güvenilir yöneticileriydi. Yine de yetinmediler. Harp karargahı, o günlerde çeşitli üniversitelerden getirilen profesörler, uzmanlarla dolduruldu. Denizaltıdan gönderilen bilgiler didik didik edilip, araştırıldı. Sonuç harikaydı. Asırlar boyunca insanlığı peşinde koşturmuş olan insanlık tarihin en önemli kaybı, bayrağımızı taşıyan bir teknedeydi. Hemen Sicilya açıklarındaki bir kruvazörümüzü hem denizaltıyı, hem de yükünü korumak ve sağ salim topraklarımıza getirmek için bölgeye gönderdiler. Ama denizaltıdan bir daha tek bir masaj alınamadı. Son olarak bulunduğu koordinatlarda dev boyutlarda arama çalışmaları başlatıldı. Hiçbir iz yoktu. Ne su üzerine çıkmış enkaz parçaları, ne sızan yakıt veya yağ izi, ne de mürettebata ait cesetler. Teknik bir arıza veya düşman gemileriyle çıkan bir çatışma sonucu yara alarak batmış olsaydı mutlaka imdat şamandırası, tekneden kopan parçalar, çarşaflar, yastıklar, cesetler gibi yığınla şey çıkardı su yüzeyine. Ama yoktu. Sonunda denizaltının kaybolduğuna hükmettiler ve daha önce bahsettiğin uyduruk açıklamayı yaptılar.

- Macera filmi gibi.

- Karargahta olayı bilen az sayıdaki üst düzey görevli, aralarında konuyu denizaltı bir şekilde bulunana dek kapatmaya ve bu konudaki tüm mesajları, belgeleri yok etmeye karar verdiler. Bu bilgilerin başka ülkelere sızmasından ve onlar tarafından denizaltının yerinin bulunması için çalışmalar yapılmasından korkuyorlardı.

- Savaş sona erdiğinde herhangi bir sonuca ulaşılabildi mi acaba?

- Teslim olmamız ve takip eden barış sürecinde savaşın karşı saflarında çarpışan tüm ülkeler esir değişimi, yabancı yaralı askerlerin teslimi, toplu mezarlar, batırdıkları düşman tekneleri konusunda iş birliğine girip, tüm bilgi ve belgeleri paylaştılar. Ama U-27 ve kayıp personeliyle ile ilgili tek bir kelime bulunamadı. Defalarca bu konunun üzerine gidildi ama sonuç sıfırdı.

- Savaştaki düşmanlarımız bu konudaki bilgilerini saklamış olamazlar mı?

- Böyle bir şeyi yapmaya hiç ihtiyaçları yoktu. Onların yardımıyla sayısız denizaltımızın, gemimizin enkazlarına, kayıp askerlerimizin akıbetlerine ve cesetlerine ulaşabildik. Aynı insani yardım tarafımızdan da yapıldı. U-27 hakkında malumatları olsaydı bir yerden mutlaka ulaşırdı. Çükü bu çalışma yıllar aldı ve bir sürü meçhul konu aydınlatıldı.

- Böylece konu kapatıldı.

- Asla kapatılmadı. Böylesi bir olayı unutmak ve kapatmanın imkanı yoktur. Olaya şahit olan birkaç görevli sonraları örgütlendiler. Bir mucize avuçlarımızın arasından kayıp, gitmişti. Gelişen teknolojiyle çok ümitlendiğimiz araştırmalar yapıldı. İkinci Dünya Savaşı aslında iyi bir fırsattı. O günlerde Ege Denizi adeta bir Alman gölü haline gelmişti. Bütün imkanlar kullanıldı. Gelişmiş sonar cihazlarıyla U-27'nin kaybolduğu koordinatlarda ve binlerce mil karelik yakın çevresinde aramalar yapıldı. Bu esnada Birinci Dünya Savaşı'nda, fırtınalarda, kazalarda batmış olan yığınla tekne bulundu ama asıl hedefimizden hiçbir iz yoktu. Sonunda olay sen, ben ve bu konuyu sonuçlandırmayı hayatlarının amacı haline getirmiş birkaç kişi dışında unutuldu.

- Ve bir gün genç bir Türk, konsolosluğumuza başvurup, artık kimsenin hatırlamadığı U-27 hakkında bilgi edinmek istediğini söyleyip, aklımızı başımızdan aldı. Belki de dünyayı sarsacak bir buluşun eşiğindeyiz.

- İnanmam çok zor. Yıllar boyu kimsenin hatırına bile getirmediği bir denizaltıyla ilgilenmesini açıklayacak hiçbir teorim yok. Bugün dünyanın her yanında eski teknelerle, özellikle her iki savaşta kullanılan Alman denizaltılarla ilgilenen insanlar, gruplar, koleksiyoncular var. Son yıllarda bu ilgi daha da arttı. Bir sürü hobi mağazasında U-bot maketleri, onlarla ilgili kitaplar satılıyor.

- Bakınız Herr Brandt. Siz boş maceralar peşinde koşacak birisi değilsiniz. Davetime istekle icap ettiniz. Düzinelerce U-botumuz iki dünya savaşın da efsanevi kahramanlıklarıyla tarihe geçtiler. Haklarında kitaplar yazıldı, filmler çevrildi, anıtlar dikildi. Ama U-27 bir avuç insan dışında kimse için ilginç değilken, Turgut adlı gencin neden bu kadar tekneyle değil de adı kayıtlarda bile olmayan bir denizaltıyla ilgilendiğini bana izah edebilir misiniz?

- Bilemiyorum. İstanbul ve U-27'nin son kez bulunduğu mevki arasında yüzlerce kilometre mesafe var.

- Bu delikanlının her zaman İstanbul da yaşadığından emin değiliz. Balık adam, maceracı, Türk silahlı kuvvetlerinin çok iyi saf numarası yapan bir görevlisi, hatta MİT mensubu bile olabilir. Bilemediğimiz bir yerde, bilediğimiz bir zamanda, bilemediğimiz bir şekilde yolu U-27 ile keşişmiş olabilir. Tabi içerisindekinin ne olduğunu anlamasına imkan yok. Herr Brandt, bana yardımcı olacak mısınız?

- En azından şimdilik. Bahsettiğin imkansız tesadüf eğer gerçekleşmişse eninde sonunda ne bulduğunu anlayacaklardır. Kaybolan teknenin mantıken bugün kırıntısı bile kalmaması gerekir. Ama milyarda bir şansımız bile varsa bu uğurda canımı bile vermeye hazırım. U-27 bir yerlerde bulunmuşsa içerisindeki bize ve ülkemize aittir ve geri almak için her fedakarlık yapılmalıdır.

Ardından karşılıklı kadeh kaldırdılar.

***

Oregon Sahili, Amerika

- İma ettiğin gibi bir durum göremiyorum ortada Elizabeth.

- Mr. Robinson, bu beyefendi sorun çıkartıyor.

- Ya sen ne diyeceksin Lewis? Sorun çıkartmak başka, kasabanın huzurunu bozmak çok başka bir şey. Ayaklarımı uzatıp, kahvemi içmeye hazırlanıyordum. Yeknesak geçen günler sizi sıktı galiba.

- Bakın Mr. Robinson. Elizabeth'e telefon etmesini söyleyen kişi benim. Karşınızdaki şahıs geçekten çok tehlikeli birisi.

Şerif Robinson, diğer ikisine hiç benzemiyordu Allah'tan. Genç, hafif tombul ve güleryüzlüydü. Turgut'un iyi giyimi, elindeki evrak çantasıyla bir katilden çok iş adamını andıran görüntüsünü bir kez daha inceledi.

- Biraz abartmıyor musun Lewis? Tıpkı artık beş para etmez yemeklerine istediğin ücret gibi.

- Lütfen biraz da beni dinler misiniz?

Turgut, yavaşça açılıyordu. Uğradığı muamele iğrençti. Birileri onu da dinlemeliydi.

- Şerif onu buradan çıkartın lütfen. O bir iblis.

- Sakin ol Lewis.

Ardından Turgut'a döndü:

- Sizi ikaz etmek zorundayım. Her ne yaptıysanız bu insanları korkutmaya hakkınız yok. Silahın varsa hemen teslim etmeni ve ellerini başının üzerine koymanı istiyorum.

Amerikan polisine karşı koymanın anlamsızlığını ve bunun kendisini suçlu duruma düşüreceğinin bilincindeydi Turgut.

- Silahsızım. Kimseye zarar vermedim. Sadece oda isteyen bir yolcuyum.

- Seni ikaz diyorum Robinson. Bu masum herif bir Türk. Üstelik kasabamızın tarihinde en karanlık katliamı gerçekleştirenlerden birisiyle aynı soy adını taşıyor. Bundan sonrası sana kalmış.

Şerifin az önceki sevecen görünüşü kaybolmaya başlamıştı. Yine de sükunetini bozmadan Turgut'a döndü.

- Çok uzun zamandır hiç Türk konuğumuz olmamıştı. Olanlarıysa hâlâ unutamadık.

- Maksadım kimseye kötülük yapmak değil. Buraya sadece araştırma yapmaya geldim. Boş odaları olduğu halde adımı öğrendikten sonra sizi çağırdılar. Bana terörist muamelesi yapıyorsunuz.

- Sizce kırmızı halı mı sermeliydik bayım? Ayrıca araştıracağınız konunun sizi pek de onurlandırmayacağına eminim.

Turgut'un altta kalmaya niyeti yoktu. Buralara kadar her şeyi göze alarak gelmişti ve kolayca teslim olmayacaktı.

- Kanuni haklarım var. Hiçbir suç işlemedim.

- Henüz suç işlediğinizi iddia etmiyorum. Buraya gelmekle kendi başınızı da belaya sokuyorsunuz. Sizi korumak bizim için imkansız hale gelebilir. Bu arada Lewis o lanet odalarını insanların soy adlarına göre kiralayacaksan bu işi bırakmanı tavsiye ederim.

Şerif Robinson'un soğukkanlılığı nihayet olay tatlıya bağlamıştı. Lewis istemeyerek de olsa oda vermeye razı olduğu halde Turgut, bunun ileride sorun yaratacağını düşündüğünden inadından vazgeçti. Önden aracıyla yol gösteren kanun adamını takip ederek sahil yoluna doğru yeni bir motel bulmaya doğru yol aldı. Denizin içerisinden adeta birer hayalet gibi yükselen dev kayalıklarla dolu sahile bakan oldukça kaliteli bir otelin önünde aracı durdurup, inen Robinson'un yanına park etti.

- Yardımınız için teşekkür ederim.

- Buraya kadar sorun değildi ama kasabada kalmaya devam etmeniz halinde yardımcı olabileceğimden kuşkuluyum. Neden buradasınız, amacınız nedir? İşlemlerinizi yaptırırken bana net olarak anlatmanız bekliyorum. Bir kahve içersiniz her halde.

Şerif, rezervasyon görevlisini kahve içmek için oturdukları manzaralı ve mevsime rağmen soğuk olan terasa çağırarak işlem yaptırdı. Böylece hiç sorun çıkmadan denize bakan bir oda ayarlanabilmişti.

- Artık sizi dinliyorum.

- Adım Turgut'tur. Yıllar önce elektrikli sandalyede idam edilen Rüstem Ertürk büyük dedemdir.

- Bakın. Bizler o günleri yaşamadık ama büyük dedeniz ve arkadaşlarının yarattığı dehşeti dinleyerek büyüdük. Lewis, benim için de çok makbul bir adam değildir. Aksi ve geçimsizin tekidir ama tepkisini anlayışa karşılamak zorundayım.

- Ben sadece gerçekleri öğrenmek istiyorum. Siz Amerikalılar adalete inanır ve her zaman sorunu iki taraflı olarak inlemekten yana olduğunuzu söylersiniz.

- Öyle de yapıldı. Büyük dedeniz ve arkadaşı iğrenç cinayetler işlediler. Adalet mekanizmamız onları sonuna dek korudu ve adil bir şekilde yargıladı. Kendileri de mahkeme önünde suçlarını kabul ettiler ve asla pişman olmadıklarını ısrarla yinelediler. Tüm bunlardan sonra sizi tatmin etmeyen şey nedir acaba?

- Ölen insanların anısına, geride kalan aile fertlerinin acısına ve kasabanıza tüm kalbimle saygı duyuyorum. Her şey için çok üzgünüm. Keşke elimde yaşananları değiştirecek güç olsaydı. Tek istediğim; bu cinayetlerin neden işlendiğini anlayabilmek. İki genç insanın okyanusları aşıp, bir aileye ölüm saçmasının ardındaki esrarı aralamak.

- Çok basit. Büyük dedeniz ve arkadaşı ilk büyük savaştan sonra Avrupa kıtasından Amerika'ya göç edenlerin kervanına katıldılar. Harplerden, hiç bitmeyen iç çalkantılardan bunalmışlardı. Biraz da maceracı bir ruha sahiptiler. Yeni Dünya fikri akıllarını başlarından almıştı. Burada hayata sıfırdan başlamak ve kaçmak istedikleri şeylerden uzak yaşamak istiyorlardı. Ama umdukları gibi olmadı. Çünkü Amerika'yla ilgili duydukları parlak sözlerden bu ülkede hiç çalışmadan refah içerisinde yaşayacaklarını zannetmişleri. Hayatsa hiç de o kadar kolay değildi. Yüzyıl başında insanlar ayakta kalmak için var güçleriyle çabalarken onlar ilk hayal kırıklılarını yaşamaya başladılar. Böylece doğu kıyısından, batıya olan yolculukları başladı. O yıllarda büyük bir akım vardı. Kafileler dolusu insan altın bulmak, uçsuz bucaksız verimli topraklara sahip olmak hırsıyla Pasifik sahiline hücum ederken büyük dedenizle, arkadaşı da yanlarındaydı. Batının zenginlikleriyle ilgili duydukları abartılı hikayelere kapılmışlardı. Evet, batı, zenginlik demekti ama bu çalışanlar, emek harcayan ve yılmayanlar içindi. İki kafadarınsa çalışmaya niyeti yoktu. Sonuçta ülkelerinden gelirken yanlarında getirdikleri tüm paraları tükettiler. Uzun yolculuklarında nasıl geçinebildikleri ve ne gibi olaylara karıştıkları, arkalarında başka cesetler bırakıp, bırakmadıkları hâlâ meçhuldür. Kasabamıza vardıklarında sıfırı tüketmişlerdi. Tek çareleri soygundu ve adları efsaneleşmiş bazı eski batı haydutlarına özenerek bu katliama yöneldiler. Suçlarını da asla ret etmediler. Cezalarını çektiler. Geride sadece çok acı hatıralar, kin nefret ve ürpertici hikayeler kaldı. Katledilen ailenin evi o günden beri kullanılmamaktadır. Yıllar içersinde viraneye döndüğünden belediye tarafından bir kaç kez onarıldı ama içerisinde yaşayan ve buna istekli olan kimse yoktu. Halen bir korku müzesi olarak durmaktadır. Şerif olarak ben bile bugüne dek içeri girmeye cesaret edemedim. Çocuklar, o sokaktan bile geçmeye korkarlar. Bahçedeki ceviz ağaçlarından dökülen meyveleri asla yemezler. Yeterince pis bir hikaye değil mi sizce?

- Sizi dinledim. Hem de hiç kesmeden yazdığınız senaryoya katlandım. Şimdi sıra bende.

- Sabırla ve saygıyla dinleyeceğim.

- Düşünün, 1918 yılında Birinci Dünya Savaşı bitmiştir. İki Türk genci dört yıl boyunca cephelerde ülkeleri uğruna savaşırlar. Ancak sonuçta Osmanlı İmparatorluğu yenilmiştir ve ülke işgal edilmiştir. Onlarsa pes etmezler. Ülkelerinin bağımsızlığı için çalışan silahlı gruplara katılıp, sonunda ülkelerini kurtarıp, imparatorluğun yerine çağdaş bir Cumhuriyet'in kurulması için büyük yaralılıklar ve kahramanlıklar gösterirler. İsteseler hayatlarının sonuna dek rahat yaşama olanakları vardır. İki arkadaş ortak bir iş kurmuşlar ve kazançları çok iyidir. Yani rahat yaşamak için ülkenize göç etmeye hiç ihtiyaçları yoktur. Ama vazgeçemedikleri amaçları vardır. Bunun için her şeyi göze alıp, o devirde pek de kolay olmayan bir şeyi gerçekleştirip, defalarca yeni dünyaya seyahat ederler. Her seferinde ülkelerine ve ailelerine dönerler. Ama 1926'da bir daha dönmemeye kararlı olarak ülkelerinden ayrılırlar. Çünkü aradıklarını bulmuşlardır. İstanbul'daki işlerini tasfiye edip, bir bankaya yüklüce miktarda para yatırıp, ailelerine ulaştırılması için avukatlarına talimat verirler. Son yolculuklarında hedef; Oregon ve sizin kasabanızdır. Yıllardır başarmaya çalıştıkları görevi yerine getirir ve tüm aileyi yok ederler. Başları dik olarak idama giderler. Şimdi mantıklı düşünmenizi rica edeceğim. Türkiye'den buralara gelmek için binlerce doları sırf basit bir taşra ailesini soymak için harcamaları mümkün mü sizce?

- Anlayabilmemin imkanı yok. Küçük çocukları, kadınları vahşice öldüren insanlardan bir kahraman olarak bahsediyorsunuz.

- Kahramanlığın tarifi çok zordur ve herkes bunu çok farklı olarak tarif eder. Benimse böyle bir niyetim yok. Sadece gerçeği öğrenmek istiyorum. Birkaç kuruş uğruna masum bir aileyi yok etmek uğruna kim defalarca binlerce kilometreyi aşıp, dünyanın öbür ucuna seyahat eder. Üstelik o birkaç kuruşa hiç ihtiyaçları yoktur.

- Ama öldürdüler.

- Bir kanun adamı olarak size şunu sormak isterim, olaydan sonra cinayet mahallinden çalınmış her hangi bir eşya yada zorla gasp edilmiş para söz konusu edildi mi?

- Açıkçası bu konudan hiç bahsedilmedi. Dürüst olmak gerekir. Sadece kanlı bir vahşet vardı ortada. Ne olay sonrası, ne de mahkeme esnasında çalınmış veya zorla alınmış bir şeyden bahsedilmemiş.

- Benim araştırmama göre olaydan çok kısa bir süre sonra kendileri gelip, teslim olmuşlar. Doğru mudur?

- Evet. Hatta banyo yapıp, temiz elbiseler giyindikleri şeklinde garip bir açıklama yapmışlar.

- Siz akıllı ve zeki bir insansınız Mr. Robinson. Aksi halde bu görevde bulunamazdınız. Maksatları soygun olsaydı neden kısa bir süre sonra kendi istekleriyle teslim olsunlar? Kaçmak için zamanları ve fırsatları vardı.

- Aklımı karıştırıyorsunuz. İşlenen korkunç cinayetler kasaba halkını galeyana getirmiş, toplu öfke nöbetleri, hapishane binasına linç amaçlı saldırılar başlamıştı. Siz de takdir etmelisiniz ki o günlerde kimse mantıklı ve sağ duyulu düşünemezdi.

- Katledilen aileden bahseder misiniz? Kimdi bu inanlar, kasabanın yerlisi miydiler, yoksa göçmen mi? Nasıl yaşayıp, nasıl geçiniyorlardı?

- Kasabada küçük bir müzemiz vardır, bir de kütüphane. Olayla, geçmişimizle, kültürümüzle ilgili benim verebileceğimden daha fazla detayı orada bulabilirsiniz. Ancak size ikaz ediyorum. Şu andan itibaren benden habersiz ve yanınıza vereceğim görevlinin refakati olmadan asla motelden ayrılmayacaksınız.

- Oda hapsi mi?

- Elimde gelse kasabaya girmeni bile yasaklardım. Lewis, çoktan ziyaretinizi her yana yaymıştır. Önlemekte büyük zorluk çekebileceğimiz tacizlere, hatta daha kötülerine maruz kalabilirsiniz.

- Doğrusu her şeyi göze alıp geldim.

- Keşke bunca zaman sonra gelip, kapanmakta olan bir yarayı yeniden kanatmasaydınız.

- Aile demiştik. Ben öncelikle sizden bu konuda bir şeyler öğrenmek isterdim.

- Saldırıya uğrayan ve katledilenlerin tümü Walter ailesine aitti. Karı koca Walter'lar ve çocukları ve yakınları acımasız kurşunlarla can verdiler. Çocukların hepsi on yaşın altındaydı.

- Peki bayan ya Walter? Asıl öğrenmek istediğim kendisi.

- Bildiğim ve öğrendiğim kadarıyla bayan Walter, Amerikan yaşam tarzına ve rüyasına çok uygun bir örnekti. Olaydan on sene kadar önce eski dünyada sürmekte olan kanlı savaştan kaçıp, ülkemize göçmen olarak gelmişti. Amacı; hayallerindeki yaşamı ana vatanından çok uzaklarda yeniden kurmaktı. Ama kendisi gibi okyanus ötesinden gelip, yine bu ülkeye sığınanlarca öldürüldü.

- Bu hanımefendinin kökeni hakkında bilginiz var mı?

- En doğru bilgileri New York Ellis Adası kayıtlarında, kasaba belediye binasında, hatta internette bile bulabilirsiniz ama benim bilgim; Ortadoğu kökenli olduğudur.

- Kasabanıza yalnız mı gelmiş?

- Hayır. Yanında henüz bir yaşını doldurmamış oğlu varmış. Tabi o da kurbanlar arasındaydı.

- Peki ya bay Walter?

- Buraya geldikten iki sene sonra evlenmişler. Daha doğrusu Bayan Walter'ın buraya yerleşmesinin üzerinden iki yıl geçtiğinde civar ormanlarda kereste kesimi işinde çalışan bay Walter'la tanışıyor.

- Bu beyefendi kasabalı mı?

- Hayır. O yıllarda ülkenin her yanından gelmiş güçlü, kuvvetli erkekler, Oregon ormanlarında ağaç keserek hayatlarını kazanıyordu. Bu çok doğaldır ve hâlâ sürmektedir.

- Hanımefendi kendisi için çok uygun bir damızlık bulmuş.

- Anlayamadım.

- Önemli değil. Anladığım kadarıyla bayan Walter çok cesur bir kadınmış.

- Cesaretin ne ilgisi var bu konuyla?

- Harbin en şiddetli günlerinde tek başına Ortaoğu'da bir yerlerden kalkıp, Amerika'ya geliyor. Yanında çok küçük bir çocuk var. Hatta yolculuğun başında hamileliği sürüyor olabilir. Sonra yanında küçücük bir çocukla o yıllar için büyük tehlikeler ve maceralarla dolu yeni bir yolculuğa çıkıp, orman ve okyanusla çevrili kasabanıza geliyor.

- Buraya gelişine kadarki yaşamını hiçbir zaman net olarak bilemeyiz.

- Ama geldiğinde bekar ve yanında bir bebek var.

- Belki yola ilk kocasıyla, yani ilk çocuğunun babasıyla çıktı. Çetin doğa koşulları, salgın hastalıklar sonucu eşini kaybetti. Bu tarz trajediler o yıllarda çok yaygındı. Batıya göç etmek isteyenlerin toplu halde yola çıktığı Saint Louis'ten, Pasifik sahillerine kadar pek çok yer öncülerin mezarlarıyla doludur. Mesela Ölüm Vadisi, California.

- Anlıyorum. Kadın başına çok şey başarmış. Peki evlenene kadar nasıl yaşamış, daha doğrusu hayatını nasıl kazanmış? Bakıp beslemesi gereken bir de çocuğu var.

- Bilmem. Belki bazı kuruluşlardan yardım almıştır.

- Yaşadıkları ev kimindi?

- Bayan Walter'a aitti.

- Bu eve ne zaman yerleşmiş? Evlendikten sonra mı, önce mi?

- Bildiğim kadarıyla ilk gelişiyle birlikte eve yerleşmiş. Ama emin olmak için araştırıp, size iletirim. Şu an kendimi savcıya hesap veriyor gibi hissediyorum.

- Lütfen sıkılmayın. Yardımınıza ihtiyacım var. Eğer ilk geldiğinde o evi satın aldıysa maddi olarak bayağı güçlüydü. Ayrıca iki sene de idare etmiş.

- Bakın benim bilgilerim sizin istediğiniz detayda değildir. Neden biraz dinlenmiyorsunuz? Sonra yeniden konuyu tartışırız. Bu arada size araştırma yapmanız için olanaklar sağlamaya çalışayım.

- Sizi son bir şey söyleyeyim Mr. Robinson. Belki daha farklı düşünmeniz için bir başlangıç olabilir. Büyük dedem ve arkadaşı o bayanı ilk kez burada görmediler. Öncelikle İzzet peşlerindeydi. Sonra büyük dedem Rüstem'le birlikte çabalayarak takip ettiklerini biliyorum. Sırf bu bile cinayetlerin basit bir hırsızlık adına işlenmediğini gösteriyor. Evet, o insanlar için çok üzgünüm. Hiçbir neden yarattıkları katliamı haklı gösteremez. Ama bilemediğimiz ve bulmam gereken çok özel bir nedeni var.

***

Firdevs Hanım'ın gözleri yorgunluğuna rağmen ışıldamaya başlamıştı.

- Demek yaşıyor. Çok teşekkür ederim yavrum. Şefika Hanım'ı nasıl bulabiliriz acaba?

- Çok yakında. Maltepe'de bir huzur evinde, onurlu ve duygulu bir hanım olarak anılarıyla yaşıyor.

- Bize adres ve huzur evinin adını verebilir misiniz?

- Vermekten başka sizi oraya götürebilirim ama yıllar sonra onu aramanızın sebebini öğrenmek istiyorum. Üzülmesine, kırılmasına asla tahammül edemem.

- Size yalan söyleyemem evladım. Ziyaretimizin sebebi onu mutlaka üzecektir. Hatta yaralayacaktır. Çünkü ortak bir kaderimiz, eski ve acı bir hikayemiz var. Onu gördüğümde kendimi tanıtacağım ve isteğimi bildireceğim. Eğer en küçük bir sıkıntı belirtisi gösterirse teşekkür edip, bir daha rahatsız etmemek üzere orayı terk edeceğim. Size söz veriyorum.

- Anne, o bayan en az senin yaşında. Ya hassaslaşır, sağlığı bozulursa bunun sorumlusu biz mi olacağız?

- Merak etme kızım. Bizle eski toprağız. O kadar kolay teslim olmayız.

Ardından Sinan Bey'e döndü:

- Ben son sözümü söyledim evladım. Kararına saygı duyacağım.

Sinan Bey, yaşlı kadının gözlerindeki yalvaran hikayeyi ifadeyi asla reddede-meyecek hale gelmişti. Ceketini giymeye başladı.

- Buyurun çıkalım. Kapıcıya hemen duraktan bir tane taksi rica etmesini is-teyeceğim.

**

- Bu akşam Metin.

- Evet, Celal. Dönüş yok. Bu akşam.

- Saat yediden sonra kum ocağının altıncı yıl dönümü nedeniyle eğlence var. Yenilip, içilecek, dansöz oynatacaklar.

- Bize ne gerek? Bizim çok daha ilginç ve özel bir kutlamamız var.

- Onlar içip, kafayı bulurlarken biz her zamankinden daha rahat hareket edeceğiz.

- Ölmek var, dönmek yok. Sonu nereye varırsa varsın, o sandığı açacağız.

- Evet, açacağız.

- Ölmek var, dönmek yok.

- Yeni, çok güçlü ve pahalı bir fener aldım. İçerisindekileri dışarıya çıkart-mak için de sağlam birkaç torba.

- Ben de çok ucuz ve en adisinden bir şampanya aldım. Neden biliyor mu-sun?

- Neden?

- Param o kadarına yetti. Ama biz de eğleneceğiz bu gece. Sandıktan ne çı-karsa çıksın umurumda değil. Hatta çöp bile çıksa dert etmeyeceğim. İçerisin-de ne olduğunu gördükte sonra sahilde sessiz bir köşeye kurulur, cesaretimizi ve buluşumuzu kutlarız.

- Metin, iyi ki seni tanımışım ve dost olmuşuz. Hayatım gerçekten bir an-lam kazandı. Eskiden başıboş serserinin tekiymişim.

- Ben de seni tanıdığıma çok mutluyum. Kum ocağındaki onca anlayışsız ve ruhsuz insanın arasında seni bulmam benim için de şans.

- Bu gece Metin, bu gece. Kimse bizi tutamaz.

**

- Acele olarak çağırttım seni İzak. Çok önemli bir konu için hemen İstanbul'a uçman gerekiyor.

- Hayrola Yaacov? İki gün önce oradaydım. Ben de şans olsa geri dönmezdim. Konu nedir? Kuzey Irak'a hareket etmek için hazırlanıyordum. Havadan indirme yapan az sayıda özel Amerikan birliğini sorunsuz bir şekilde Bağdat yakınlarında bekleyen komandolarla buluşturmam gerekliydi. Biliyorsun Arapçam çok iyidir ve Kuzey Irak'ı avucumun içi gibi bilirim. Uzmanlık alanım.

- Yerine birini göndereceğiz. Ya da oradaki peşmergeleri kullanabilirler.

- Yerel yardımcılar işleri bok ettiler açıkçası. Amerikan tarafı bu konuda onlara güvenmekle hata yaptı. Sonuçta disiplinsiz ve dağınık gruplar. Özel birlik elemanlarını Saddam'ın saklandığı yeri bulup, bir an önce suikast düzenlemeleri için haftalar önce Irak'a çeşitli yollardan girmiş Amerikan komandolarıyla buluşturacaklardı ama kendi aralarındaki sorunlar bir türlü bitmek bilmediğinden bir arpa boyu yol alamadılar.

- Güneydeki durum da hiç parlak değil. Bizim aldığımız haberler CNN televizyonunda gösterilenlerden çok farklı. Küçük köy ve kasabalarda bile inanılmaz direnç var. Iraklı bir kadın, militanın motosikletle Amerikan denizi piyadelerinin arasına dalıp, kendisini havaya uçurduğunu en az 12 piyadeyi öldürdüğünü doğruladı kaynaklarımız. Dicle nehrinde Amerikan askerlerinin cesetlerini yüzdüğü bildiriliyor.

- Üstelik şimdiden Saddam'ın çevresinde büyük bir ihanet çemberi oluştuğu halde durum parlak değil.

- Evet. Emrettiği halde Dicle ve Fırat üzerindeki barajların kapaklarının açılmadığını, köprülerin havaya uçurulmadığını, bazı seçkin tümenlerin komutanlarının askerlerine savaşmayıp, sivil elbiselerini giyerek köylerine kaçmalarını bildirdiğini net olarak tespit ettik. Bu şartlarda bile Amerikalılar, henüz Necef'e ulaşamadılar. Washington'daki şahinler kanadı bu sefer kötü halde faka bastı. Bu harekattan sonra birileri ciddi olarak hesap verip, yumuşak koltuklarından olacaklardır.

- Peki bu kritik durumda beni görevimden alıp İstanbul'a göndermenizin sebebi nedir? Herhalde turistik bir gezi değil. Yoksa benden bıktınız mı?

- İlk söyleyeceğim şey; yüce Tanrı'nın İsrail kavmiyle birlikte olduğudur. En azından bunu bilmende çok fayda var. Zira öğrendiğinde tüm kuşkuların ve şüphelerin sona erecektir. Bu savaş artık Amerika'nın değil, bizim savaşımızdır. Ulusumuz, Tanrı'nın en büyük mucizesini de yanına alarak sonsuz bir zafere ilk adımını atmak üzere.

- Tanrım, dünkü facia projesinden bahsediyorsan bu konuda fikrimi söyledim ve değişmeyecek. İnanıyorum ki bu ülkeyi yönetenler de ilk heyecanlarını atlattıklarında olayın yol açabileceği felaketleri görüp, daha soğuk kanlı davranacaklardır.

- Bu konu çok önemli ama artık gelmekte olan zaferin sadece bir ayağı. Asıl ve gerçek mucize İstanbul'da bekliyor. Ancak öncelikle çok özel ve kılı kırk yaracak bir araştırma yapmamız gerekli.

- Beni safınıza çekmek için nasıl bir senaryo hazırladın Yaacov?

- İstanbul'daki ofisimiz her zamanki gibi çok farklı ve seçilmiş olduklarını bir kez daha gösterdi. Aylar önce İstanbul, Alman konsolosluğuna sızmış olan bir ajanımız inanmamızın bile imkansız olduğu bir koku aldı. Başlangıçta olay Alman askeri ateşeliğindeki bir görevlinin etrafında dönen bazı önemsiz araştırmalar şeklindeydi. Ama adamımız işin peşini bırakmadı. Ne yazık ki ilk günlerde bizden de yeterli destek alamadı. Zira bu kargaşada son derece hayali ve vakit harcamaya değmez gibi görünüyordu. Ancak yılmadı. Alman görevlinin her hareketini adım adım izledi. Sonunda Almanya'dan gelecek çok önemli bir konuk için meşhur bir restoranda yer ayırtıldığında bir yolunu bulup, onlar için ayrılan masayı öğrenip, vazodaki çiçeklerin arasına minik bir verici yerleştirmeye başardı.

- Biraz casus filmi gibi değil mi? Evet, biz Mossad elemanlarıyız ama bu tarz yöntemler eskilerde kaldı. Ayrıca bir konsolosluk görevlisinin memleketinden gelen misafiriyle yemeğe çıkmasında dikkati çekecek ne var ki? Misafirine zevksiz Alman yemekleri sunmayacak kadar zarif olmalı.

- Olay, düşündüğün kadar basit değil. Ayrıca oradaki adamımız senin tahmin ettiğinden çok daha zeki ve araştırma yeteneği oldukça gelişmiş bir insan. Bunun da karşılığını aldı. Ateşenin ve irtibatta olduğu birkaç arkadaşının geçmişleriyle ilgili daha önceleri çalışmalar yapmıştı. O adam bir şeylerin peşindeydi. Ama ne olduğunu henüz çözememişti. Yıllar önce Nazi kamlarından canını zorlukla kurtarıp, gönüllü Yahudi kuruluşları sayesinde hayatta kalmış, uzun bir süre kaçtığı Amerika'da yaşamış, 1980 yılında İsrail'e göç eden yaşlı bir Yahudi'nin ölmeden önce anlattıkları kimsenin dikkatini çekmemiş, etrafındakilerce deli saçması yada toplama kamplarında aklını yitirmiş, zavallı bunak bir adamın halisünasyonları, son hezeyanları olarak nitelenmişti. O zamanlar genç ve inanmış bir Yahudi olan adamımız, bu sözleri hiçbir zaman göz ardı etmedi. Çünkü yaşlı savaş kurbanı, Birinci Dünya Savaşı'nda, henüz Almanya'da ırkımıza karşı düşmanlık ve saldırılar başlamadan önce Berlin'deki harp karargahında kısa bir süre danışman olarak görev yaptığını ve korkunç bir gerçeği öğrendiğini iddia ediyordu. Ateşelik görevlisiyse, son günlerde ülkesindeki bazı kişilerden garip isteklerde bulunmaya başlamıştı. Ajanımız, ilk günlerde parçaları tam olarak birleştiremedi. Sonunda telefonlarını dinleyerek, gerçeğe bir adım daha yaklaştı. İşte o zaman yaşlı kamp kaçkınının anlattıkları büyük bir anlam kazanmıştı. Zaten ateşelik görevlisin Almanya'daki geçmişi hakkında şüpheleri vardı. Nihayet lokantadaki masalarına yerleştirdiği mikrofon vasıtasıyla duyduğu konuşmaları çözmeyi başarmış, her zaman iyi bir gözlemci ve harika bir hafızaya sahip olmanın ödülünü almıştı.

- Sizi tanımasam beni etkilemek için fantastik masallar anlattığınıza inanacağım.

- Bak İzak. Bazı insanlar bizden farklıdır. Hayatlarını başkaları için ütopya veya efsane olmaktan öteye gitmeyen konuların peşinde koşmaya adarlar. Bu onlar için çocukluktan, hatta doğuştan gelen bir bağımlılıktır ve tedavisi yoktur. Ciddiye alınmazlar, hatta hor görülürler. Ama çoğu, her şeye karşın sevdalarından vazgeçmezler. Dünya tarihini değiştiren bir çok komutan, bilim adamı, sanatçı ve mucit bu tarz insanlar arasından çıkmıştır. İstanbul'daki ajanımız da böyle biri. Ama o, bugün yıllarını verdiği büyük ve mucizevi bir gizemi çözmek üzere. Bu yüzden İstanbul'a gitmelisin. Başka hiçbir şey bu kadar önemli değil bizim için. Oradaki görevinin ve başarının, insan oğlunun yaradılışından, Adem ve Havva'nın cennetten kovulmalarından, sürgüne gönderilmemizden binlerce yıl sonra Tanrı tarafından vaat edilmiş topaklarda İsrail devletini kurmamızdan bile çok önemlidir.

- Bu kadar önemli ne olabilir?

- Bunu sana açıklamadan önce yerine getirmeni istediğim bir ayrıntı var. Bunu görüyorsun. Kutsal kitabımız Tevrat'tır. Şartlar ne olursa olsun, içinde bulunduğun durum ne kadar kötü olursa olsun, çektiğin acı ve maruz kaldığın işkencenin şiddet ne kadar dayanılmaz olursa olsun sana anlatacaklarımdan kimseye bahsetmeyeceğine dair, kutsal kitabımız Tevrat, ırkımızın tüm kutsal değerleri ve tüm ölmüşlerinin mezarı üzerine yemin edeceksin.

- Yapmayın Bay Yaacov. Resmen korkmaya başladım.

- Yemin etmeden önce, günü geldiğinde aklına, hayaline sığamayacak kadar çok korkacağını, hatta tüm ruhsal dengenin bile bozulabileceğini, gerektiğinde sonsuza dek susmanı sağlamak için bizzat ben ya da ülkemizin geleceğine her şeyden çok inanmış başka bir görevlimizce hiç acımadan öldürülebileceğini hesaba katman gerekir. Sırrını kimseyle paylaşmaman bu nedenle çok önemli. Zira gerektiğinde onları da yok etmekten başka çaremiz yoktur. O yüzden karar vermeden önce çok iyi düşün. Bu konuyu İstanbul'daki adamımız ve benden sonra öğrenecek üçüncü kişi sen olacaksın. Şu an bu ülkemizi yönetenler bile bundan habersizler. Uzun bir süre hiç haberleri olmayabilir. Hiç başlamadan görevi reddedebilirsin. Bu tercihin asla gelecekteki kariyerini aksi yönde etkilemeyecektir. Ancak yemin edip, konuyu öğrendiğinde başını taşlara vuracak kadar pişman olsan bile geriye dönemezsin. Hiçbir kurtuluşun yoktur. Kaçmaya kalkarsan dünyanın neresine gitsen seni buluruz. Tek şansın; biz seni yok etmeden önce uygun bulabileceğin, kolay ve acısız bir yöntemle kendini yok etmektir.

İzak şaşırmanın da çok ötesine geçmişti. Karar vermesi kolay değildi. Ertesi sabaha kadar izin istedi. O gece hemen hiç uyuyamadı ama bir sonraki sabah merakı ve başardığında elde edeceği kariyer önüne asla geçilemez bir heyecandı onun için. Göreve hazır ve sonuçlarına katlanmaya razı olduğunu bildirdi. Yaacov'un önüne koyduğu Tevrat'a elini koyarak istenilen yemini etti. Birlikte ses geçirmez bir odaya girdiklerinde yüreği pır pır ediyordu. Bir masaya oturdular. Yaacov, yavaş ve sakince anlattı. Sözü bitmeden İzak'ın yüzü sararmış, kulakları zonklamaya başlamıştı. Korkudan midesine kramplar giriyordu. Görevi kabul ettiğine köpekler gibi pişmandı ama geri dönüş yoktu. Bundan sonra çok, hem de pek çok geceler uyuyamayacağını, uyusa bile rüyalarından çığlıklarla uyanacağını çok iyi biliyordu. Bir an kendisini öldürüp, kısa yolda kurtulmayı düşündü. Ancak başarırsa insan oğlunun var oluşundan beri yaşanmamış bir şeyi gerçekleştireceğinin bilincindeydi. Valizini hazırladı. Ailesiyle vedalaştı. Onlara sadece birkaç günlüğüne Kudüs'e gideceğini söyleyip, titreyen ama emin adımlarla İstanbul uçağına yetişmek üzere havaalanının yolunu tuttu. El Al Hava Yolları'na ait Boeing yolcu uçağının rahat koltuğuna yerleştiğinde iki gündür çektiği heyecan artık yatışmaya başlamıştı. Ummadığı kadar çabuk ve huzuru bir uykuya daldı. Ama uçak Kıbrıs üzerine gelip, İstanbul için rotasını değiştirmeye başladığında tüm yolcular, ön taraf, cam kenarındaki koltuktan gelen İzak'ın çığlıklarıyla paniğe kapıldılar. Hostesler, hava yollarının görevlendirdiği uçaktaki gizli güvenlik görevlileri hızla o yana seğirtti. Zavallı delikanlı ter içerisindeydi ve hâlâ titriyordu. Kabin amiri kalp krizi geçirdiğini sanmıştı.

- İyi misiniz bayım?

- Şeyy, evet. Kötü bir rüya gördüm sadece. Üzgünüm. Galiba herkesi heyecanlandırdım.

- Önemli değil. Şimdi nasılsınız? Su veya başka bir şey ister misiniz?

- Mümkünse viski. Bir duble. Pardon lütfen iki duble ve çok sert olarak hazırlayın.

Getirilen iki duble viskiyi saniyeler içinde içip, hostese başkalarını getirmesini istediğini gören koltuk komşusu bayan, delikanlıya tiksinerek bakarak yerinden kalktığı gibi arka taraftaki boş koltuklardan birine yerleşti. Hesabına göre delikanlı bu hızla beş dakika sonra iki şişe viskiyi devirmiş olacaktı ve böyle bir ayyaş çok tehlikeliydi.

***

- Elimdeki fotoğrafı görüyor musun Celal? Alman görevli verdi. Kamaradaki fotoğraftaki kişi.

- Bence bunları sonra inceleyelim. Bir an önce sandığın başına yollanalım.

İki kafadar, artık geminin dar koridorlarına, fener ışığında geçtikleri kaportalara, tavana, alabandalara monte edilmiş ve her an bir yerlerini çarpa tehlikesiyle karşılaştıkları cihazlara, göstergelere alışmışlardı. Hiç zorluk çekmeden bir zamanlar iki kişinin tutsak kaldığı bölmeye, ardından ambara ve sac duvarı kaynakla keserek sandığı buldukları kısma geldiler. Bıraktıkları yerde duruyordu.

- Sence içerisinde ne var Celal? Altın mı?

- Valla seni bilmem ama ben daha önce sandığı gördüğümde hissettiğim o acayip baygınlık hissini duymuyorum. Sen de iyi misin bu arada?

- Harika. Sadece kum almaya gelen kosterlerden birisine çıkarken ayağımı burkmuştum. Onun dışında hiçbir sorunum yok.

- İyi, hep böyle kalalım.

- Tahminini sormuştum?

- Bana göre bu kadar gizlediklerine ve önlem almalarından yola çıkarak içerisinde ciddi miktarda altın, hatta daha değerli bir şeyler var. Mesela gizli bir hazine, elmaslar, zümrü...

- Saçalama oğlum. Öyle bir hazineyi neden bıraksınlar? Beraberlerinde götürürlerdi.

- Belki de hiç vakitleri, fırsatları yoktu.

- Hiç heveslenme. Ben çok gizli planlar yada casusluk bilgileri olduğunu zannediyorum.

Celal, çoktan sandığın kalın asma kilidine asılmış, testereyle kesmeye başlamıştı.

- Acelen ne Celal?

- Biraz daha konuşursak yine saçma sapan düşüncelere kapılıp, vazgeçeriz.

Beş dakika geçmeden kilit çoktan Celal tarafından dar kamaranın tabanına atılmıştı. Ardından eğilip sandığı kucakladı, kendilerine doğru çekti.

- Öfff, eşek ölüsü kadar ağırmış. Açıyorum artık.

- Tamam.

Kalın, metal kapak kolayca açıldı. Hiç zorlanmamıştı.

- Hadi yaaa!

- Boşuna heyecanlandık.

- Hayaller kurduk.

- Hepsi boşmuş.

- Bu sandıktakiler diğerlerinden farksız şeylermiş be arkadaşım.

- Bir ara o kadar korkuya kapılmıştık.

- Ben de hıyar gibi bayılmıştım.

- Hepsi birkaç tarihi kalıntı, bir-iki abuk eşya.

- Diğer sandıklardakiler çok daha ilginçti.

- Peki bu lüzumsuz şeyleri neden bu kadar özel bir bölüme koydular acaba?

- Peşin hükümlü davranıp, lüzumsuz diyemeyiz. Neticede diğerleri gibi eski Mezopotamya uygarlıklarından kalma eserler. Bu denizaltı tam bir arkeoloji müzesi. Bu kadar gizli bir yere koyduklarına göre anlayanlar için büyük değere sahip bazı parçalar herhalde. Sonuçta bizler arkeolog değiliz. Değerlerini bilemeyiz.

- Ne yapacağız şimdi?

- Sahile gidip, boş hayallerimiz üzerine benim ucuz şampanyayı içeceğiz.

- Denizaltı ne olacak?

- Yarın isimsiz bir ihbarla jandarmaya bildiririz.

- Metin senden bir şey rica edeceğim. Lütfen biraz daha bekleyelim.

- Neden? Artık bu konu bizi aşar.

- Bak, hayatım boyunca hiçbir şeyim olmadı. Yokluk içerisinde büyüdüm. Arkadaşlarımın oyuncaklarını imrenir, birkaç dakikalığına bisikletlerine binmek için yalvarmak zorunda kalırdım. Parasızlıktan okuyamadım. Bu boktan kum ocağında, anlayışsız ustaların emri altında çalışmak kaderim oldu. Bundan sonra da değişen bir şey olmayacak hayatımda. Böyle geldi, böyle gidecek.

- Anlıyorum. Ben de saraylarda yaşamadım. Bu ülkede bizim kaderimizi paylaşan o kadar çok insan var ki, kendimizi yalnız hissedemeyiz. Yaz tatili bitip okul başladığında arkadaşlarımın ballandırarak anlattığı, aileleriyle birlikte gittikleri sahil otellerini, tekne turlarını, yazlıklarında yaşadıkları maceraları gizli bir kıskançlıkla dinlerdim. Bense ertesi günü nasıl karnımı doyuracağımı düşünürdüm.

- Bu denizaltıyı biz bulduk. Burası bizim yuvamız, gizli cennetimiz. Şahsımıza ve sadece bize ait olan tek yer. Bizim krallığımız. Hayatım boyunca ne evim, ne arabam ne de param oldu. Ama şimdi senin gibi bir arkadaşım, koca bir denizaltımız, bir şişe de ucuz şampanyamız var. Az şey mi bu? Dolar milyarderleri bile böylesine bir zenginliğe sahip değiller. Ne olursun biraz daha tadını çıkartalım. O şampanyayı sahil yerine yıllar önce Alman denizcilerin oturup, yemek yediği, sohbet ettiği salonda içelim.

- Bilemiyorum ki Celal, ne diyeyim? Sonra ne olacak?

- Şurada yıl başına ne kaldı. Yuvamızın tadını çıkartalım. Yeni yılı burada karşılayalım. Tekneden tek bir iğne bile almayacağız. Zamanı gelince eksiksiz olarak bırakır, jandarmaya ihbar ederiz. Ne dersin?

- Sen istedikten sonra neden olmasın. Ama dikkat edelim. Takip edebilirler.

- Yaşa be Metin! Haydi salona gidelim. Hayatın ve buluşumuzun tadını çıkartalım. O sandığı da yerine iteceğim. Yarın gelir, çelik levhayı yerine kaynaklarız. En azından oraya koymaya gerek görenlerin anısına saygı için bunu yapmamız şart. Merak etme, bölmenin kapağını öyle itinalı kaynaklayacağım ki, bizden sonra buraya girecek jandarmalar dahil hiç kimse kesildiğini anlamayacak.

**

Maltepe sahilinde, deniz manzaralı lüks huzur evine vardıklarında anne ve kızın heyecanı son haddindeydi. Sinan beyin görevlilerce çok iyi tanındığı hem hiç sorun çıkmamasından, hem de görevlilerin aşırı ilgisinden belliydi. Bu nedenle asansöre binip, temiz ve bakımlı koridorlardan geçerek Şefika Hanım'ın yanına gitmeleri zor olmadı. Yanlarındaki refakatçi hemşire kapıyı çaldığında Firdevs Hanım'ın kalbi duracak gibiydi.

- Kim o?

- Benim Şefika Hanım. Seda hemşire. Misafirleriniz var.

Kapıya doğru sürüklenerek yaklaşan bir metalin sesi duyuldu önce. Kapı açıldığında karşılarındaki kadının bir zamanlar sarı saçlı olduğu hâlâ belliydi. Yüzünde ve cildinin bazı yerlerinde muzdarip olduğu hastalığın neticesiyle belirmiş olan zalim lekeler muhteşem güzelliğini bozamamıştı.

- Buyurunuz. Sinan Bey evladım, bu ne hoş sürpriz. Sizi bu aralar beklemiyordum.

- Sizi görmeden durmak çok zor efendim ama bugün kendim için değil, eski, çok eski ahbaplarınızı getirmek için geldim. Umarım bana kızmazsınız. Bazı konulardaki hassasiyetinizi biliyorum ama hanımefendileri kırmak bana yakışmazdı.

Şefika Hanım'ın yüzü bir an gölgelendi. Elleri destek alarak ayakta durmasını ve yürümesini sağlayan alüminyum bir yürütece dayanmıştı. Şimdi kapı açılmadan önceki metalik sesin sebebini anlamışlardı. Saçları arkadan topuz yapılmış, bu nedenle hastalığının yüzünde açtığı lekeler iyice ortaya çıkmıştı. Hassas olduğu konu belliydi. Kadıncağız, Sinan Bey hariç eski günlerini ve güzelliğini bilen tanıdıklarının o halini görmesini istemiyordu.

- Sinan Bey, siz böyle bir hareket yaptığınıza göre mutlaka geçerli ve makul bir sebebiniz vardır. Keşke önceden haber verseydiniz, konuklarımı daha derli toplu bir halde karşılamak için çaba sarf ederdim hiç değilse.

- Hanımefendiciğim, biz sizi çok eskilerden tanırız. O zaman da çok güzeldiniz şimdi de. Sadece acelemiz vardı. Yeniden izinizi bulmaktan dolayı heyecanlıydık. O nedenle Sinan Bey'i ben sık boğaz ettim. Lütfen kusuruma bakmayın. Umarım rahatsız etmemişizdir.

- İçeriye buyurun Firdevs Hanım. Sizin için her zaman vaktim vardır.

- Tanrım, bunca seneden sonra beni hemen tanıdınız.

- Böyle söylemeyin, gücenirim doğrusu. Yaşlandım, hastayım, şu çelik korkuluk olmadan yürüyemiyorum ama hâlâ bunamadım. Çok şükür, aklım yerinde ve anılarım taze. Hele bazılarını unutmak mümkün değil. Sizin de unuttuğunuzu sanmıyorum.

Firdevs Hanım daha fazla dayanamadı. Kader arkadaşına sarılıp, ağlamaya başladı. Şefika Hanım da gözyaşlarıyla ona katılmıştı. Neden sonra sakinleşip, oturabildiler. Burası kesinlikle bir huzur evinin odasına benzemiyordu. Beş yıldızlı otellerde eşine rastlanabilecek mükemmel bir suitti. Salonun camlarından bahçedeki çam ağaçları, onların ardındaysa adaların güzelim manzarası ve deniz seçiliyordu. Eşyalar sade ama son derece zevkli seçilmişti. Kaliteli bambudan oturma grubu, masif bir çalışma masası, kütüphane, plazma ekranlı bir televizyon, zarif halılar ve Şefika Hanım'ın yanından ayırmadığı belli olan birkaç antika biblo. Ama çok daha önemlisi duvarları süsleyen tablolar, renksiz resimler ve resimlerin altına asılmış İstiklal Madalyası'ydı. Resimlerin birinde

Rüstem ve İzzet, kucaklarında o zamanlar küçücük birer kız olan Şefika ve Firdevs'le poz vermişlerdi. Tabloysa Şefika Hanım'ın gençliğinde yapılmış yağlı boya bir resmiydi ve tek kelimeyle göz alıcıydı.

- Amerikalılar daha sonra olayı resmi olarak haber verdiklerinde babamın İstiklal Madalyasını ve üzerinden çıkanları da iade etmişlerdi. Aynı üzücü işlemi sizin için de yaptıklarını biliyorum. Ne yazık ki onlar için resimlerini ve babamın madalyasını duvarıma asmak dışında bir şey yapamadım.

- Üzülmeyin Şefika Hanım. Hiçbir şey için geç değildir. Bugüne dek ben de hiçbir şey yapamadım. Ama bundan sonra yapamayacağız demek değildir bu. Cin gibi akıllı, aslan gibi güçlü torunum Turgut şimdi Amerika da. Eninde sonunda bu sırrı çözecek. O zaman başımız dik dolaşacağız. Sakın bu konuda kuşkuya düşmeyin. Artık elimiz kolumuz bağlı değil.

***

Kurallar gereği Oregon eyaleti, baş savcısı, Salisbury hapishane müdürüne ölüm cezalarının mahalli saatle on ikiyi bir dakika geçe icra edileceğini bildirdi ve emri tebliğ ettiğine dair imzasını aldı. Ayrıca aynı tebliğ baş savcı tarafından hapishane müdürüne kapalı bir zarfla resmi olarak bir kez daha bildirildi. Bildirim kayıtlara geçirildi ve bildirim saatinden, ölüm cezalarının icra edileceği saate kadar hazırlıkları yapmak için yeterli zaman bulunduğu bir kez daha karşılıklı olarak teyit edildi.

Baş savcı, ölüm cezalarının icra edileceği saati ilgili sağlık kuruluşu yöneticilerine de resmi olarak bildirdi ve iki mahkumun gerekli tıbbi kontrollerinin yapılıp, sonucun bildirilmesini istedi.

Hapishane müdürü, cezaları yerine getirilebilmesi için gerekli araç, gereç, donanım ve malzemelerin kontrolünün yapılması ve eksiklerin satın alma yoluyla tedarik edilmesini öngören emri yayınladı.

Biri eyalet başsavcısının, diğeri de eyalet valisinin emrine açık olmak üzere iki adet telefon hattının çekilmesine ve uygun cihazların yerleştirilmesine ait anlaşma sorumlu telefon şirketiyle yapıldı.

Cezaların infazı esnasında güvenliği sağlamak amacıyla altı kişilik personelin infaz sırasında hazır bulundurulması sağlandı.

Ölüm cezalarının icrası esnasında Oregon Yayıncılar Birliği tarafından atanan iki, Oregon Gazete Yayıncıları tarafından atanan iki ve Birleşik Basın tarafından atanan bir kişi olmak üzere beş adet gazetecinin hazır bulunması kararlaştırıldı.

Ayrıca başsavcının isteği üzerine infazlara şahitlik yapmak amacıyla suçluların ve kurbanların ailelerinden veya arkadaşlarından en fazla beş kişinin hazır bulundurulmasına ve bunların hepsinin on sekiz yaşından büyük olmasına dikkat edilmesine karar verilmiştir.

Turgut, büyük dedesinin ve arkadaşının idamına ait kayıtları okurken artık içi daralmıştı. "Tanrım, bunlar ne kadar karanlık detaylar!" diye düşündü. Biraz ara vermeli ve teferruatı atlamalıydı. Dışarı çıkıp, bir sigara içmek istedi. O zaman kapıda bekleyen iki görevliyi fark etti. Her adımını izliyorlardı. Kendisinden hoşlanmadıklarını anlıyordu ama kasabalıların gerçekleştirebileceği olası bir saldırıdan da korktukları belliydi. Çıkarttığı sigaradan muhafızlara da uzattı. Almadılar. Ama biri konuşmaya hevesliydi.

- Oldukça iyi bir İngilizceniz var. Benim için bile çok sıkıcı ve ağır olabilecek belgeleri rahatlıkla okuyabiliyorsunuz.

- İki sene kadar da Amerika'da eğitim görmüştüm.

Sohbeti açan görevli sesini çıkartmazken, daha iri ve suratı domuza benzeyeni lafa atladı:

- Neden Amerika'da okudunuz? Yoksa ülkenizde okul mu yok?

Herif, ruhundaki pislikleri açığa çıkartmak için en küçük bir fırsatı kaçırmamıştı.

- Hayır dostum. Ben bir doktorum. Tıp fakültesini ülkemdeki en iyi üniversitelerden birinde bitirdim. Uzmanlık eğitimim için kazandığım bursla ülkenizde eğitim gördüm. Ayrıca Türkiye'deki üniversitelerde eğitim gören yüzlerce Amerikan vatandaşı olduğunu bilmeni isterim.

Adam altta kalmayacak kadar cahil ve peşin hükümlüydü. Zehrini kusmaya devam etti.

- Demek insanları tedavi ediyorsunuz. Halbuki büyük dedeniz öldürmeyi seçmişti. Ayrıca bir Türk'ün doktorluğu seçmesi çok garip. Ben sizlerin daha ziyade haşhaş satıcılığı ve gardiyanlık yapmayı tercih ettiğini sanıyordum.

Herifin, "Gece Yarısı Ekspresi" filmini seyredip, gördüklerinin gişe kaygısıyla Hollywood tarafından abartıldığını anlamayacak kadar kafasız ve nefret dolu olduğu belliydi. Artık bu tatsız sohbete bir nokta koyması gerekliydi.

- Bak dostum. Doktor olarak pek çok insanın hayatını kurtardım bugüne dek. İçlerinde sayısız Amerikalı da vardı. Ama o koca çeneni kapatmazsan öldüreceğim ilk insan sen olacaksın. Neticede büyük dedemin genlerini taşıyorum ve senin gibi bir geri zekalıyı haklamaktan zevk alacağımı hissediyorum.

Çok bilmiş muhafız kızarmıştı. Herhangi bir saçmalık yapmasına imkan vermemek için meslektaşı tarafından odadan çıkartıldı. Turgut'sa işinin başına döndü. Tüm detayları istemiyordu. İdam saatine atlamak en iyisiydi.

İnfaza otuz dakika kala hükümlüler ölüm hücrelerine alındı. Artık hiçbir ziyaret gerçekleştirilmeyecektir.

Şahitler, başsavcı yardımcısının belirttiği saatte izleme bölümüne alındılar. Hükümlülerin ülkemizde yerleşik kimseleri bulunmadığından şahitliklerini baro tarafından atanmış avukatlarının yapacak olduğu görüldü.

Ölüm saati olan 12.01'i gösterecek olan saat ve telefonlar son kez kontrol edildi.

Kurbanların tarafındaysa yaşı on sekizi doldurmuş kimse olmadığından beş kişilik arkadaş ve aile dostunun bu görevi yerine getireceği anlaşıldı.

İlk olarak Rüstem Ertürk adlı hükümlü yanında iki, arkasında iki, önünde iki güvenlik görevlisi olmak üzere elektrikli sandalyeye doğru yürümeye başladı. Üzerinde ölüm mahkumlarına giydirilen tulum, bir elinde Müslümanların kutsal kitabı Kuran, diğer elinde ülkelerinin kurtarıcısı olduğunu söyledikleri Mustafa Kemal adlı komutanın resmi vardı. Ayakları çıplaktı. Hiç korkmuşa benzemiyordu. Bu durum karşısında kurban tarafın şahitlerinden Crawford Allen isimli şahıs kendisine hakim olamayarak ayağa kalkıp, "Cehennem seni bekliyor. Umarım sonsuza dek ıstırap çekersin." diye bağırdı. Diğer şahitler de çeşitli protestolarla ona katıldılar.

Tıbbi kontrollerini yapan doktora infazı engelleyecek bir sorunu olup olmadığı soruldu. Doktor infazın icra edilebileceğini söyledi.

Duvardaki saat bir kez daha kontrol edildi.

Daha fazla okuyacak dermanı kalmamıştı Turgut'un. Kısaca göz attı belgelere.

İşlediğiniz cinayetlerden sonra Oregon, Salisbury kasabası ağır ceza mahkemesi tarafından adil bir şekilde yargılandınız. Jüri tarafından suçlu bulundunuz.

Az sonra ölene dek vücudunuza elektrik akımı verilecektir.

Tanrı ruhunuzu affetsin.

Islak sünger idam mahkumunun başının üzerine konulduktan sonra metal miğfer, üzerine kapatıldı. Elektrik akımını verecek olan kablonun bir ucu metal miğferin üzerindeki......... Diğer ucu hükümlünün....... son olarak ölüm maskesi suratına........

Duyguları iflas etmişti. Belgeleri masanın bir kenarına fırlattı. Midesi patlamak üzereydi. Yeniden dışarı çıkıp sigara içmesi, belki de uzun süre yatışması gerekiyordu. Odayı terk etmek üzereyken dikkatini çeken birkaç satır tekrar geri dönmesine sebep oldu.

"Ben, ülkemin ve Cumhuriyetimizin geleceğini karartmayı ve yok etmeyi kendilerine amaç edinmiş bir nesli yok ederek görevimi yaptığıma tüm kalbimle inanıyorum. Gerçekler bir gün anlaşılacaktır. Yüce Tanrı ona gerçekten ve temiz bir kalple inananları çok iyi bilir ve ayırır. Ayrıca dinimize ve yüce peygamberimize samimi duygularla bağlı olan herkes bir gün bizleri takdir edecektir. Asla pişman değilim. Yaşasın Türkiye Cumhuriyeti, yaşasın onu kurtaran ve kuranlar!"

Tanrım, bu nasıl bir şeydi? Artık beyni durmuştu. Büyük dedesi çoğunluğu kadınlardan ve çocuklardan oluşan bir aileyi katletmişti ama onları Türkiye Cumhuriyeti'ni yok etmeye çalışmakla suçluyor ve görevini yaptığını, pişman olmadığını ısrarla söylüyordu. Altındaki nottaysa; hükümlünün ölmeden önce net bir İngilizceyle ve bağırarak sarf ettiği sözlerin bunlar olduğunu, infazda hazır bulunanların hiçbir anlam veremediğini bildiriyordu. Turgut kendini sıktı. Var gücünü kullanıp, İzzet Yıldırım'ın da ölüme gidişine ait kayıtları okudu. Onun da son sözleri Rüstem'le aynıydı. Ne demekti tüm bunlar? Bilemiyordu. Bilebildiği tek şey; önündeki kağıtlara dökülen göz yaşlarıydı. Masum çocuklar, kadınlar, elektrikli sandalyede kavrulan büyük dedesi ve arkadaşı. Her şeyi bırakıp, dışarı çıktı. Böylesi acımasız bir cinayetle Türkiye Cumhuriyeti arasında nasıl bir bağ olabilirdi? Dünyanın öbür ucunda öldürülen kadınların ve çocukların ülkemize nasıl bir zararı dokunabilirdi? Büyük ihtimalle Türkiye diye bir ülkenin adını bile duymamışlardı. Peki Akdeniz kıyısındaki İskenderiye'de başlayan, Amerika kıtasının Pasifik kıyısında küçük bir kasabada son bulan kanlı takibin anlamı neydi? Ninesi "Mutlaka haklı bir sebepleri vardır." demişti. Belki de yaşlı kadın gerçekten haklıydı.

***

Beş dakikaya kadar İstanbul, Atatürk Hava Alanı'na inileceği ve kemerlerin bağlanması gerektiği anons ediliyordu El Al Havayolları, Tel Aviv-İstanbul seferinde. İzak adeta taş kesilmiş, gözleri boşlukta bir noktaya sabitlenmişti. Akrabalarına uğrayamazdı. Böylesine gizli bir göreve geldiğine göre bu imkansızdı. Çok gizli ve çok önemli bir vazifeye layık görülmüştü. Ama sevinemiyordu. Yoksa layık görülmek bir yana kurban olarak mı seçilmişti? Böyle bir şey imkansızdı. Ancak her zaman mümkün olma ihtimali de vardı. Üstelik bu ihtimali az sayılamayacak kadar yüksekti. Bir gün bu kutsal görevin yerine getirileceğinden asla kuşku duyulmamış, hep inanılmıştı. Ancak İzak şimdi hayatında ilk kez başarısız olmayı arzu ediyordu. Ya başarırsa, ya şans bu sefer yanında olursa, ya mucize gerçekleşirse ne olacaktı?

Ona nasıl bakardı?

Nasıl ellerdi?

Nasıl eli ayağı titremeden ona yaklaşırdı?

Nasıl dokunabilirdi?

İçinden bildiği bütün duaları okumaya başladığında uçağın tekerlekleri piste dokunmuştu.

"Off Tanrım. Başlıyor. Ne olur yardı et." diye inleyebildi.

***

- Bildiğiniz gibi babamdan sonra annemi de çok erken kaybettim. Yaşam sevincim, mutluluğum yok olup gitmişti. Tek varlığım; yaşadığımız köşk ve pederimin son kez Amerika'ya gitmeden önce üzere bankaya koyduğu paraydı. Tabi, Amerikan Hükümeti'nin idamdan sonra gönderdiği özel eşyaları, son mektubu ve madalyası yegane tesellimdi.

- Şefika Hanım, hafızanız benden çok daha iyi. Son mektup dediniz. Babam Rüstem Bey'in özel eşyaları arasından böyle bir mektup çıkmadı.

- Babam yazmış ve ailesine verilmek üzere ilgililere teslim etmişti. Sonunda diğerleriyle birlikte elimize ulaştı.

- Bu mektup nerede şimdi?

- Bankada, özel kasamda. Hiç evlenmedim. Tek çocuk olduğumu biliyorsunuz. Bırakacak kimsem yoktu. Zamanla hafızam zayıflamaya başladı. Bir yerde unutur bulamam korkusuyla kasaya koymayı uygun gördüm.

- Demek hiç evlenmediniz?

- Olanlardan sonra hayattan kopmuştum. Yaşananlar benim gibi zaten zayıf bünyeli içli bir çocuk için çok fazlaydı. Arkadaşlarım, babamın idam edildiğini öğrenmiş olabilirler korkusuyla ne okula gitmek, ne de sokağa çıkmak istemiyordum. Ardından annemin de ölmesi beni daha çok sarstı. Sonuçta kendi arzumla uzun ve sıkıcı bir yalnızlığa gömüldüm. Refik Bey'in hayatıma girmesine dek komşularca "Deli Saraylı" olarak nitelenen arkasından gülünen bir kadındım. Refik Bey'le çok şey değişti. Daha doğrusu beyefendi beni, kendim için kazdığım ve diri diri gömüldüğüm mezardan çıkarttı. Uzun bir hikayedir.

Ama onunla bir yastığa baş koymak ne yazık ki kısmet olmadı. Kader diyelim, geçelim. Çok erken ayrıldı aramızdan. Halbuki bu konuya çok ilgi duymakta ve olayın üzerine cesaretle gidip, araştırma yapmakta ısrarcıydı.

- Allah rahmet eylesin. O mektupta ne yazıyordu Şefika Hanım?

- Bunun için bana biraz vakit vermenizi istirham etsem kabalık yapmış olur muyum acaba? Ama zamanı gelince bir kopyası mutlaka elinizde olacak.

- Ne demek efendim! En doğrusunu siz bilirsiniz. Torunum Turgut, şimdi Amerika'da bu olay üzerine çalışıyor. Tıpkı büyük dedesi gibi yerinde durama-yan, haksızlığa boyun eğmeyen bir delikanlı.

- Demek kısmet onaymış. Allah kolaylık versin. Bense Refik Bey'in ölü-münden sonra bu olayın aydınlanacağından tamamen ümidimi kesmiş, hayata küsmüştüm.

- Evet, babalarımız korkunç cinayetler işlediler. Ama nedense ben her za-man haklı ve makul bir sebepleri olduğuna inandım.

- Anne, masum çocuk ve kadınları öldürmenin nasıl haklı sebebi bir olabi-lir? Çok kötü bir şey yaptılar ve ölümlerin en kötüsüyle cezalandırıldılar. Akıl-lı davranıp, yıllar önce acımızı içimize gömüp, olayı kapatmıştık. Sense yıllar sonra, hiç gerek yokken bir daha asla açılmaması gereken bu konuyu tekrar or-taya çıkarttın. Oğlumu zehirleyip, başına iş açtığın yetmezmiş gibi, şimdi de Şe-fika Hanım'ı rahatsız ettin. Dahası, onu da sonuçta çok üzülüp, acı duyacağı bir maceraya atıyorsun. Kapanmış yaralarını kanatıyorsun. Hanımefendiye yeteri kadar rahatsızlık verdik. Hava karardı. Bir an önce yola çıkalım. Kendileri de istirahat etsinler.

Uzun süredir sessiz bekleyen kızı sonunda rahatsız olup, annesine isyan bayrağını açmıştı ama cevabı Şefika Hanım'dan geldi. Hem de hiç ummadığı bir şekilde:

- Hanımefendi, eski köşkümüzün bahçesinde erik, incir, vişne ağaçları vardı. Babam, o bahçeye çıkmamızı, hatta o yöne bakan pencerelerde bile gözükme-mizi yasaklamıştı. Neden biliyor musunuz?

- Neden?

- Çünkü mahallenin çocukları doğal olarak o ağaçlara musallat olmuşlardı. Gün boyu gizlice bahçe duvarını tırmanıp, ağaçların dallarına tünerlerdi. Baba-mınsa onları korkutmaktan ödü patlardı. Bizden ürküp, kaçmaya davranırlarsa ağaçlardan düşüp, zarar görebilirler endişesiyle sahibi olduğumuz bahçeye çık-mamızı yasaklamıştı. Sonunda o ağaçların tümü kesildi. Kesen de dedeniz Rüstem Efendi'ydi. Çünkü bir gün bizi ziyarete geldiğini gören küçük bir kız çocuğu, üzerine çıktığı vişne ağacından inmek isterken düşüp, bileğini incitmişti. Sırf çocuklar bir daha zarar görmesinler diye kesildi o ağaçlar. Rüstem Bey de, babam da çocukları delicesine severlerdi. Ama gün geldi, minicik çocuklara ölüm kustular. Bunun bir nedeni olmalı. Ölmeden önce bunu öğrenmek hepimizin hakkı değil mi?

- Öğrenirseniz acını hafifleyecek mi?

- Hayır. Hiçbir sebep günahsız çocukların öldürülmesini affettiremez. En azından oralara kadar gidip, bu cinayetleri kendilerine yakıştırılan bir sürü anlamsız amaçla işlemediklerini, bilmediğimiz, anlayamadığımız ama onlar için çok önemli nedenleri olduğunu bile öğrenebilmek bizleri biraz olsun rahatlatacaktır.

İstanbul, Swiss Otel

- Odanızı Boğaz manzaralı olanlardan ayırttım Herr Brandt. Yirmi birinci kat. İyi bir uyku çekip dinlenin. Sabah kalkıp kahvaltınızı edene dek saat on iki olur. Ben de o saate kadar konsolosluktaki işlerimi hallederim.

- Uykum yok Kuefer. Sabah on ikiye dek de uyuduğum görülmemiştir. Bir-iki viski için bana eşlik edersen sevinirim.

- Siz uygun gördükten sonra memnuniyetle... Lobide güzel bir bar olmalı.

- Gerek yok. Odama servis yapmalarını isteriz. Böylesi daha uygun. Oturun lütfen. Denizin karşısında gözüken bol ışıklı yer neresi?

- Üsküdar sahilleri olmalı. Yani Asya yakası. Bu yakaya göre daha sakindir. Bakın, denizin içerisinde gözüken kuleli küçük yapı Türkler tarafından "Kız Kulesi" olarak adlandırılıyor. Arkasında çeşitli efsaneler olan ve Bizans döneminden kalma bir eser. Ne zaman isterseniz sizin için düzenlediğim İstanbul gezisini yapabiliriz. Programda tarihi yarımada, camiler, Topkapı Sarayı, Sultan Ahmet Meydanı, Alman Çeşmesi ve Boğaz turu var.

- Güzel ama biraz önce adını söylediğiniz yapı...

- Kız Kulesi mi? İsterseniz oraya da gidebiliriz.

- Efsane yanı beni ilgilendirdi daha ziyade.

- Hakkında sayısız efsane vardır. Bilirsiniz, doğu toplumları bu türlü hikayeleri yaratmakta oldukça ustadır.

- Unutmayın Kuefer. Biz de bir efsanenin peşindeyiz.

- Ama bu başka, hem de bambaşka. Efsaneler çok eski toplumlardan bu yana bir nevi tesellidir. Ölen sevdiklerini, kaybettikleri liderleri, komutanları ölümsüzleştirmek çabasıdır. Bunları süslerler. Bu masallarda sevdikleri insanlara gerçekleşmesini istedikleri imkansız şeyleri yaptırırlar. Ancak bizim konumuzda elle tutulur, somut bir gerçek efsaneleştirilmiş. Biraz da mecburiyetten kaynaklanan efsaneleştirme olayı... Düşün ki, halen tüm dünyanın tartıştığı, araştırdığı ve aradığı bir gerçek. Yıllar önce avucumuzun içerisinden kaçırdığımız bir gerçek. Lanet bir denizaltıyla birlikte kayıplara karışmış bir gerçek. Bu kadar tatil yeter. Yarından itibaren ciddi adımlar atmamız gerekir. Neydi o delikanlının adı?

- Bakın, Herr Brandt. Var gücümüzle çalışıp, sonuca ulaşacağız. Ama birden o delikanlının üzerine gidersek ürkütürüz. Bu da bizim aleyhimize olur. Acaba arkadaşça davranıp, ilgisini çekecek hediyeler vererek onu kendi yanımıza çeksek nasıl olur?

- Kuefer, eğer bu işte yufka yürekli davranmayı düşünüyorsan baştan söyle. Başka birini yanıma alabilmek için vakit kazanayım. Sen de işin teorik yardımcılığında kalabilirsin tabi ki.

- Ben sonuna dek operasyonun içerisinde olmaktan yanayım.

- O zaman gerektiğinde acımasız olmamız gerektiğini iyice kafana sok.

- Sizce konunun üzerine bu derece sert gitmenin yararı...

Sözünü bitiremedi.

- Kulaklarını iyi aç ve dinle Kuefer. 1917 yılında Berlin Harp Karargahı'nda telsizin başında oturan ve tüm mesajları deşifre edip, komuta kademesine ileten genç askerle hayatının son yıllarında görüşmeyi başardım. O zamanlar seksen beş yaşında ve oldukça sağlıklıydı. İkinci Dünya Savaşı'ndan sonra Rusların elinde kalan Doğu Berlin'de tek başına yaşıyordu. Rus yetkililere rüşvet vererek batıya kaçırdık. Mutlu olacağını sanıyorduk ama hiç de öyle olmadı. Israrla "O tarz bir hayata alıştığını ve artık yeni bir hayat kurmak istemediğini." söyledi. Günleri kütüphanelere gidip bedava gazete ve mecmua okumak, marketlerde ucuz yiyecek ve bira aramakla geçiyordu. Aslında hatıralarından ve sorgulanmaktan korkuyordu. Asla kendi geçmişine dönmek istemiyordu. Belki de özellikle doğuda yaşamayı seçmişti. Çünkü yeni idareciler ondan ve neler bildiğinden haberli değildi. Böylece huzur içerisinde yaşayacak ve o günleri tarihin karanlığına gömecekti. İsmini de değiştirdiğini göz önüne alırsak yanılmadığım ortaya çıkar.

- Yalnızdı dediniz. Ya eşi ve çocukları?

- Hiç evlenmemişti. Hayattaki tüm akrabaları batıda yaşıyordu ve onlarla irtibatı yoktu. Kendisini unutturmayı seçmişti. Bu zaafını anladığımda tekrar Doğu Berlin'e ve sevdiği yaşamına geri götürmek için pazarlık yaptım.

- Bildiklerini zaten biz de biliyoruz. Ayrıca o sırada karargaha olan bazı üst düzey yetkililer de...

- Kuefer, çok yetenekli ve çalışkan birisin. Ama tecrübe, yani yaşamdan kazanılan bazı öngörülerin eksik. Bir zamanlar harp karargahında, telsizin başında oturan genç bir asker, diğerlerinin farklı bazı bilgilere sahip olmasa neden Doğu Berlin'de inzivaya çekilsin ki?

- Neler biliyordu?

- Bunu sezmek çok zor değildi. O günleri yaşayan birçok yüksek rütbeli şahıs ve danışman normal yaşamlarına döndü. O ise yaşamını değiştirdi. Karanlığa dalıp, kaybolmayı seçti. Çünkü böylesi işine geliyordu.

- Neden? Yoksa bildiklerini Ruslara mı pazarladı?

- Hayır. Her şeyi unutmak ve unutulmak istiyordu. Bir hata yapmıştı. Denizaltıdan alınan son mesajla tüm irtibat kesilmişti. U-27'den bir daha hiçbir haber alınamamış ve Ege Denizi'nde kaybolduğuna kanaat getirilmişti. Ama o günün genç askeri, benim seksen beş yaşındayken buluğum yaşlı adam denizaltının kaybolduğuna hükmedildiği günden bir hafta sonra alınan başka bir mesajı hasıraltı ettiğini itiraf etmek zorunda kaldı.

- İnanamıyorum. Bunu nasıl yapabilir? Hem de böyle önemli bir konuda ve savaşın en civcivli zamanında kaybolan denizaltıdan gelen bir mesajı üst makamlara neden iletmez? Hatası, savaş mahkemesinde yargılanmasına ve kurşuna dizilmesine dek gidebilirdi. Hangi akla hizmet etmiş olabilir?

- Ben de aynısını sordum. Tabi cevap vermesini sağlamak için çok sevdiği biranın doğu da bulamayacağı en nadide örneklerinden bolca ikram ettim. Ayrıca konuşur konuşmaz evine geri götüreceğimi, ömür boyu rahat yaşayıp, mağazaların ucuz gıda ve bira satan reyonlarına yan bakmaya bile tenezzül etmemesini sağlayacak kadar para vereceğimi de ekledim.

- Yaşlı adamı zayıf noktasından vurmuşsun.

- Maalesef hiçbiri para etmedi. Ne kaliteli biralar, ne de hayatı boyunca hayal bile edemeyeceği miktarda para.

- Konuştuğunu, ikna ettiğinizi söylemiştiniz.

- Ne yazık ki sonunda kendi yöntemlerimi kullanmak zorunda kaldım.

- Anlıyorum.

- Ne yaptım biliyor musun?

- Anlatmamanızı rica ederim.

- Sen bilirsin. Ama yöntemlerim zor da olsa işe yaradı. Mesajı üst makamlardan saklamıştı. Nedeniyse; çok korktuğu, inanılmaz derecede korktuğu için sakladığıydı.

- Onu bu kadar korkutan ne olabilirdi ki?

- Bunu hiçbir zaman öğrenemedim. Aslında yöntemlerim işe yaramıştı ama adamın yaşını hesaba katmadığımdan her şeyi anlatacak kadar yaşayamadı.

- Durmanız gerektiği noktayı ayarlayamadınız, değil mi?

- Maalesef.

Kuefer, Herr Brandt'ın ne mal olduğunu çok iyi biliyordu. İşkencenin dozunu kaçırdığını anlamıştı. Şimdi karşısında manzara seyrederek, büyük bir soğukkanlılıkla içkisini içen adamdan nefret ediyordu. Resmen ölüm ve kan kokuyordu. Onunla aynı ortamda bulunmak bile yeterince huzursuz olmasına sebepti ama baka çaresi yoktu. Bu herife ihtiyacı vardı. Karşısındaki, düşüncelerini sezmiş gibiydi.

- Benden hoşlanmadığını biliyorum Kuefer. Ancak yine de çok önemli bir şeyi öğrenebildim o ihtiyar komünist hayranından. Deniz altı Ege Denizi'nde kaybolmamıştı. Bir hafta sonra gelen son mesajda; civardaki İngiliz, Fransız gemilerinden ve düşman konvoylarından çekindikleri için bir süre mesaj göndermekten vazgeçtiklerini, savaşta müttefik olan Osmanlı İmparatorluğu'nun kontrolündeki sulara ulaşmak amacında olduklarını bildiriyordu. Yani bu genç Türk, hayal bile edemeyeceğimiz bir şeyler biliyor olabilir.

- Anlıyorum ama bu mesaj nedeniyle korkmasına, özelikle saklamasına gerek yoktu.

- İhtiyarın bazı şeyleri söylemediğine ve ne kadar uğraşsam asla söylemeyeceğine inanıyordum. Şimdi de aynı kanıdayım. Bir şeyden korkmuştu, hem de ölümüne korkmuştu ve bedeni üzerinde denediğim hiçbir yöntem onu bu konuda ikna etmeye yetmedi. Çektiği acılara rağmen susmayı tercih etti. Halbuki kullandığım yöntemler en dayanıklı gerillanın bile çözülmesine rahatlıkla yeterliydi.

- Onu konuşturamadığınıza inanamıyorum. Gerçi aldığı son mesajı açıklamış ama neden sakladığını söylemiş.

- Ben de inanamıyorum. Daha önce hiç başıma gelmemişti. Ama sustu. Her şeyi göze alıp, neden mesajı üst makamlara iletmediğini sonsuza dek saklamak için ölmeyi tercih etti. Sadece ölmeden önce bir şeyler mırıldandı.

- Faydası oldu mu?

- Bilemiyorum. "Korkuyordum, hem de çok korkuyordum. Siz de korkacaksınız. Vazgeçin!" dedi. Anlamadığım bir şey onu öylesine korkutmuştu ki, benim yapabileceğim hiçbir şey onu yıldıramazdı. Üstelik o esnada ayak baş parmağında kalan son tırnağı da kerpetenle çekmekteydim. Başkası olsa bülbül gibi öterdi. Oysa, son nefesinde sırıttı. Adeta benimle alay ediyordu.

- Yazık, pek çok şey öğrenebilirdiniz ondan.

- Şimdi son şansınız kendi ayağıyla gelen kısmetimiz.

- Kısmet?

- Meraklı Türk genci. İlk fırsatta yüz yüze görüşmeliyiz. Yöntemlerimin onu konuşturmak için yeterli olacağını sanıyorum.

- Lütfen acele etmeyin ve acımasız davranmayın. Dostça bir ilişki daha faydalı olabilir.

- Merhamet ve dostluk gösterine ayıracak vaktimiz yok Kuefer. Her geçen dakika büyük kayıptan daha fazla uzaklaşmamızdan başka bir şeye yaramaz.

***

Norfolk Limanı, Virginia, A.B.D.

CVN-75 bordo numaralı USS Harry S Truman uçak gemisi sancak tarafından yanaştığı rıhtımda tüm heybetiyle diğer askeri gemileri gölgede bırakmıştı. Norfolk, Amerikan Deniz Kuvvetleri'nin en önemli üslerinden birisi ve Atlantik filosunun merkeziydi. Haritaya bakılınca neden burasının seçildiğini anlamak çok kolaydı zira Norfolk, herhangi bir teyakkuz anında Washington, New York gibi önemli şehirlere yakınlığı dışında doğal yapısının uygunluğuyla harika bir konumdaydı. Ayrıca güneye doğru kilometrelerce uzanan ve dünyaca meşhur Virginia Plajı, hem görevleri nedeniyle şehre yerleşmek zorunda kalan Amerikan bahriyelilerini, hem de ailelerini yaz aylarında oyalamak için biçilmiş kaftandı. Daha önemli yanıysa; Sam Amca'ya elindeki nükleer reaktörlü uçak gemileri başta olmak üzere tüm deniz gücüyle Avrupa, Akdeniz, Ege limanlara, Ortadoğu ve Basra Körfezi'ne kolayca ulaşabilme olanağı vermesiydi. Hükmetme alanı, neredeyse dünyanın üçte biri ve en stratejik bölgesiydi. Durum böyle olunca şehir, özellikle İkinci Dünya Savaşı'yla oldukça gelişmiş, her yıl donanma üssüne katılan yeni gemilerle tam bir bahriye limanı haline gelmişti. Askeri tesislerin önünde uzanan geniş otobanın ardında sıralanan iskelelerde aynı anda USS Enterprise, USS Theodore Roosewelt, USS Eisenhower gibi uçak gemilerinin karaya vurmuş dev balinaları andıran bir halde yan yana durduklarını görmek olağandı. Tabi bunlar dışında sayısız kruvazör, destroyer, fırkateyn, yardımcı gemi, denizaltı ve yakıt ikmal gemisi aynı uzun rıhtımda sıralanmış durumda olurlardı. Tabi gemilerde, askeri tersanelerde, depolarda görev yapan sayısız Amerikan denizci ve onlara bağlı olarak şehre yerleşmiş olan sivillerin oluşturduğu kozmopolit yapı dünyanın hiçbir yerinde görülemeyecek kadar karışıktı. Hele bunlara geçimlerini askeri personelin sırtından çıkartmak amacıyla altına hücum edercesine bölgeye gelmiş on binlerce girişimci eklenince arı kovanına benzer bir hal oluşmuştu. Öncelikle sayısız lokanta, fast-food restoran, mağaza, tabi ki ay sonu maaş çeklerini alan bekar denizcileri oyalamak, kafayı çekip, cüzdanlarını iyice boşaltmalarını sağlamak için kurulmuş barlar, her türlü eğlenceye açık mekanlar, randevu evleri, bir de ülkenin dört tarafından yollarını bulmak için üşüşmüş fahişelerin tüm kazancı askeri personelin üzeriden sağlanıyordu. Sayıları yüz bini aşan ve aylarca evlerinden uzak, denizin üzerinde bir fındık kabuğu misali gemilerde fırtına yiyip, mideleri allak bullak olan denizcilerin limana vardıklarında istekleri kolayca bitecek gibi değildi. Önce fahişeleri ziyaret eden, ardından aylardır denizin ortasında harcayamadıkları paraları savurmak için mağazalara dolan denizcilerin son duraklarıysa; gürültülü müzik ve sigara dumanından normal bir insanın ayak bile atmak istemeyeceği barlardı. Gecenin ilerleyen saatleriyse şehrin karanlık mahallelerindeki batakhaneler, kendilerine sığınan bazı bıçkın denizcileri farklı programları ve zengin uyuşturucu çeşitleriyle ağırlardı. Tarih boyunca denizci demek; kavga, içki, sorun, olay demek olduğundan Norfolk'da yaşayan siviller de sırtlarından iyi para kazandıkları halde denizcileri pek sevmez, aralarında derecesi bazen gazetelere kadar yansıyan sürtüşmeler eksik olmazdı. Tabi gemilerinin güvertesinde yapılan ertesi günkü mesai taburuna morarmış gözler, patlak dudak ve kafalar, alçılı kollarla katılan askerler bu sürtüşmelerin doğal sonucuydu.

USS Harry S Truman uçak gemisi bu kez rıhtımda tek tük kalmış birkaç askeri gemiden bir tanesiydi. Başka günlerde alabildiğine dolu olan dev rıhtım, Körfez Savaşı nedeniyle bölgeye hareket eden gemiler nedeniyle adeta sinek avlıyordu. Truman uçak gemisi de normalde günler önce limandan ayrılıp, Basra Körfezi'ne hareket etmesi gerekirken yukarıdan gelen ani bir emirle geçici bir süre seferden alıkonulmuş ve bekleme pozisyonundaydı. Bir gün önceyse Başkan Bush'un bizzat gemiyi ziyaret edip, askerleri uğurlayacağı ilan edilmiş ve günlerdir sakin hayata alışmış olan mürettebatı büyük bir telaş almıştı. Geminin paslı sacları raspa ve boya ekiplerince elden geçiriliyor, personel ellerinde boya tenekeleri, fırçalarla güvertelerde koşturuyor, bayrak ve flamalar yenileniyor, üniformalar sahildeki askerlere hizmet veren dükkanlara temizlenmek üzere gönderiliyordu Tabi izinler kaldırılmıştı. Öğlene doğru üst uçak güvertesinde kuleye yakın bir bölüme portatif tribünler kuruldu. Başkan Bush kamuoyuna en güzel dayanışma mesajını vermek için bu tribünlere sıralanmış denizcilerle basına poz verecekti. Gazetecilerin sökün etmesi fazla sürmedi. Ellerinde kameralar, mikrofonlar ve ayaklara dolanarak milleti canından bezdiren kablolarla ortaya çıktılar. Komutandan, en kıdemsizine tüm personel güvertede tören ve selamlama yerlerini almışlardı. Sonunda bir düzineden fazla araç rıhtımda park etti. Araçlar daha durmadan içlerinden atlayan CIA görevlileri, ellerinde telsizler olan iri yarı korumalar ortalığa dağılıp, her yanı kontrol altına aldı. Bir gün önce komando balık adamlar dalış yapıp, geminin tüm su altı kesimini bomba olup, olmadığından emin olmak için aramışlardı. Üzerinde siyah bir palto olan başkanın ortalıkta gözükmesiyse merakla bekleyen denizciler için hayal kırıklığıydı. Zira birlikte resim çektirip, ailelerine gönderme şansı yakalamayı umdukları Mr. Bush, hiç de televizyonlarda görüldüğü kadar heybetli değildi. Sinirli olduğu her halinden, özellikle sürekli oynattığı omuzlarından belliydi. Ağzı hâlâ leş gibi içki kokuyordu Gülümseyerek çevresini selamladı, karşılayan komutanla el sıkıştı, ardından çevik olmaya çalışarak iskeleden güverteye tırmandı. Tribünlere üst üste sıralanmış denizciler o anda var güçleriyle başkanlarını alkışlamaya başladılar. Komutandan bilgi alarak ilerleyen başkanın peşinde en az yirmi kişilik bir heyet vardı ve onlar da ellerinde çantalarıyla etrafı uzman gözlerle inceliyorlardı. Neyse ki hazırlanan kürsüye çıkan Mr. Bush, umulandan çok daha kısa bir konuşma yaptı. Amerika'yı bugünkü dünya lideri konumuna getiren cesur ruhtan, tüm tehlikeleri göze alarak doğu sahilinden, en batıya kadar yerleşen ve gittikleri bölgeleri ıslah eden öncülerden, ülkelerinin demokrasi ve özgürlüğe olan bağlılığından ve şimdi bu yüce düşünceler ışığında Irak halkını özgürleştirmek için savaşmayı göze alan kahraman Amerikan ordusundan bahsedip, övgüler düzdü.

Sırada gemiyi dolaşmak ve denizcilerle birlikte yenecek yemek vardı. Başkan, birlikte resim çektirmek isteyenleri kırmadı. Ellerini heyecanla yanına yaklaşan denizcilerin omuzlarına koyup, bolca poz verdi, zenci askerlere daha yakın ve sıcak durmayı ihmal etmedi, espriler patlattı. Son olarak geminin kafeteryasında diğerleri gibi sıraya girip hindi, kızarmış patates, haşlanmış sebze, mısırdan oluşan yemeğini tepsisine doldurup, masaların birisinde mavi işbaşı elbiselerini giyinmiş bahriyelilerle beraber yedi. Ardından tekrar resimler çektirip, dünya ve insanlığı felaketlerden korumak için barış ve demokrasi uğruna can vermekten çekinmeyen kahraman Amerikan denizcileriyle bir arada olmaktan gurur duyduğunu, tüm vatandaşların dualarının onlarla birlikte olacağını bildiren dokunaklı bir konuşmadan sonra "Tanrı sizleri ve Amerika'yı korusun." diyerek alkışlar arasında gemiden ayrıldı. Tören bitmişti. Artık savaş zamanıydı. Harry S Truman uçak gemisi iki saat sonra sahile toplanmış asker ailelerinin göz yaşları ve el sallamaları arasında Basra Körfezi'ne doğru hareket ederken yaşadıklarının hâlâ etkisi altındaki denizciler, Başkanla birlikte gemiye giren kalabalık heyetten beş kişinin asla uçak gemisini terk etmediklerinden, onların geminin en güvenli kamaralarından birinde kendileriyle birlikte yolculuğa katıldığından, üç tanesinin özel seçilmiş koruma, bir tanesinin eğitmen ve sonuncusunun Oregon'un, Salisbury kasabasından gelen adam olduğundan haberleri yoktu. Başkan Bush, Irak saldırısı nedeniyle Amerikan gücünü temsil eden sayısız silahı, savaş gemisini, hayalet uçağı, akıllı bombaları, füzeleri ve işleri sadece öldürmek olan piyadeleri bölgeye göndermişti ama şimdi en tehlikeli silahını Truman uçak gemisinin kamarasında Kudüs'e gönderiyordu. Alacakları muhteşem sonuçtan emindi. Tanrı onlarla birlikteydi ve mucizeleriyle her an yanlarında olduğunu hissettiriyordu.

***

- Tüm bunlardan ne kadar eminsiniz?

Yaacov, kendisiden emin bir şekilde karşısında oturan İsrail başbakanı Ariel Sharon'a baktı. Bir süre öce Başkan Bush'un hediyesinin Norfolk'dan yola çıktığı haberini alan başbakan durumdan rahatsız ve sıkıntılıydı. Oldu bittiye mi getiriliyordu bu olay? Hâlâ emin değildi ve Mossad, operasyonlar bölümü başkanı Yaacov'un konuñun üzerine bu derece hırsa atlamasına da bozulduğunu belli etmekten çekinmiyordu.

- Bence Başkan Bush'a, İsrail halkı adına teşekkürlerinizi bile sunmalısınız.

Başbakan Sharon, hayatı boyunca hiç de yumuşak ve merhametli davranmamıştı. Özellikle düşman bellediği Araplara karşı bu tavrını acımadan ortaya koymuşu. Ama başarısını asla sadece sertliğine değil, aklını, mantığını, bir de İslam ülkeleri hakkındaki derin bilgisini en iyi şekilde kullanmasına bağlıyordu. Karşısındaki Yaacov'sa fazlasıyla aceleci ve ateşli davranıyordu.

- Genç adam, bu konunun üzerine çöl ortasında keşfedilmemiş bir vaha bulmuşçasına atlamamıza doğrusu öfkeleniyorum. İçinde bulunduğumuz ortamda atacağımız en küçük adımı bile defalarca düşünmemiz gerekirken bu derece acele etmeniz ulusumuzun yararına değildir.

- Ama anlayamıyorsunuz, önümüze tarihimizin en muhteşem fırsatlarından biri konuluyor. O uçak gemisinin kamarasındaki bizler için Tanrı'nın bir lütfudur. Yüce Tanrı, onu ve soyunu yüzyıllar boyunca bugünler ve ulusumuzun zaferi için korudu, kolladı. Şimdi emrimize sunuyor. Buna karşı çıkmak Tanrı'nın emirlerini reddetmektir.

- Cümlelerini dikkatli seçmeni tavsiye ederim. Bazen haddini aşıyorsun. Tanrı ve Yahudiliğe olan inanç ve bağlılığımı ölçmek sana düşmez. Utanmasan beni ulusuma ihanetle suçlayacaksın. Şu aşamada böylesine bir operasyona gerek yoktur.

- Neden? Bize sağlayacağı üstünlüğü düşünsenize. Yaklaşık altı gün sonra Harry Truman uçak gemisi Tel Aviv limanına yanaşıp, değerli yolcusunu avuçlarımıza bıraktıktan sonra Süveyş Kanalı'nı geçip Basra Körfezi'ne doğru yol alacak. O andan itibaren hem tarih, hem başlamış olan savaş, hem de dünyanın geleceği bizim dudaklarımızın arasında olacaktır. Çünkü o, kim olduğunu, ne olduğunu, gerçek geçmişini, inanması ve savunması gereken değerleri ve kimler için çalışması gerektiğini çok iyi biliyor. Daha da önemlisi yapması ve konuşması gerekenleri el altından biz tayin edeceğiz. Harikulade bir silah birkaç gün sonra kullanımımıza amade olacak.

- Her an ters tepip, bize zarar verebilecek olan bir silahtan bahsediyorsun Yaacov. Genç ve başarılısın. Ama bir o kadar da atak ve tecrübesizsin. Yaşadığımız coğrafyayı, bölge ülkelerini, onların tarihini, en önemlisi de hassasiyetlerini iyi bilmiyorsun. Başkan Bush ve şahinleriyse senin kadar bile bilmiyorlar. Bilselerdi böylesine tehlikeli ve her an kendi elimizi de yakacak olan bir silahla oynamaya kalkmazlardı.

- Eğer Rusya'da doğduğumu ima ediyorsanız bu ülkede yaşayan Yahudilerin çok büyük bir kısmı zaten yabancı memleketlerden kutsal ve vaat edilmiş topraklarımıza göç etmiştir. Tıpkı sizin anne ve babanızın da zamanında Rusya'dan göç ettiği gibi. Ama onlar inanmış ve kendilerini adamış Siyonistlerdi. Ülkemize bu topraklarda doğup büyümüşlerden çok daha fazla hizmette bulundular. Siz de öyle. Bense Rusya'dan ayrılıp İsrail toprağına ayak bastığımda ufak bir çocuktum ama artık tamamen bize ve ırkımıza ait bir ülkede olduğumu, Yahudiliğimi arkadaşlarımdan saklamama gerek kalmadığını, anlayabilecek kadar bilinçliydim. Bu toprakları çok sevdim. Düşünmeden uğruna canımı verecek kadar çok sevdim.

- Bundan eminim. Aynı duygular tüm İsrail vatandaşları için geçerlidir. Söylemek istediğim bu değil. Amerika, Başkan Bush ve şahinleri yüzünden ciddi bir bataklığa saplanmaya başladı. Baştan itibaren olaylar aleyhlerine gelişiyor. Durum onlar için daha da kötü olacak. Elbette Saddam'ı devirip, Bağdat'a girecekler. Zafer gösterileri yapacaklar ve Mr. Bush dünya televizyonlarında boy gösterip, barış ve demokrasi adına büyük bir zafer kazandıklarını ilan edecek. Ya sonra?

- Bence Irak'ta köklü değişiklilikler yapacaklar.

- O zaman aynısını neden Vietnam'da yapamadılar? Ruslar neden Afganistan'da yapamadı?

- Belki yeterince güç kullanmadılar.

- Hiçbir güç nefretten daha üstün değildir. Asıl savaş, Irak, Amerikalılarca işgal edildiğinde başlayacak. Kimin nereden ateş ettiği, kimim Amerikalılara dost, kimin düşman olduğunun bilinemediği, kuzu gözükenlerin hava karardığında kurt olup, olmadığının anlaşılamayacağı bir ülke yaratacaklar. İşte o zaman şimdi savaş alanından kaçan Irak ordusunun iyi yetişmiş elemanları, yeteneklerini direniş aşamasında gösterecekler. Bölge başta El Kaide olmak üzere pek çok örgütün, İran'ın ellerinin altındaki yandaşlarını ortaya sürdüğü bir cehenneme dönecek. Bu durumsa bölgedeki tüm ülkelerin işine geleceğinden hepsi kendisine yakın etnik grupları ayağa kaldırıp, diğer yandan da "Irak'ın bütünlüğünden yanayız" masalını okuyacaklar.

- Amerika bunun üstesinden gelecektir.

- Öyleyse biz neden hâlâ bir avuç Filistinlinin hakkından gelemedik? Dünyanın en güçlü ve modern ordularından birisine sahibiz. Çok çabuk mobilize olma yeteneğimiz ve mükemmel istihbarat olanaklarımız var. Ama Filistinliler hâlâ ayakta. En küçük operasyonlarımızda önce dünya kamuoyu, ardından kendi kamuoyumuz ayağa kalkıyor. Bacak kadar boylarıyla tanklarımızın karşısına dikilen Filistinli veletler televizyonlarda kahraman olarak gösteriliyor. Sonuçta kaybeden taraf her zaman biziz.

- Ama...

- Şimdi beni iyi dinle Yaacov. Ortadoğu yakında fena halde kaynamaya başlayacak. Tüm bu gelişmelerse sadece ve sadece ülkemizin işine yarıyor. Çuvallamaya başlayacak olan Amerika ister istemez İsrail'e daha çok ihtiyaç duyacak.

Tüm gelişmeler bir gün ordumuzun ve ülkemizin Irak ve Ortadoğu'nun geleceğinde tahmin ettiğimizden çok daha fazla şekillendirici olacağını gösteriyor. Amerikan ordusu Vietnam cangıllarından kaçtığı gibi Irak çöllerinden de kaçacaktır. Boşluğu doldurmaksa bize düşer. Açıkçası Başkan Bush'un en güvenli seyahati sağlamak için muhteşem bir uçak gemisiyle gönderdiği iki ayaklı, tehlikeli silahına ihtiyacımız yok.

- Hepsini anladım ama böylesi tarihi bir fırsatı tepmeniz için sizi alıkoyan nedir?

- Türkler.

- Türkler mi?

- Evet. Başkan Bush'un iki ayaklı silahı Türklerin hiç hoşuna gitmeyecektir. Haklılar da. Beyaz Saray ve çevresindeki şahinlerin biraz kafası çalışsaydı bu işe hiç sıvanmazlardı. Sonuçta hem başarılı olamayacaklar, hem de Türkiye'yi sonsuza dek kaybedeceklerdir.

- Türkler bu kadar vazgeçilmez mi sizce?

- Tarihi biraz daha detaylı bilseydin beni daha iyi anlardın. Yaşadığımız bölgede bizimle iyi ilişkilere sahip, demokrasiyle yönetilen tek Müslüman ülke Türkiye'dir. Onları kaybetmek bize inanılmaz zararlar verir. Bunu Amerika bile telafi edemez. Sonuçta Pentagon askerlerini Irak'tan çekmek zorunda kalacaktır ama biz bu coğrafya da sonsuza dek Türklerle bir arada ve karşılıklı ilişkileri geliştirerek yaşayacağız. Türklerin canını sıkacak her hangi bir şey bizim gırtlağımızı sıkar. Kendi ipimizi kendi elimizle çekmek aptallıktır.

- Peki Başkan Bush'a ne cevap vereceğiz?

- Oyalayacağız. Henüz durumun uygun olmadığını, şartların gelişmediğini bildireceğiz. Havayı iyi koklamamız gerek. Şu aşamada bu tarz masallara ihtiyacımız yok. Gelecekte elbet bir gün kullanmamız gerekir. O zamana dek rafta tutmamın bize faydası olur, zararı olmaz. O gün geldiğinde doğal olarak Türkiye umurumuzda bile olmayacak. Zira ilk saldıracağımız yer Türk toprakları olacaktır. Bunu büyük İsrail'i yeniden kurmak için yapacağız.

- Sizce o zaman gelmedi mi? Beğenmediğiniz iki ayaklı silah bu iş için biçilmiş kaftan değil mi?

- Henüz değil. Şu aşamada ne Amerika'yı, ne Türkiye'yi kaybetme riskini göze alamayız. Ama o gün geldiğinde hiçbiri bizi ve ülkülerimizi durduramaz.

- Bence o gün çoktan geldi sayın başbakan. Başkan Bush iktidardan gitmeden önce İran'a da saldırmak zorunda. İhtiyaçları olan petrolün hâlâ yüzde yetmişini

Ortadoğu'dan karşılanmak zorundalar ve bu miktar giderek artıyor. Kendilerine düşman bir İran'ı ayakları üzerinde bırakamazlar. Sizse açıklamalarıma rağmen ısrarınızı sürdürüyorsunuz. Az önce Mr. Bush'un gönderdiği yardım konusunu masal olarak nitelediniz. İsterseniz ben de bir masal anlatayım.

- Böyle bir sohbete vaktimiz yok zannedersem. Daha uygun bir zamanda uzun uzun konuşalım.

- Çok kısa bir masal. Sadece iki dakika sürecek. Dün önemli bir ajanımızı İstanbul'a gönderdik.

- Yine aynı konu üzerine mi?

- Hayır. Önemli, çok daha önemli bir konu. Gerçekten yüce Tanrı artık harekete geçmemizi istiyor. Bunun için yeni ve inanamayacağınız bir işaret gönderdi.

- Anlayamadım.

- Dinlemek ister misiniz?

- İlgimi çekmeyi başardın.

- Bittiğinde şahsınızı da tüm varlık ve gücünüzle yanıma çekeceğimden eminim. Ama bir soda içmek isterdim. Kendinize de ısmarlasanız iyi olur. Zira heyecandan diliniz damağınız kuruyacak.

Başbakan Sharon, çok yaşamış, görmüş ve savaşmıştı. Esrarlı sözlere karnı toktu ama dinlemeye başladığı adan itibaren gerçekten ağzı dili kurumaya başladı. Yaacov'un iki dakika dediği masal uzadı gitti. Başbakanın makamına soda servisi yapan garsonlar soda siparişlerine yetişemez oldular. Yaacov, masalını bitirdiğinde hayata gözlerini açtığından beri savaş, mücadele, terör, çeşitli komplolar ve suikastlar görmüş, çelik gibi soğukkanlılığıyla tanınan Sharon'un alnında terler birikmeye, elleriyle istem dışı refleksler belirmeye başlamıştı.

- Yaacov tüm kalbimle sana inanmak istiyorum ama bu imkansız bir şey.

Nihayet konuşabilmişti başbakan. Yaacov artık İsrail'i yöneten şahsın kendilerini körü körüne destekleyeceğinden emindi. Bu fırsatı kaçıramazdı.

- Tanrı'nın ulusumuzu Firavun ordularından kurtarmak için Kızıl Deniz'i ikiye ayırdığı günden bu yana ikinci mucizesini de bizler için yarattığına inanıyorsunuzdur umarım.

- Anlamaya çalışıyorum.

Başbakanın bir süre önceki muhalif ve uzlaşmaz ses tonundan eser kalmamıştı.

- Anlamanız ve destek olmanız her zaman olduğundan daha önemli bugün. Sadece bir değil, iki muhteşem mucizenin birden aynı zamanda ve ırkımıza bahşedilmesi ancak Tanrı'nın bize çok önemli bir mesajını iletmek istemesiyle yorumlayabiliriz.

- Haklı olduğunuzu kabul etmek zorundayım. Truman uçak gemisini ve Mr. Bush'un gönderdiği konuğu en iyi şekilde korumak ve ağırlamak için hazırlıklar yapılmasını emredeceğim. Ayrıca Bakanlar Kurulu ve Kneset'in acil toplanmasını isteyeceğim.

- Teşekkür ederim. Desteğiniz ülkemize yeni ufuklar açacaktır.

- Ancak benim aklım her şeyden çok İstanbul'daki mucizede. Bir tane ajan göndermeniz sizce yeterli mi? Bence bu konunun üzerinde çok daha büyük bir güçle gitmeliyiz. Binlerce yıl sonra ayağımıza kadar gelen bu ilahi fırsatı kaçırabilme düşüncesi bile beni ürkütüyor.

- Merak etmeyin. Adamımız oldukça yetenekli ve İstanbul'u çok iyi tanıyan biri. Orada doğmuş. Ayrıca hemen şehirdeki ajanlarımızla temas kurup, Alman konsolosluğunda olan bitenleri çözmeye girişecek. Gerektiği an var gücümüzle devrede olacağız.

- Yine de inanmak zor. Hatta imkansız. Her yer aklıma gelebilirdi ama İstanbul asla.

- Evet, ancak doğru iz üzerinde olduğumuzdan kesinlikle eminiz.

- Korkuyorum Yaacov. Hiçbir şey beni bu kadar korkutmamıştı. Hatta bugüne dek korku nedir bilmemiştim.

- Sadece coşkulu bir heyecan bu efendim. Ele geçirip, ait olduğu topraklara getirdiğimizde yapacağınız tarihi açıklamayı düşünün. Bugüne dek görülmemiş büyüklükte bir basın toplantısı organize edilecektir. Bütün dünya, günler öncesinden bu hazırlıkların ardından ne çıkacağını beklerken, sizin sesinizden duyduklarıyla akılları başlarından gidecek. Sırf onların bu halini görmek bile her şeye değer.

- Yine de korkuyorum. Ardından çıkabilecekler...

Yaacov, emeline erişmişti. Şok halindeki başbakanı bırakarak odadan ayrıldı. Şimdi kendisine her zamankinden çok güveniyordu.

***

- Kafam oldukça karıştı. Dean. Ama eğer gerçekten doğru iz üzerindeyseniz inanılmazı gerçekleştirmek üzereyiz. Aslında sadece inanılmaz değil ilahi bir mucize gerçekleşecek. Bu beni ürkütüyor.

Dean, yıllar önce Romanya'dan Amerika'ya kaçmış ve canını zorlukla Nazilerden kurtarmış bir Yahudi ailesinin oğlu olarak Manhattan'da diğer Yahudi ailelerinin yaşadığı sokaklarda yetişmiş, dedesinden aldığı koyu İbrani terbiyesiyle aslını hiç unutmamış, yaşlı adamın Central Park'a bakan geniş salonun penceresi önünde, karşısına oturarak hayatına soktuğu öğretinin gizemine fazlasıyla kendisini kaptırmış ve bundan oldukça hoşnut bir Mossad ajanıydı. Savrularak yağan karlar parktaki ağaçların dallarını beyaz örtüsüyle kaplarken, o, dedesinden Romanya'da, Tuna Nehri kıyısına bakan köylerini, yamaçlara doğru yükselen çam ormanlarını, Şabat akşamlarını, özellikle Şabat için yapılan alış verişi, üşenmeden atları arabalara koşarak hep birlikte kasaba pazarına yapılan zorlu ama mutlu seyahatleri, tüm aile birlikte yenen Şabat yemeklerini, beyaz masa örtülerini, köyün ahşap ustalığının harikası sayılan Sinagogunu, daimi ışığı simgeleyen yedi kollu Menora şamdanlarını, aralık ayının son günlerinde kutladıkları Hanuka bayramını, sinagogdan çıkan Yahudi gençlerin soluğu buz tutmuş Tuna Nehri'ne bakan yamaçta alıp, kızaklara atlayıp, diz boyu karlar arasında köye kadar kaymalarını, sonra İkinci Dünya Savaşı'nı karanlık günlerini, ülkeyi terk etmekte geç kalıp, Almanların gaz odalarını boylayan komşularını, bir gece Nazilerce yakılan ahşap sinagogu dinler, hayallere dalar giderdi.

On dört yaşına geldiğinde dedesinin ölümü hayatında doldurulamayacak bir boşluk oluşurunca kendisini Yahudi din, tarih ve mistisizmine adadı. Aynı zamanda üniversitenin elektronik mühendisliğini bitirdi. Irkçı değildi ama Yahudilerin özel bir ırk olduğuna ve dünya bir ağaçsa ulusunun o ağacın çiçekleri olduğuna inanırdı. Geçmişleri acılar, işkenceler, sürgün ve vatansızlık demekti. Ona göre şimdiki vatanlarını, özgülüklerini ve huzurlarını kaybetmemek için adetlerin, geleneklerin ve aile bağlarının asla unutulmaması gerekti. Tabi güçlü, uyanık ve hazırlıklı olmak en az bunlar kadar önemliydi. Zamanla New York da irtibat kurduğu gizli, Siyonist dernekleri, zekası ve çalışkanlığıyla Mossad'ın ilgisini çekmekte gecikmedi. Şimdi yıllar sürecek yeni bir eğitim, hazırlık ve uğraş vardı önünde. Otuz yaşında Amerika'yı terk edip, İsrail'e yerleşti ve doğma büyüme İsrailli bir Sabra olan karısıyla evlendi. Balaylarını Romanya'da geçirmek o zamanlar parlak bir fikir gibi görünmüştü ama gidip, dedesinin anlattığı köylerinin yerinde yeller estiğini görünce Arap ülkeleriyle çevrili ufacık İsrail ülkesinin onlar için ne kadar önemli ve özel olduğunu daha iyi anladı.

Uzun süredir İstanbul'da tıbbi cihazların ithalatlarını yapan bir Amerikan kuruluşunun patronu kimliğiyle çalışıyordu. Şirket tabi ki Mossad'ın İstanbul ofislerinden sadece biriydi ama çalışan alt ve orta kademe personelin bunu anlamasına imkan yoktu. Üstelik Amerikan pasaportunda bir zamanlar yazan Dean adını kullanması da işini kolaylaştırıyordu.

- Dean, beni dinlemiyor musun?

Dalmış, gitmişti. Karşısında oturan İzak'ın yüzüne doğru elini sallamasıyla kendisine geldi.

- Kusura bakma, birden daldım. Burası büyülü bir kent. Dün Balat, Ahrida Sinagogu'na gittim. Zamanında tüm semt Yahudilerle doluymuş.

- Balat mı? İspanya'dan kaçıp, Osmanlı'ya sığınan Yahudilerin padişah tarafından ilk yerleştirildikleri semttir. Benim de bazı aile büyüklerim yıllar önce orada yaşamışlar. Şimdi birkaç aile ya kalmıştır, ya kalmamıştır.

- Neden İzak? Bu ülkede bir zamanlar beş yüz bin Yahudi yaşıyormuş. Baskı mı gördünüz?

- Yoo, aslında Türkiye en az İsrail kadar güvenlir bir ülke bizler için. 1948'de devletimiz kurulduğunda ilk önce fakir dindaşlarımız ayrıldı. Yeni bir ülke, Tanrı tarafından vaat edilmiş topraklar kimi çekmez ki? Zenginlerse yıllardır yaşadıkları geleneksel semtlerden ayrılıp, yeni kurulan lüks mahallelere taşındı, bazıları yurt dışına gitti. Ama asıl sorun 1960'larda başlayan göçle geldi. İşsizlikten bunalan Anadolu halkı İstanbul'a hücum etti. Galiba bizleri en çok rahatsız eden buydu. Sana bir soru sormuştum.

- Üzgünüm, tekrarlarsan sevinirim.

- Ürküyorum demiştim. Ya sen?

- Ben de ama sonunda en fazla ölürüz. Herkes bir gün ölecek. Biz de bu uğurda ölürsek ne kaybederiz?

- Ben ölmekten değil, sonsuza dek lanetlemekten, hiç bitmeyecek bir azapla kavrulmaktan korkuyorum.

- Bunları şimdilik bir kenara bıraksak.

- Dean, son bir şey daha sora bilir miyim?

- Lütfen korkuyla ilgili bir kelime daha etme.

- Ya tüm bunlar gerçek değilse.

- Sen ne dediğinin farkında mısın İzak? Korkun, gereksizce saçmalamana sebep oluyor. Bu, kötü bir duygudur. Devam etmesi görevimize zarar verir. Konuyu öğrendiğin için bir daha asla geri dönemezsin. Bunu en baştan düşünmeliydin. Ama vazgeçmek istiyorsan kendini vurmana bir itirazım olmaz. Üzgünüm. Ancak oyun oynamadığımızı bilmen gerek. Ayrıca tereddüt ettiğin konu

İsrail Devleti'nin kurulması kadar gerçektir. Yüzyılın başında birileri çıkıp kutsal topraklarımızda sadece bize ait bir devletin kurulacağını, asırlar önce yurtlarından zorla kopartılıp, oraya, buraya dağıtılan ırkdaşlarımızın vaat edilmiş topraklara göç edip, Yahudiliğini saklamaya gerek görmeden, özgürce yaşayabileceğini söyleseydi kimse buna inanmazdı. Ama geldiğimiz sonucu görüyorsun.

– Özür dilerim. Ne kadar hassas ve önemli bir görev için seçildiğimi bir an unuttum. Merak etme. Korkumun başarımıza zarar vermeye başladığını hissettiğim an kimsenin müdahalesine gerek kalmadan kendimi yok edecek sorumluluğa sahibim. Şimdi nereden ve nasıl başlayacağımızı bilmek istiyorum.

– Bu arada beni iyi tanıyorsun. Amerika'nın en önemli üniversitelerinden birinin elektronik bölümünü çok özel derecelerle bitirdim. Henüz öğrencilik aşamasında yarattığım projeler nedeniyle bir sürü büyük şirket kapımı aşındırıyordu. Ama ben bu yolu seçtim. Sence hiç aptala benzeyen bir halim var mı? Boş hayaller peşinde koşacak bir enayiye benziyor muyum?

– Hayır, asla. Bir gün ülkemizi yönetecek insanların başında olacağına bile hiç şüphem yok.

– Güzel. Kısa sürede tüm endişelerinden arınacağına eminim. Başlangıç için çok dikkatli olmalıyız. Almanlar bir avın peşinde. Biz de hissettirmeden Almanların peşinde olacağız. Öylece bir zamanlar babalarımızı, annelerimizi, ninelerimizi en aşağılık yollarla katledenler birazcık olsun halkımıza hizmet edecek.

– Vereceğiniz göreve şartlarına ve getireceği tehlikelere bakmaksızın hazırım.

– Bu daha da güzel. Ayrıca son bir sözüm var İzak. Bu mesele üzerinde yirmi yaşımdan beri kafa patlatıyorum. Gerçek olduğundan adım gibi emindim ama izine burada, yani İstanbul'da rastlayacağımızı hiç beklemiyordum. Asıl büyük sürpriz bu.

***

Şefika Hanım, lüks huzurevindeki odasında masasının üzerinde duran çayından son bir yudum aldıktan sonra cam kenarına gidip, uzakta, Marmara'nın ortasında gerçek birer prens gibi yükselen adalara göz attı. Zaman geçiyordu ve gençlik bir daha asla geri gelmeyecekti. Kafasına şu an Amerika da, Oregon'da bulunan ve olayın ardındaki sırları çözmek için çalışan Turgut takılmıştı. Rahatsızdı. Yıllar sonra, karanlıklarda kalmış maziden birilerinin aniden çıkıp, yeniden hayatına girmesi konusunda ne düşüneceğinden emin değildi. Her şey o kadar çabuk olmuş ve hiç ummadığı bir zamanda gerçekleşmişti ki ne yapacağını şaşırmıştı. Yine de oldukça soğukkanlı davrandığına emindi. Artık vücudunu taşıyamayan ayaklarına üzüntüyle baktı. Keşke biraz daha vakit verselerdi kendisine. Hiç düşünmeden çıkar, Amerika'ya gider, o delikanlıya bulur, bildiği gerçekleri anlatıp, sonuna dek yardımcı olurdu. Ama bu sefer en küçük bir şüpheye yer bırakmadan yok edilmesi gerekenlerin kökünü kazır, yıllar önce İzzet ve Rüstem'in tam olarak başaramadığını kesin bir şekilde sonuçlandırarak huzur bulurdu. Turgut, mutlaka genç ve zeki bir delikanlıydı. Eninde sonunda gerçekleri öğrenecek ve başı belaya girecekti. Bunu önlemeliydi. Delikanlı korkunç sırrı öğrendiğinde kaçınılmaz olarak atalarının istemeden eksik bıraktığı görevi tamamlamak için elini kana bulamak zorundaydı. Sonuçsa; onun da idama gitmesiydi. Son yıllarda artık zehirli iğne yöntemi kullanılıyordu Amerika'da. Ancak önemi olan bu değil, sırada kendisi varken genç bir insanın ölüme gitmesine katlanamazdı. Rüstem ve İzzet bu uğurda canlarını vermişler ama ne yazık ki boşuna ölmüşlerdi. Bu hatanın mutlaka telafi edilmesi gerekiyordu. Babası İzzet Efendi, ölüme gitmeden önce son bir mektup yazmıştı. Acı gerçeği öğrendiği belli oluyordu satırlarında. Kim bilir belki de onları gözetlemekle vazifeli bir gardiyandan öğrenmiş, üzülmemesi için arkadaşı Rüstem'e söylememişti.

Bir kez daha denize doğru baktı. Ardından aynadaki görüntüsünü süzdü. Huzurevindeki odasında zamanını resim yapmak ve anılarıyla oyalanmakla geçiren zarif, duygulu, ihtiyar bir hanımefendinin gücü olsa hiç çekinmeden Amerika'ya kadar gidip, görevi, tamamlamak uğruna için elini kana bulamaktan çekinmeyeceğini kimse hayal bile edemezdi ama gerçek buydu? Cumhuriyet çocuğuydu. Özgür ve çağdaş bir ülkede yetişmiş, bunun nimetlerinden faydalanmış ve sonsuza dek böyle gitmesi en büyük arzusuydu. Annesinin, onun annesinin ve geçmişte yaşamış diğer kadınların çektiği acıları, ayırımcılığı, ikinci sınıf olarak sınıflandırılmayı Cumhuriyet sayesine yaşamamıştı.

Ama artık azıcık daha yaşayabilip, bir nebze olsun Turgut'a yardımının dokunması için Tanrı'ya yalvarmaktan başka çaresi yoktu. Fazla düşünmeden masanın üzerindeki telefonun tuşlarını çevirdi.

- Alo, ben Şefika Yıldırım. Avukat Vedat Bey'le görüşebilir miyim?

- ....

- Nasılsınız Vedat Bey?

- ....

- Vaktinizi alıyorum ama sizden bir istirhamım olacak.

- ....

- Teşekkür ederim. Her zaman çok naziksiniz.

- ....

- Bankadaki kasamın anahtarı sizde mevcut. Oradaki büyük zarfı alıp, Ankara'ya götürmenizi rica edeceğim.

- ....

- Hemen yarın yapabilirseniz sevinirim. Hem de ilk uçakla. Tüm masraflarınızı bana fatura edeceksiniz.

- ....

- Ankara'da nereye mi? MİT müsteşarlığında, Tayfun Ünal Bey'e iletmenizi istiyorum. Bunu yaşlı bir kadının son arzusu olarak yerine getirirsiniz değil mi?

- ....

- Hayır, yanlış duymadınız. MİT müsteşarlığı.

- ....

- Yok, gerçekten hiçbir sorun yok. Uygun bir zamanda konuşuruz. Ama bir an önce ricamı yerine getirmenizi bekliyorum.

- ....

- Çok teşekkür ederim.

Ahizeyi yerine koyup, kanepesine uzandı. Şimdi az da olsa rahatlamıştı. Vedat Bey'in ricasını kırmayacağından emindi.

**

- Otel yöneticisi, benimle ilgili olarak bazı kişilerin kasabada halkı galeyana getirmeye çalıştığını söyledi. Hatta güvenliğimi sağlamak için en alt kattaki bodruma saklamayı bile önerdi. Amerika'nın özgür bir ülke olduğunu, insanların dilediği gibi seyahat edebildiğini sanıyordum Mr. Robinson.

Turgut hırsından kızarmış, karşısındaki şerife sayıp duruyordu. Anlayabildiği kadarıyla Amerikalılar demokrasiyi sadece kendilerinin yararına kullanıyor, başka uluslara, özellikle yabancılara aynı hakkı kesinlikle tanımıyordu. Bunlara karşın şerif oldukça sessiz ve sakindi.

- Hoş karşılamalısınız Mr. Turgut. Bu kasaba tarihinde işlenen yegane cinayetler büyük dedeniz ve arkadaşınca gerçekleştirildi. Şimdiyse siz geldiniz. Doğal olarak çok rahatsızlar.

- Umarım olayların mantıklı bir açıklamasını yapabilirsiniz. Çünkü yeniden mahkeme binasına, oradan da mahalli gazetenizin arşivine gidip, araştırma yapmak istiyorum.

- Korkarım ki buna olanak yok.

- Siz de otel müdürü gibi öfkeli kasabalılardan korumak için beni bir yerlere kapatmayı düşünüyorsunuz?

- Üzgünüm Mr. Turgut. Ben sizi tutuklamaya geldim.

- Ne demek oluyor tüm bunlar?

- Sorun çıkartmamanı tavsiye ederim dostum.

- Ülkenizde araştırma yapmak da mı suç oldu? Tabi yabancılar, özellikle Türkler için?

- Saçmalama dostum. Hakkında ciddi bir suçlama var.

- Tanrım, ne şikayeti? Yoksa ukala motelci mi?

- Benjamin Evans'ın annesi senden şikayetçi oldu.

- O da kim? Ne dediğin şahsı, ne de anası olacak kaltağı tanımıyorum. Hayatımda hiç görmedim bile?

- Sözlerine dikkat et Turgut. Bunların hepsi mahkemede aleyhine kullanılacaktır.

- Canın cehenneme. Umurumda bile değil.

- Bak dostum. Benjamin Evans, ortadan kaybolmuş. Günlerdir ailesi kendisinden hiçbir haber alamamış. Annesi doğal olarak bundan seni sorumlu tutuyor.

- Kahretsin, neden ben?

- Bak dostum. Benjamin, sen kasabamıza geldikten hemen sonra ortadan kayboldu. Sadece annesi değil, tüm kasaba senin suçlu olduğunu düşünüyor.

- Küçük bir çocukla ne işim olabilir ki?

- Benjamin, otuz altı yaşındadır.

- O yaşta bir geri zekalı evinin yolunu bulamıyorsa bundan bana ne.

- Benjamin herhangi biri değil. Bu nedenle ben de onlardan pek farklı düşünemiyorum doğrusu.

- Bu herifin özelliği nedir?

- Büyük dedenin ve arkadaşının yıllar önce yok ettiği aileden geriye kalan tek kişin olan bayan Scott'ın tek erkek torunudur. O akşam, daha doğrusu silahlar ölüm saçarken henüz çok küçüktü ve ağır yaralanmıştı. Büyük deden ve arkadaşı idama gittiğinde bile halen komadaydı. Ama sonunda mucize kabilinden kurtuldu. Tüm kasaba küçük kızı bağına bastı. Herkes geleceğine katkıda bulunmak için elinden geleni yaptı. Adına yardımlar toplandı, fonlar kuruldu.

Yıllar sonra evlendi. Üç oğlu, çok yaşamadan öldü. Tek kızıysa her şeye rağmen hayatta kalmayı başardı. Benjamin, bu kızın tek çocuğudur. Rüstem ve İzzset idama giderken tüm aileyi yok ettiklerini zannedip, asla anlayamadığımız ve anlam vermediğimiz bir mutluluk yaşıyorlardı.

- Yıllar sonra ben ortaya çıktım ve ailenin kalan son ferdini de yok ettim. Öyle değil mi?

- Üzgünüm, tüm bunlardan sonra kasabalıyı nasıl ikna edebileceğim konusunda bir fikrin var mı?

- Bir telefon, bir telefon etmek itiyorum. İçeri girmeden önce buna hakkım var.

- Kısa olması kaydıyla evet.

Turgut, hemen otelin rezervasyon bölümünü arayıp, Washington'daki Edbert'in numarasının bağlamasını istedi. Defalarca çalan zilden sonra arkadaşının heyecanlı sesi karşısındaydı.

- Merhaba Edbert ben Turgut. Dinle sana...

- Turgut, sana ulaşmak için deli gibi uğraşıyorum. Asıl sen dinle.

- Ben mi? Ama bak durumum...

- Washinton'dayken sana bahsettiğim çok önemli bir konu vardı. Hatırladın mı?

- Hatırlıyorum.

- O kişinin yani başkanın gözünün içine baktığı çok özel şahsın kim olduğunu öğrendim.

- Kimmiş?

- Çok yakınında Turgut. Şu an bulunduğun kasabadan biri. Benjamin Evans. Bu sabah başkanın uğurladığı bir uçak gemisiyle Ortadoğu'ya doğru hareket etti. Yani artık düğmeye basıldı.

- Tanrım. Her şeyi anlamaya başladım. Ben de seni bu yüzden aradım.

- Ne oldu?

- Az sonra ellerim arkadan kelepçelenip, içeri tıkılacağım. Suçumsa Bejamin Eavns'ı öldürmek.

- İnanamıyorum. Kötü bir tesadüf mü, yoksa bir komplo mu bu?

- Dinle, beni ancak sen kurtarabilirsin.

- Elimde geleni yapacağım.

- O zaman şerif ve diğer ilgililere Benjamin denilen herifin sağ olduğunu ve yerini bildir.

- Bu imkansız Turgut. Her şey biter. Büyük bir devlet sırrını saklaması gereken önemli bir görevli olarak, tam tersine bunu sana açıkladığım ortaya çıkar. Beni de yok ederler. Asıl o zaman sana da hiçbir faydam olmaz.

- İnanamıyorum, şimdi ne olacak?

- Sakin ol. Sakın polise karşı gelme. Avukat isteme hakkın var ve onun talimatı dışında kesinlikle ifade verme. Ayrıca Deniz'le de görüşeceğim. Üzgünüm dostum. Şu aşamada devreye girersem her şey berbat olur.

***

- Gitmediğine çok sevindim Metin? Konsoloslukta önemli bir göreve sahip Alman görevlinin ardına düşüp, ısrarla yemeğe davet etmesi hiç de mantıklı değil. Normalde bizlere selam bile vermeye tenezzül etmeyen insanlar bunlar.

- Anlıyorum. Üç kere aradı. Kum ocağının telefonunu bir yere kaydetmiş. Ustalar da meraka düştü. Tabi "Alman konsolosluğu arıyor" denince akıllarına kim bilir neler geldi. Ayrıca gözümü boyamak için ülkesinden çok özel U-bot maketleri getirttiğini söyledi. Üstelik en kısa zamanda Kiel şehrinde müze olarak kullanılan ve İkinci Dünya Savaşı'nda görev yapmış aynı tip bir denizaltıyı ziyaret etmemi sağlayacakmış.

- Dün bekliyorlardı, değil mi?

- Evet, şüphelendirmemek için geleceğimi söyledim ama gitmedim tabi.

- Bir daha aradılar mı?

- Hayır.

O esnada oturdukları kafeteryanın garsonu yanlarına gelip, siparişlerini aldı. Günlerden pazardı ve izinliydiler. Bir haftadır denizaltıya ayak basmadıkları gibi, artık ne yapacaklarını da bilemez haldeydiler.

- Sonuna dek gidelim Metin. Hayatım boyunca kendimi hiç bu kadar önemli hissetmemiştim.

- Seninle sözleşmiştik. Ölmek var, dönmek yoktu. Pilavdan dönenin kaşığı kırılsın. Başımıza ne işler açtığımızı bilmiyorum ama denemeye değer.

Kafeteryadan biraz rahatlamış ve dinlenmiş olarak çıktıklarında onları Beyoğlu, İstiklal Caddesi'nin her zamanki kalabalığı karşıladı. Mağaza vitrinlerini seyrederek Galatasaray'a doğru inmeye başladılar.

- Bu akşam biraz geç dönelim kum ocağına. Ne olacak, kırk yılda bir felekten bir gün çalalım. Babana uğramak istersen bence sorun yok, beklerim. Sonra sinemaya gideriz, tabi ardından da iyi bir yemek...

- Hep çalışacak değiliz ya. Benim birkaç gömlek ve bir pantolona ihtiyacım var.

- Burası pahalıdır. Az ilerdeki pasajda ihraç fazlası satan küçük bir dükkan var.

Metin ayrıca uzun zamandır aralarının bozuk olduğu babası için de bir şeyler alıp, bugün ziyaret edip, buzları kırmayı planlıyordu. Pek ümidi yoktu ama yine de deneyecekti.

- Senin bu dükkanda babama göre de bir şeyler var mıdır acaba? Oldum bittim saten pijamadan vazgeçemez.

Sorusuna hiçbir cevap alamadı.

- Celal?

- ....

- Neredesin Celal?

- ....

Arkadaşından hiçbir iz yoktu. Kalabalığın arasında kalıp, kendisinden uzaklaştığını düşündü. İstiklal Caddesi'nde bu çok doğaldı. Geri döndü. Az önce geçtikleri yerlere baktı, mağazalara girip, arkadaşını aradı ama yoktu. Yer yarılmış, Celal içine girmişti adeta. Aynı yerleri defalarca aradı. Arkadaşı, asla böyle tuhaf şakalar yapmazdı. Midesine keskin bir sancı saplanmıştı. Bir şeylerin iyi gitmediğini hissediyordu. Hem de hiç iyi gitmiyordu. Bıkmadan usanmadan saatlerce aradı durdu. Ne yapacağını, nereye gideceğini bilemiyordu. Kimseden yardım isteyemezdi. Zaten böyle biri de yoktu. Kum ocağınaysa asla dönemezdi. Zira Celal'i, İstiklal Caddesi'nin ortasında yok edenler onu da mutlaka takip edeceklerdi. Usta başlarının ve patronun arkalarından edeceği küfürleri düşündü. Ama umurunda bile değildi. Tek düşüncesi Celal'di. Şimdi nerede ve ne halde olduğunu hayal bile etmek istemiyordu.

***

Tavanda yarısı kırılmış bir cam fanus içerisinde yanan ampulden başka odada hiçbir ışık kaynağı yoktu. Bağlı olduğu iğrenç tahta koltuktan görebildiği kadarıyla pencere de yoktu. Tam karşısında ameliyat masası benzeri, üzerinde kirli bir şilte olan garip metal mobilya duruyordu. Görüntüsü bile fazlasıyla ürkütüyordu. Böylesi korkunç bir masada ne tür ameliyat yapılacağını titreyerek merak etti Celal. Sol ayağının baldırı yanıyordu. Tek hatırladığı; Metin'in ardı sıra yürürken, sol tarafında duyduğu acı ve yanma hissi, ardından gözlerinin kararması ve iki kişinin yardımcı olmak için koluna girmesiydi. Saniyeler içerisinde seslenip, beş-altı metre önde giden arkadaşını ikaz edemeyecek kadar halsiz düşmüş, tüm vücudu ve duyu organları kilitlenmişti. Neden burada olduğunu bilemiyordu.

Ayrıca düşünmek bile istemiyordu. Zira içinden bir ses misafirliğinin hiç de hoş bir nedenden dolayı olmadığını söylüyordu. İlk feryadı o anda duydu. Tanrım! Bu olamazdı. Avazı çıktığı kadar haykıran bir insanın çaresiz çığlığıydı bu ve yandaki odadan geldiği belliydi. Yerinden kıpırdanmaya, bağlı olduğu koltuktan kurtulmaya çalıştı ama imkan yoktu. Deli bağlar gibi koltuğa mıhlamışlardı onu. Bir önceki feryat şimdi çok daha çaresiz ve çok daha perişan bir halde var gücüyle yükseliyordu yan odadan. Midesi alt üst oldu. Korku tüm damarlarına yayılmıştı. Çığlıksa gittikçe artarak tekrarlanıyor, o acı dolu inlemenin sahibinin boğazının şiştiği ses tonundaki çatlamadan ve boğuklaşmadan belli oluyordu. Daha da kötüsü, artık insanlıktan çıkmış, daha doğrusu çıkarılmış bir zavallının sesiydi bu artık. Bir yandan da çılgınca yalvarıp af diliyordu.

- Sana aydınlatıcı bir açıklama yapmak isterdim delikanlı.

Odanın kapısından içeri giren iri yarı ve yabancı aksanıyla Türkçe konuşan adamı gördüğü an daha önce tanımadığı halde kim olduğunu anladı Celal. Bu ise daha da ürkmesi için yeter de artardı. Çünkü başında dikilen herif, Metin'i arayan Aman konsolosluğu görevlisiydi. Tek şansı, saf numarası yapmaktı.

- Siz kimsiniz, neden buradayım, yoksa hastanede miyim, ne oldu, kaza mı geçirdim?

- Operasyona girmek için beklemedesin.

- Ne operasyonu, siz doktor musunuz?

- Yan odadaki arkadaşım uzman doktordur. İnsanların canını yakmak ve onları bülbül gibi konuşturmak üzerine ihtisas yapmıştır.

O anda yan odadaki zavallı adamın feryatları yeniden başladı. Şimdi çok daha canhıraş, bir o kadar ümitsizce çıkıyordu sesi. Celal'in gözlerindeki korkuyu gören Alman gülümseyerek devam etti:

- Önemli bir şey değil. Sadece bugün, Taksim'de bizi enayi turistler zannederek cüzdanlarımızı yürütmeye çalışan adi bir kap kaççı. Tabi kimlere bulaştığını bilmiyordu. Kendisini de ofisimize almak zorunda kaldık. Aslında iyi de oldu. Arkadaşım, seni operasyona almadan önce onun üzerinde ısınma turları yapıyor. Böylece sıra sana gelince çok özel bir muameleden geçeceksin.

Aynı anda yan odadaki feryatlar yine ortalığı çınlattı. Almansa şimdi daha da çirkin bir halde sırıtıyordu.

- Korkma canım, şu an arkadaşım o sefil hırsızın ayak tırnaklarını sökmeye başladı. Yanılmıyorsam az sonra penseyle testislerini ezmeye başlayacak. Kendisi iktidarsız olduğu için en sevdiği yöntemdir. Ne yapsın ister istemez kıskançlık damarı tutuyor.

Yan odadan gelen sesler artık can vermekte olan vahşi bir hayvanın ulumalarını andırıyordu. Celal, içinden "Tanrım, ne olur hemen öleyim, ne olursun beni bunların eline teslim etme!" diye dualar sıralarken odanın kapısı açıldı. Herr Brandt, karşılarındaydı. Beyaz bir doktor önlüğü giymişti, elinde kocaman bir pense vardı. Önlüğü ve alet kan içerisindeydi. Alnındaki terleri kanlı elleriyle silip, bağlı olduğu koltuğa doğru yaklaştı. Celal, var gücüyle hemen ölmek, bayılmak, yok olmak, buharlaşıp, ortadan kaybolmak için umutsuzca dua etmeye başladı.

***

- Avukatın geldi Mr. Turgut. Ayrıca bir de ziyaretçin var.

Turgut, tıkıldığı küçücük hücrede gece boyunca diğer hücrelerden gelen iğrenç sataşmaları, küfürleri, alayları dinleyerek uykusuz olarak geçirmişti. Özellikle karşı kapının dar penceresine ağzını dayayıp, yedi yıldır içeride olduğunu ve bu süre içerisinde hiç kadın yüzü görmediğini söyleyen mahkumun ilk havalandırmada nasıl ırzına geçeceğini detaylarıyla anlatması asabını bozmuştu. Ayrıca başka bir hücreden haykıran ve kendisini batının en hızlı katili Sırık Larry." Olarak tanıtan herifin sürekli sözlü tacizlerine maruz kalmıştı. "Genç ve parasız delikanlıları "uyuşturucu temin edeceğini" söyleyerek kandırıp, ırzlarına geçtikten sonra öldürmekle iftihar eden herif, bir de utanmadan evlenme teklifinde bulunuyordu. Turgut, Amerikan hapishanelerindeki sapıkları, yedikleri haltları duymuştu ama bu kadarını da beklemiyordu. Zira zaten beyinleri iğrençliğe çalıştığı için kodese tıkılmış olan bu yaratıklar, içeride kaldıkları süre içerisinde daha da beter hallere düşmüşlerdi. Çoğunun müebbet hapse mahkum olduklarından emindi. Zira bu tiplerin tekrardan dışarıda olması felaket demekti. Amerikan adalet sisteminin acımasızlığının nedenini anlıyordu Turgut. Gardiyanın peşine takıldı. Elleri hücreden çıkarken kelepçelenmişti. Sayısız kilitli kapı ve parmaklıklardan geçtikten sonra nihayet önü kalın camla kaplı ve içerisinde telefon bulunan küçük bir hücreye geldiler.

- Avukatımla bu şekilde mi konuşacağım?

- Hayır, ziyaretçinizle beş dakika konuşma hakkınız var. Süre bittiğinde hat otomatik olarak kesilecektir.

Kimin geldiğini merak ederken kalın camın diğer tarafında Deniz'i görünce bir anda içi aydınlandı. Gece boyu çektiği sıkıntıları unutmuştu. Hemen ahizeyi kaldırdı.

- Deniz sen ha, seni hiç...

- Beklemiyordun, değil mi?

- Harika bir sürpriz. Ne diyeceğimi şaşırdım.

- Asla kinci olmadım Turgut. Yüz üstü bırakılmam bile böylesine iğrenç duygularla tanışmama sebep olamadı. Belki de senin gözünde enayinin tekiyim.

- Anlamıyorsun. Gitmeye mecburdum. Seniyse hep sevdim. Şimdi olduğu gibi...

- Her neyse. Buraya aşk dilenmeye gelmedim. Amacım, eski bir dosta yardımcı olabilmek.

- Deniz, lütfen.

- Vaktimiz çok az. Edbert durumunu anlatınca ilk uçakla geldim.

- Neden tutuklandığımı söyledi mi?

- Evet, çok garip bir hikaye... Kendisi çaresiz durumda. Senden sonra mecburen bana da açtı konuyu. CIA ve Beyaz Saray'ın planını bozmak için birlikte bir şeyler yapabileceğinizi düşünmüş. Tutuklanman her şeyi berbat etmiş.

- Edbert, uzun süredir reddettiği Tanrı'ya, bir Müslüman olarak dönmeye karar verdi ve en doğrusunu yaptığına inanıyor. Tehlikeleri göze alıp, bana açılmasının sebebi de bu.

- Biliyorum, bana anlattı. Dinle, bazı evraklar verdi. Senden ümit kalmadığına göre derhal memlekete döneceğim.

- Başını belaya sokmanı istemiyorum. Hayal edemeyeceğin kadar tehlikeli bir durum... Onlarla baş edemezsin. Hikayenin tamamını Edbert de sen de bilmiyorsun. Tek iyi yanı; büyük bir tesadüf eseri olarak onun önlemek için çırpındığı şeytani plan, benim ailemin geçmişindeki karanlık olaylarla çakıştı. Gerçeği anladığımda çok geç kalmıştım. Zira o esnada ellerime kelepçeler takılıyordu.

- Bilmece gibi konuşuyorsun. Edbert de bir şeyler anlattı ama hâlâ neden bu lanet kasabada olduğunu tam olarak anlamış değilim.

- Sadece ailemin geçmişinde yaşanmış son derece korkunç ve bizler için utanç kaynağı olan bir olayı araştırmak için buradaydım. Washington'da Edbert'in evinde kaldım bir-iki gün. Bana Türkiye'yi doğrudan ilgilendiren aşağılık planı anlattı. Görevi nedeniyle ilk duyanlardandı, üstelik başarılı bir şekilde uygulanmasının baş sorumlusuydu. Ancak allak bullak durumdaydı. Çocukluğunda yaşadığı vahşetten sonra içine düştüğü büyük boşluğu Müslümanlığı seçerek doldurmaya karar vermişti. Üstelik bu aceleyle alınmış bir karar değildi. Kalben inanıyor ama bir türlü açıklayamıyordu. Bense çok daha farklı bir konu için Oregon'da bulunduğumu zannediyordum.

- Aradaki bağlantıyı hâlâ anlayamadım.

- Şimdi anlatmamın imkanı yok. Sadece Edbert'in anlattığı planın baş aktörü ve şu an Tel Aviv'e gitmekte olan uçak gemisindeki şahıs, 1926 yılında büyük dedem ve arkadaşı tarafından tek bir ferdini hayatta bırakmamak amacıyla kurşuna dizilen bir ailenin olaydan kurtulan yegane temsilcisinin torunu. Yani öldürdüğümü iddia ettikleri kişi.

- Aklım karıştı.

- Büyük dedem ve arkadaşı bunu hiç bilemeden idama gittiler. Öldürdüğümü iddia ettikleri kişi...

- Buradan kurtulduğunda konuşmak için çok vaktimiz olacak. Benden sonra tuttuğum avukatla yüz yüze konuşacaksın.

- Sen?..

- Hemen Ankara'ya gidiyorum. Edbert'in verdiği evrakları ulaştırabileceğim birilerini bulacağım.

- Dinle, MİT'e başvur. Durumun çok acil olduğunu anlat. Seni ciddiye almalarını sağla.

- Neden? Amerikalılar böylesine bir saçmalığa neden gerek duyuyorlar?

- Başkan Bush, kendisini Tanrı'nın görevlendirdiği bir peygamber zannediyor. Son gelişmeyse ekmeğine yağ sürdü. Tabi çevresindeki şahinler kanadı da konuya balıklama atladı. Şimdi aynı fırsatı İsrail'e de sunuyorlar. Bu Evangelist inançları ve dünyayı ele geçirme planları için harika bir fırsat. Sonuna dek kullanacaklardır. Tezkere krizini düşünürsen...

- İntikam mı?

- Bu kadar basit değil. Türkiye, yapısı, yönetimi, prensipleri, gücü, devlet geleneği ve en önemlisi halkımızın düşünce ve yaşam tarzıyla Amerika'nın yakın gelecekte Ortadoğu ve dünyada gerçekleştirmek istediklerine karşı büyük bir engel. Aslında bizler sandığımızdan çok daha önemliyiz.

- Avukata tüm ihtiyaçlarını karşılamak üzere para bıraktım. Şimdi gitmem gerekiyor.

Deniz, ahizeyi yerine bırakıp dostça el salladıktan sonra kabini terk etmek üzere ayağa kalktı.

- Deniz!

- Efendim!

- Seni seviyorum.

- Artık inanmam çok zor. Görüşmek üzere.

Kabini terk etmişti.

*＊＊

Metin, kum ocağına bakan tepenin yamacındaki çalıların ardına gizlenmiş, saatlerdir havanın kararmasını bekliyordu. Kimseye görünemezdi. Gündüz telefon edip, Celal'in önemli bir konu için memleketine gittiğini, kendisinin de Bir kaç gün izin kullanmak istediğini söylemişti. Tabi ustabaşının cevabı; oldukça zengin küfür salvosuydu ve bundan asıl payı şu an nerede ve ne halde bile olduğunu bilemediği Celal almıştı. Ustabaşına göre arkadaşının cehenneme kadar yolu vardı. Ama Metin gibi yetenekli ve üç kuruşa çalışan bir elemandan vazgeçemezdi. İstemeden de olsa izini vermek zorundaydı. Arkadaşlarının havanın kararmasına rağmen çalıştığını duyabiliyordu gizlendiği yerden. Demek ki yoğun talep vardı son zamanlarda. Artık sıkılmıştı. Zaten güneş çoktan batmıştı. Yerinden sessizce kalkıp, birkaç gün öncesine kadar arkadaşıyla harika bir macera yaşadıkları teknenin girişini gizledikleri kulübeye girdi. Sonunda nefes nefese de kalsa kapağa ulaşmıştı. Hemen çukura aşağı süzülüp, kaportayı açıp, tekneye adımını attı. Ardından feneri yaktı. Soluğu bir zamanlar komutanın kullandığı kamarada aldı. Son gelişlerinde portatif kaynak makinesini oraya saklamışlardı. Cihazı sırtlanıp, sandığın kapatıldığı bölmeye adeta koşarcasına gitti. Orada bırakamazdı. Alıp güvenli bir yere saklamalıydı. O sandıkla sürekli kendisiyle ilgilenmelerinin, sahte dostluk gösterisinin ve nihayet arkadaşının kaçırılmasıyla çok ciddi bir ilişki vardı. Bunu hissediyordu. Celal bölmeyi öylesine sağlam kaynaklamıştı ki tekrar kesene dek canı çıktı. Sandık bıraktıkları yerde duruyordu. Şimdi onu dışarı çıkartıp, kimsenin bulamayacağı bir yere taşımalıydı. Ancak yüklendiği an sandığın ne kadar ağır ve büyük olduğunu fark etti. İki kişiyken her şey farklıydı. Düşününce içi buruldu. Ağlamak istiyordu ama Celal'i kurtarmaya faydası olamazdı bunun. Polise gitse ne diyecekti? "Biz koca bir denizaltı bulduk. Sonra Alman konsolosluğundan birileri arkadaşımı kaçırdılar. Lütfen yardım edin." Adamlar gülerdi herhalde. Mantığı arkadaşının ölüsünün işlerine yaramayacağını, onu konuşturmaya çalışacaklarını biliyordu. Bildiği başka bir konuysa; Celal'in sonuna dek dayanıp konuşmayacağıydı. Belki bu şekilde biraz zaman kazanabilirdi. Ayrıca arkadaşını kurtarmaya olanağı olmadığına göre sandığı kurtarmakla uğraşmalıydı.

✳✳✳

Celal, neredeyse altı saattir bağlandığı koltuğa mıhlanmış vaziyette bekliyordu. Vücudun uyuşmuş, karnı açıkmış, çişi gelmiş ve korkuyordu. Halen dokunmamışlardı ama artık yalnız değildi. Zira az bir süre önce feci işkencelerle öldürdükleri talihsiz kapkaççının cesedini esir tutulduğu odaya atmışlardı. Genç irisi bir delikanlıydı ve kim bilir ne tür bir hayattan geliyordu. Büyük ihtimalle kapkaççılığı isteyerek seçmemişti. Üzüldü. Zira hırsız da olsa insandı, bekleyenleri vardı. Şimdiyse paramparça olmuş parmakları kan içerisindeydi. Aşağılık herif tırnaklarını tek tek çekmek dışında boğum yerlerinden parmaklarını kırmıştı hiç üşenmeden. Çıplak olan beliden altınaysa bakmak bile istemiyordu. Korkunç, inanılmaz bir vahşetle karşılaşacağını çok iyi biliyordu. Zaten istedikleri de buydu. Onun halini görüp dağılmasını, çözülmesini bekliyorlardı. Almanlar saatler önce yemek yemeğe çıkacaklarını, işkencecinin güç toplamak istediğini, geldiklerinde kendiliğinden konuşursa menfaatine olacağını, aksi halde arkadaşının yerine başka dublör kullanmadan doğruca şahsıyla ilgileneceğini söyleyerek terk edip gitmişlerdi.

**

Turgut, Deniz'in ayrılmasından sonra bir araya geldiği bayan avukata başlangıçta hiç güvenmemişti. Küçük, çelimsiz bir kız çocuğundan farkı yoktu. Amerikalıların toptan modaya uyup obezite hastalığına yakalandığı devirde hiç alışılmış bir hali vardı; ama kız ağzını açtığında onun ne çetin ceviz olduğunu anlamakta gecikmedi.

- Mr. Turgut, buradaki misafirliğiniz fazla sürmeyecektir. Her şeyden önce ortada bir ceset yok.

Tanrım, bu bakımsız pehlivan kılıklı kız ne diyordu? Ne cesedi? Ne cinayeti? Acaba Deniz hınzırı intikamını almak için ona sahte bir avukat mı tutmuştu? Hayatı Oregon zindanlarında mı geçecekti? Halbuki Deniz'i hep sevmiş ve sevmekten hiç vazgeçmemişti. Sadece zorunluluklarını kıza anlatamıyordu. O günlerde Türkiye'ye dönmemiş olsa çıldırırdı.

- Bakın...

- Adım Dorothy'dir.

- Bak o zaman Dorothy. Sen gerçekten avukat mısın?

- Evet, hem de en iyilerinden biriyim.

- Ben kimseyi öldürmedim. Eğer buna inanmıyorsanız beni savunamazsınız.

- Bana gerçekleri anlatırsanız daha kolay anlaşacağımızı umuyorum. Burada sonsuza kadar kalmama müsaade etmeyeceklerine göre zamanımızı ekonomik olarak kullanalım.

- Kimseyi öldürmedim. Bildiğim tek gerçek bu.

- Güzel, Benjamin Evans'ı tanıyor musunuz?

- Hayatım boyunca görmedim, tanımadım.

- Ama atalarınızla bu aile arasında geçmişte hiç de hoş olmayan ve oldukça acı bir şeyler yaşandığı tüm kasabaca biliniyor.

- Ben de bunu saklamıyorum.

- Neden buradasınız?

- Tüm kasabanın bildiğini siz de bildiğinize göre olayları da öğrenmiş olmalısınız.

- Şüphesiz. O zaman şöyle sorayım, büyük deneniz ve arkadaşı yıllar önce neden buradaydı ve o aileyi son ferdine kadar yok etmek için neden ellerini kana buladılar?

- Tek isteğim, bu olayın ardındaki gerçeği öğrenmekti.

- Büyük dedeniz ve arkadaşı çok uzaklardan gelip, kasaba tarihinde görülmemiş cinayetler işlediler. Çok sonra siz ortaya çıktınız ve aynı aileden bir kurban daha. İşimiz çok zor. Hem de çok...

- Cinayet falan işlemediğimi daha önce söyledim. Artık tüm taşları bir araya koyabiliyorum ama ne yazık ki kodesteyim. Atalarım dediğiniz insanlar bu aileyi yok etmek için canlarını feda etmekten çekinmediler. Çünkü aksi takdirde zavallı, masum kurbanlar olarak görülen o ailenin tek amacı ülkemi yok etmekti. Öldürdüğüm iddia edilen Benjamin Evans'sa şimdilerde bu amacı gerçekleştirmek için yola çıkmış durumda. Umarım geç kalmayız.

***

- Nasılsın genç adam? Kararını verebildin mi?

Alman konsolosluğu görevlisi ve yanındaki adam kapıdan içeri girmişlerdi. "Doktor" olarak bahsedilen kişinin elinde hâlâ içtiği kolanın yarım kalmış kutusu vardı ve zıkkımlanmaya devam ediyordu. Açlığını yeniden hissetti Celal. Tabi korkusunu da. Onları ikna etmek için umutsuz bir çabaya girmekten başka çaresi yoktu.

- Sizleri hiç tanımıyorum. Beni başka biriyle karıştırıyorsunuz. Ben garip bir işçiyim.

- Sen ve arkadaşın Metin bizim için çok önemlisin delikanlı. Maalesef onu elimizden kaçırdık. Ama sen de işimize yarayacak çok şey biliyorsun.

- Anlayamıyorum. Benim hiçbir şeyden haberim yok. Metin sadece iş arkadaşım. Birlikte alışverişe çıktık. Hepsi bu.

- Önemli değil. Hatırlamana yardımcı olacağız.

O esnada diğer adam ceketini çıkartmış, ellerine kanlı eldivenleri takmış, aynı kanlı doktor önlüğünü yeniden üzerine geçirmişti. Sırf bu görüntü bile Celal'in tüm kaslarının gevşemesine yeterliydi.

- İnanın, ne istediğinizden, neden burada olduğumdan haberim yok.

Ancak boşa uğraştığını hissediyordu delikanlı. Zira Brandt, çoktan elini Celal'in kemerine atmış, önce kemeri sertçe çıkarttıktan sonra çocuğun pantolonunu, iç çamaşırını topuklarına kadar indirmişti. Şimdi belden aşağısı çıplak vaziyetteydi. Ardından daha önce kapkaççının testislerini ezmek için kullandığı kanlı penseye uzandı. Bir yandan da sırıtıyordu. Celal, çığlığını içinde tutmaya çalıştı ama beceremedi. Yaşayacağı korkunç acıyla nasıl yüzleşeceğini bilemiyordu.

- Şaka yapmadığımızı anladın herhalde delikanlı. Hâlâ konuşman için biraz vaktin var.

- Ne konuşmamı istiyorsunuz?

- U-27'den bahsedebilirsin mesela.

- O da nedir?

Aynı anda pensenin soğukluğunu kasığında hissetti. Türkçe bilen Alman'sa açıklamaya devam ediyordu.

- U-27 ulusumun kahramanca savaştığı Birinci Dünya Savaşı'nda önemli görevler üstlenmiş, büyük başarılara imza atmış bir denizaltıdır.

- Çok güzel, Aferin U-27'ye. Bravo vallahi de bir denizaltıyla ne gibi bir ilgim olabilir?

Brandt, sabırsızlanmışçasına Kuefer'e baktı. Bir an önce iğrenç işine başlamak ister gibiydi. Ateşe de bunu anlamıştı.

- O zaman arkadaşım operasyona başlayabilir. Belki bu hafızanı tazelemene yarar.

Brandt, işareti anlamıştı. Hemen penseyi ileri doğru hareket ettirdi. Celal, gözlerini kapatmıştı. Çalan cep telefonunun sesini duyduğunda bile açmaya korkuyordu. Kuefer'in cep telefonuydu. Adam, hoşnutsuzca açtı telefonu. Almanca bir şeyler konuştu. Ardından Celal'e baktı.

- Arkadaşın ısrarla konsolosluktan GSM numaramı istemiş. Bana danıştılar. Ben de verebileceklerini söyledim. Bizimle paylaşmak istediği bir şeyler var anlaşılan.

Aynı anda cep telefonu çalmaya başlamıştı.

- Alo.

- ....

- Doğruyu söylediğini nereden bileyim?

- ....

- İki saat kadar süren var.

- ....

- Eğer polise haber verirsen arkadaşın ölmek için bize yalvaracaktır.

Brandt'a dönüp hararetle bir şeyler konuştuktan sonra tekrar telefona döndü.

- Şu an akşamın sekizi. İki saat sonra bildirdiğin yerde buluşacağız. Numara yapmaya kalkarsan sen bilirsin.

Bir kez daha Brandt'la konuştu. İşkenceci herif elinden oyuncağı alınmış gibi mahzunlaşmıştı.

- Çok şanslısın. Arkadaşın hakikatli çıktı. Seni serbest bırakmamız karşılığında akşam denizaltının yerini göstereceğine dair söz verdi. İnanamıyorum ama siz iki meraklı seksen sekiz yıl önce kaybolan bir Alman denizaltısını gerçekten bulmuşsunuz. Çünkü ben sormadığım halde kendisi söyledi. Açıkçası bu kadarı benim bile aklıma gelmezdi.

Celal'se pek bir şey duyamıyordu. Zira eli ayağı boşalmış, beyni durmuştu.

***

Deniz, ilk uçakla Portland'dan New York'a uçmuş, şimdi de Türk Hava Yolları'nın, Airbus uçağıyla İstanbul'a doğru uçmaktaydı. Kafası karmakarışıktı. Edbert'in anlatmak zoruna kaldıkları, Turgut'un başına gelenler, geçmişte işlenmiş korkunç cinayetlerle bir zamanlar sevdiği adamın ve hazırlanmakta olan şeytani planın çakışması ona inanılmaz gibi geliyordu. Ama gerçekti. Şimdiyse tek başınaydı. Edbert'in eli kolu bağlıydı, Turgut hapisteydi. Açıkçası gelmekte olan felaketi önleyebilecek, aşağılık planı bozabilecek tek insan kendisiydi. Hemen bir ilaç alıp, uykuya dalması gerekiyordu. Zira görevi çok önemliydi ve dinlenip, güç toplamalıydı.

***

Sadık Bey, uzun süre sonra baba ocağına dönen oğlu Metin'e kırgındı ama gördüğü an yaşadığı özlem pek çok şeyi unutmasına yetmişti. Metin'i sevgiyle bağrına basmış, hatta araçtan çıkarttığı koca sandığı odaya kadar taşımasına yardım etmişti. Sandığı hiç merak etmiyordu. Oğlunun hayal dünyasını ve meraklarını iyi bildiğinden yine bir şeylerin peşinde olduğunu düşünmüştü. Metin'se hemen sandığıyla küçüklüğünden beri kaldığı arka odaya yerleşmiş, salonda keyifle rakısını içmekte olan babasını yalnız bırakmıştı. Şimdi nefes nefese akşam için hazırlanıyordu. Celal'i kurtarmalıydı. Denizaltı umurunda değildi. Zaten kendileri için önemli gördüğü sandığı zor da olsa almıştı ve güvendeydi.

Pek kolay olmamıştı aslında. Sandığı teknenin dar geçitlerinden ve giriş kaportasından çıkartmak oldukça uğraştırmıştı. Güç bela dışarı çıkıp, tekrar girişi kapattıktan sonra kum ocağından sessizce yürüttüğü el arabasına yükleyip, bir arkadaşından ödünç aldığı aracın bagajına yerleştirdiğinde resmen tükenmişti. Aceleyle sanığın kapağını açtı. İçerisindekilere pek fazla bir anlam veremiyordu. Daha önce denizaltıda buldukları diğer tarihi eserlerden farklı değildi. Anlam veremediği birkaç parça eşya da cabasıydı. Ama diğerlerinden ayrı ve çok özel olarak saklamıştı. Bunun mutlaka bir nedeni olmalıydı. Tek tek çıkartıp alıcı gözüyle, inceledi. Bir yandan da kırıp, zarar vermekten korkuyordu. Son parçayı da çıkarttığında alt taraftaki sararmış kağıt tomarını görebilmişti. Daha önce hayal kırıklığına uğradıklarından yüzeysel olarak bakmışlardı. Tomarı ilk kez görüyordu. Eğilip aldı. Rulo haline getirilmiş bir düzineden fazla sayfaydı ve hepsi renkli bir sicimle bağlanmıştı. Yavaşça açtı. Almanca yazılmış notlardı. Tek anlayabildiği, parantez başlarındaki tarihlerdi. Sandığa yerleştirip, dışarı çıktı. Babasıyla kısa bir vedalaşmadan sonra araca atladı. Maslak yoluna doğru sürmeye başlamıştı. Çok tedirgindi. Tek isteği; arkadaşını kurtarmaktı ve karşısındakilere güvenemiyordu. Saat akşamın on biri olduğu halde hâlâ kalabalık olan yolda yarım saat kadar sürdükten sonra İstinye'ye inen yokuşun başında aracı durdurup, farları kapatıp beklemeye başladı. Buluşmak için sözleştikleri yerdeydi. Dakikada bir sigara yakıp, birkaç nefes çekip atıyor, yenisini yakıyordu. Ağzı nikotinle kaplanmaya başladığında uzaktan doğru sağ şeride yanaşarak gelen büyük bir kamyonet gördü. "Acaba onlar mı?" demeye kalmadan siyah renkli araç yanında durmuş, Kuefer fazla beklemeden direksiyondan inip, yanına gelmekte mahzur görmemişti.

- İyi akşamlar genç arkadaşım. Sana söz verdiğim hediyeleri Almanya'dan getirtmiştim ama gelip almadın nedense.

Metin'in uzatmaya hiç niyeti yoktu.

- Hemen arkadaşımı serbest bırakmanızı istiyorum.

- Merak etme. İşe yaramaz arkadaşını sana vereceğiz ama önce sözünü tutmalısın. Bizi denizaltının olduğu yere götür. Bunca yıl sonra hâlâ sağlam kalabildiğine inanamıyorum. Ayrıca Ege Denizi'nin ortasında kaybolan bir denizaltı nasıl olur da İstanbul civarında ortaya çıkar? Bu da başka bir muamma. Doğru söylediğinize inanmam çok zor. Bizimle oynamayı düşünüyorsan...

- Gerçeği söyledim ve denizaltınızın yerini göstereceğim.

- Ordumuz, tüm teknik olanakları kullanarak yıllarca denizaltıyı Ege Denizi'nin derinliklerinde aradı. Sonunda hepsi pes etti. U-27 artık sadece birkaç ihtiyarın anılarında kaldı. Ama bir gün sen ortaya çıkıp, bu işe kellesini koymuş ve hâlâ mücadele eden birkaç kişi dışında kimsenin hatırlamadığı tekne hakkında bilgi almak istediğini söyledin. O an bir şeyler olduğunu anlamıştım. Ancak bunun gerçek olduğuna inanmam çok zor. Her şeyden önce doğal şartları düşününce bile bunun imkansız olduğuna kanaat getiriyorum. Beni nasıl ikna edeceksin? Hayali bir denizaltı uydurmacasıyla arkadaşını kurtarmaya çalışmadığını nereden bileyim.

- Size küçük bir hediyem var.

Cebinden komutanın kamarasından aldığı ve tüm personelin geminin önünde resimlendiği fotoğrafı çıkartıp uzattı. Kuefer kaptığı gibi araca girip tavan lambasın ışığında incelemeye başladı. Ön koltukta yanında oturan iri adamın da gözleri fal taşı gibi açılmıştı. Çok geçmeden ikisi birden dışarıya fırladı.

- Bunu nereden buldunuz?

- Söylediğim gibi bir Alman denizaltısının içineydi. Sanırım bir zamanlar komutana ait olan kamarada.

- Bizi hemen oraya götüreceksin.

- Önce arkadaşımı serbest bırakacaksınız. Ancak ondan sonra yerini söylerim.

- Biz götürüp, yalan söylemediğine emin olduktan sonra onu sana vereceğiz.

- Arkadaşım nerede?

Kuefer, kamyonetin kumanda panosuna gidip, bir düğmeye basınca arka bagaj otomatik olarak açıldı. Zavallı Celal elleri, ayakları bağlanmış, ağzı bantlanmış halde iki büklüm orada yatıyordu.

- Arkadaşımı serbest bırakmadan bir yere gitmiyorum.

- Arabaya bin ve yolu göster. Aksi halde seni vurmak zorunda kalacağım.

- İstersen dene. U-27'nin sonsuza dek kaybolmasına sebep olursun. Ayrıca o tekne umurumda bile değil. Tek merak ettiğim; sizin için neden bu kadar önemli olduğudur. Yıllardır peşinde olduğunuza göre özel bir önemi var.

- Bunu sana anlatacağımı sanmıyorsun herhalde. Hem anlatsam da bir şey anlamayacağına eminim. Çok uzun ve derin bir konu. Şimdi arkadaşını kurtarmak istiyorsan davran ve araca bin.

Çaresizleşmeye başlamıştı Metin. Celal, sucuk gibi bağanmış olarsak bagajdaydı ama kurtarabilmesi için bu herifleri denizaltıya götürmesi gerekiyordu.

Peki ama nasıl güvenecekti? Yerini öğrendiklerinde ikisini de öldüreceklerinden emindi. Heriflerin bu kadarını asla beklemediğini heyecanlarından ağızlarının kulaklarına varmasından anlamıştı. Ne halt yiyeceğini düşünürken. Almanların arabalarının ön camı ani bir patlamayla havaya uçtu. İri yarı olanı boynunu tutarak kanlar içerisinde yere yığılırken Kuefer, ikinci patlamayla ayağından aldığı yarayla yere kapaklandı. Zor da olsa ayağa kalkıp, önce mermilerin geldiği koruluğa rastgele ateş etmeye, ardından topallayarak kaçmaya başladı. Metin için bu fırsatı kaçırmak büyük bir aptallıktı. Son hızla bagajı açıp, Celal'i sırtına alarak ödünç aldığı araca attığı gibi gaza bastı. Almanları saf dışı bırakan kimlerse şimdi kendilerinin ardından ateş ediyorlardı. Ama artık aradaki mesafe artıyordu ve Metin var gücüyle atış menzilinden çıkmak için gaza basıyordu. O hızla Büyük Dere'ye indi. Sahil yoluna dönüp, izini kaybettirmek için sürüyle sokak ve caddeye girip, çıkıktan sonra aracını bir kenara çekip, arkadaşını çözdü. Ancak konuşmalarına fırsat kalmadan zavallı Celal, kucağına düşüp bayıldı. İstinye yokuşunun başındaysa İzak ve Dean pusu kurdukları yerden çıkıp, Brandt'ın ölüsüne şöylece bir göz atıp, arabanın içinde işe yarar bir şey bulamadıktan sonra yakında olay yerine gelecek olan polis ekibine yakalanmadan kaybolmak için yan yola gizledikleri arabalarına yürüdüler. Günlerdir iki Alman'ı takip ediyorlardı. Ama şimdi ellerinde daha önemli bilgiler vardı. Zira Metin'in kullandığı arabanın plakasını almışlardı. Ayrıca Mossad, iki delikanlının İstanbul'un kuzeyinde bir kum deposunda çalıştıklarını çoktan tespit etmiş ve adresini adamlarına bildirmişti. Eninde sonunda oraya döneceklerdi nasıl olsa.

***

Ölüm, amansız bir sis halineydi şimdi. Adeta bir şelalenin yüksek kayalardan düşüp dağılması gibi hızla ve çağlayarak yayıldı. Çok geçmeden her yanı kaplamıştı. Artık lanetlenmişlerin kurtulmasına imkan yoktu. Ne duvarlar, ne kapılar, ne kilitler bu güce karşı koyamayacaktı. Onlar için ölümlerin en kötüsü seçilmişti.

***

- Zarfı kendi elimle teslim ettim Şefika Hanımefendi.

- Size büyük zahmet verdim Vedat Bey. Nasıl teşekkür edeceğimi bilemiyorum.

- Ne demek. Sayenizde Ankara'daki başka işlerimi de hallettim.

- Gerçekten minnettarım.

- Alt tarafı sabah uçağına atlayıp daha önce görüştüğünüz yetkiliye zarfı teslim ettim. Sonra Ankara'ya her seyahatimde yaptığım gibi bir zamanlar ailece yemek yediğimiz lokantaya uğrayarak eski günleri andım. Ardından kısa bir uçak yolculuğu daha. Hepsi bu.

- İçimi rahatlattınız. Haydi gelin, cam kenarına kurulalım, size güzel bir kahve pişireyim. Siz de bana sigara ikram edersiniz. Hemşirelerden gizlice tüttürürüm.

- Harikasınız Şefika Hanımefendi. Refik Bey, gerçekten çok şanslı bir adammış size rastladığı için.

- Ben de onun kadar şanslıydım ama ne yazık ki diğer yönlerden şansımız yaver gitmedi.

- Anlıyorum, hiçbir zaman evlenemediniz.

- Bunun gerçekleşmesini hiçbir zaman istemedim. Eşine karşı hep dürüst davranmam gerekliydi. Aksi halde kendimden tiksinirdim. O kadıncağızın benim yüzümden bir kenara atılmasına sebep olamazdım.

- Refik Bey, eşini sevememişti. Ailesinin zorlamasıysa yapılan bir evlilikti. Yani sizden çok önce zaten kopmuşlardı. Hatta sizinle tanışmasından bir sene önce avukatı olarak bana boşanma davası için vekalet vermişti.

- Olsun, tüm bunlar o kadının suçu değildi. Sonunda o da bu hassasiyetimi, açıkçası yuva yıkan bir gözü kara bir yosma olmadığımı anlayabildi.

- Biraz geç kalmıştı.

- Önemli değil. Biz bu şeklide çok mutluyduk. Çocukluğumdan bu yana yaşadıklarımdan sonra, Refik Bey, karanlıklar içerisinde yuvarlanarak harcanacağını sandığım hayatımda karanlık, fırtınalı bir denizde umutsuz bir geminin yolunu aydınlatan bir fener gibi yaşamıma girdi. Beni etrafıma ördüğüm kozadan çıkarttı.

- Ne güzel. Şimdi böyle aşklar nerede!

- Erken ölmesine çok üzüldüm. Ancak şimdi düşündüğümde aslında şanslı olduğuma inanıyorum. Onun yaşlanıp aksi, huysuz, geveze bir ihtiyar haline geldiğini görmedim. Böylece Refik Bey'i hep o nazik, yakışıklı ve duygu yüklü gözleriyle hatırlayacağım. Rahmetli annem, tanıdığım en kibar insanlardan biriydi. Ama yaşlanıp, bunadığında hayal bile edemeyeceğim küfürler savurmaya, çevresine görülmedik hakaretlerde bulunmaya başladı. İnsanların doğaya yenilmemek için çok fazla yaşlanıp, kendilerinden olmadan ölmelerinin en iyisi olduğuna inanıyorum. Tabi bu idealimi yerime getiremediğimden dolayı üzgünüm. Gereğinden fazla yaşadığımı hissediyorum.

- Asla. Size hizmet etmek bana her zaman mutluluk verecektir.

Sesini çıkartmadı Şefika Hanım. Artık içi rahattı. Bildiği her şeyi, sahip olduğu tüm belgeleri gitmesi gereken yere göndermişti. Zamanı gelmişti. Artık rahat ve huzurluyu. Türk Devleti'nin hazırlanan iğrenç planı bozup sonsuza dek özgür yaşayacağından emindi ve bu konuda elinden geleni yaptığına inanıyordu. Tıpkı babası İzzet Efendi ve arkadaşı Rüstem gibi...

**

03.08.1917

- Bugün makine bölümü erlerinden Ritter oldukça garip hareketler yapmaya başladı. Kulağına sesler geldiğini, denizaltının içerisinde korkunç hayaletlerin dolaştığını iddia etmeye başladı. Daha önceleri son derece başarılı ve disiplinli bir mürettebatın birdenbire bu hale gelmesini içerisinde bulunduğumuz stresli ortama ve oksijen yetersizliğine bağlıyoruz. Zira düşman gemileri nedeniyle çok seyrek olarak yüzeye çıkabiliyoruz.

04.08.1917

- Birkaç saat önce bir İngiliz kruvazörü tarafından tespit edildik. Aslında yaptığımız büyük bir tedbirsizlik ancak oksijenimiz yetersiz. Ayrıca rahatsızlanan personelimize temiz havanın iyi geleceğini düşünmüştük. Acil olarak dalışa geçtik. Buna rağmen İngiliz gemisi çok yakınımıza su altı bombaları bıraktı. Patlamalar oldukça şiddetliydi. Birçok elektrik panosu zarar gördü, borular bağlantı yerlerinden koptu, kıç yeke dairesinde ciddi sorun olduğunu tahmin ediyoruz, snorkel de hasar görmüş olabilir. En büyük sorunsa; bu olaydan sonra personelin moralinde görülen büyük çöküş. Çoğu ambardaki o şeyden korkuyorlar ve bir an önce ondan kurtulmamızı istiyorlar. Gemiye alınmasına müsaade ettiğim için bana da kin beslediklerinden eminim. Harekat astsubaylarından birisi özel kargomuzdan korkunç sesler duyduğunu ve Tanrı tarafından yaratılmış evrende bir benzerlerinin daha olmadığını iddia ederek sinir krizi geçiriyor. Bu kadar kolay pes etmemeliyiz. Neye sahip olduğumuzu, bunun ne anlama geldiğini bir türlü anlayamıyorlar. Ben de korkuyorum, hem de çok. Ama cesur olmak zorundayım. Dün gece çok az uyuyabildim ve sürekli kabuslar gördüm. Galiba çığlık da attım. Yine de o şeye sonuna dek sahip çıkmalı ve ülkemize götürmeliyiz.

05.08.1917

- Halen yüzeye çıkamadık. Bunun şu aşamada çok tehlikeli olduğunu düşünüyoruz. Satıhta bazı düşman gemileri devriye geziyor. Su altı akustik cihazlarına yakalanmamak için daha derine inmek zorunda kaldık, tüm makineleri stop edip, cihazları susturduk. Bekleyiş çok zor ve huzursuzluk verici. Er Ritter gittikçe kötüleşiyor, saldırganlık emareleri göstermeye başladığı için onu ayrı bir bölüme hapsedip, ellerini bağlamak zorunda kaldık. Türk ve Arap esir konusunda ne yapacağımızı bilmiyorum. Zannedersem silah subayımız onları konuşturmak uğruna gereğinden fazla hırpaladı. Tıkıldıkları yerde her geçen gün ölüme biraz daha yaklaştıklarını hissediyorum. Yaşadığımız hem çok muhteşem bir mucize, hem de bir felaket. Şans ve şanssızlığı bir arada yaşıyoruz. Ele geçirdiğimizin aslında ne olduğunu anladığımızda neredeyse sevinçten çıldıracaktık. Ama şimdi yine çıldırmaya doğru gidiyoruz. Acaba sevinmekte çok mu acele ettik? Er Ritter, sandığa en fazla yaklaşan, taşıyan ve içerisindekileri elleyenlerden biriydi.

06.08.1917

- Hasta askeri bugün öldürmek zorunda kaldık. Silah subayı bu işi sessizce halletti. Arkadan yaklaşıp, delikanlının boynunu kırdı. Bu adamın böylesin soğukkanlılıkla cinayet işlemesi içimi ürpertiyor. Bitter için kısa bir tören yaptık. Ardından cesedini torpido haznelerinden birine yerleştirdik. Düşman gemilerinin battığımızı zannetmesi için ayrıca hazneye bir miktar yastık, battaniye, makine yağı ve bazı su üstünde yüzebilecek eşyalar yerleştirip, basınçla fırlattık. Umarım işe yarar. Her şeyin o lanetli sandık nedeniyle başımıza geldiğini düşünenler çoğaldı. Gerçekten sevinmekte acele ettiğimizi düşünüyorum. Ondan kurtulmanın da artık bize fayda getireceğini sanmıyorum. Ayrıca tüm haberleşmemiz garip bir şekilde kesildi. Telsiz operatörlerinin çabalarına rağmen kimseyle temas kuramıyoruz.

07.08.1917

- Gemi sürüklenmeye başladı. Bunun nasıl olduğunu anlamamamıza imkan yok. Sanki görünmez bir el tarafından kumanda ediliyor. Korku ve panik had safhada. Hiçbir şey yapamıyoruz. Tüm göstergeler sapıttı. Nerede olduğumuzu bilemiyoruz. Harekat subayı, üst teğmen Scholz, koridorlarda garip ve anlatılmaz şeyler gördüğünü söyledi. Korkudan göz bebekleri büyümüş durumda. Erlerden birinin vücudundaysa iğrenç çıbanlar çıktı. Feci acılar çekiyor, sürekli inliyor.

Onlar da başlangıçta sandıkla fazla ilgilenmişlerdi. Tanrım, bu nasıl bir lanet? Yoksa bizler mi boşuna kuruntu yapıyoruz? Esirlerden Arap olanı öldü. Silah subayının sorgu seanslarına fazla dayanamadı. Zaten onun da vücudunda iğrenç çıbanlar çıkmaya başlamıştı. Cesedini torpido haznesine yerleştirip, bazı materyalle birlikte fırlattık. Artık düşman gemilerinin battığımıza inanacağından eminim. Yüzeye çıkmaya fazlasıyla ihtiyacımız var.

08.08.1917

- Bugün güzel bir gün. Tekrardan denizaltının kontrolünü ele aldık. Herhalde sinirleri bozuk olan personel, tekneyi yönetmek konusunda ciddi hatalar yaptılar. Zira şimdi hey şey yolunda gözüküyor ve arızalı bir cihaz yok. Acaba hepimiz hayal mi gördük, toplu histeri mi geçiriyoruz? Rahatlamak için dini bir ayin yaptık. Ardından tehlikeyi göze alıp, yüzeye çıktık. Yaşasın temiz hava. Pırıl pırıl bir güneş vardı. Dakikalarca güvertede oturup, taze oksijen soluduk, yakınımızdan geçen yunus sürüsünü seyrettik. Uzakta görünen kara parçasının hangi ülkeye ait olduğunu anlamak için çalışma başlattık. Esir Türk askerini de güverteye çıkarttık. Ancak zayıflamış ve yüzü fazlasıyla solgun. Artık esir muamelesi yapılmaması konusunda emir verdim. Ayrıca bizlerin yediklerinden de yiyebilecek. Neden burada olduğunu asla bilmiyor. Daha önce bir denizaltıda bulunmadığı belli. Bu yüzden çok tedirgin.

08.08.1917

- Aynı gün akşam her şey tersine gitmeye başladı. Teknede inanılmaz arızalar ortaya çıktı. Birkaç personel daha ruhsal bozukluk belirtileri gösteriyor. Üst teğmen Scholz sakin ama boş boş bakıyor, durmadan kendi kendisine konuşuyor. Hepimizin güvenliği için üstteğmenin yetkilerini iptal edip, görevden aldım, tabancasına el koydum. Diğer sorunlu personelle birlikte göz altına aldırdım. Çarkçı başını ve birkaç sağlam ast subayı gözlerini üzerlerinden ayırmamalarını tembihleyerek başlarına diktim.

- Artık tarihleri yazmıyorum. Önemi de yok. Silahımı sürekli olarak yanımda taşımak zorundayım. Tüm personel birbirisinden kuşku duymaya başladı. Ne yazık ki Scholz ve iki başka hastayı öldürmek zorunda kaldık. Silah subayı bu işe adeta gönüllü oldu. Onlar da torpido haznesi yoluyla gemiden ayrıldılar. Olayları izah etmek mümkün değil. Harekat bölümünden bir ast subaysa bu sabah intihar etti. Yattığı üst ranzanın demirine kemerini kullanarak kendisini asmış. Son üç gündür yanına yaklaşan herkese korkuyla saldırmaya çalışıp, geceleri ışıklar gördüğünü iddia ediyordu.

- Deniz altımız, iki gündür dipte oturmuş vaziyette. Kurtarmaya çalışıyoruz. Ayrıca dibe oturmamıza neyin sebep olduğunu bilmediğimizden gereksiz ne varsa torpido fırlatma haznesine doldurup, tekneyi hafifletmeye çalışıyoruz.

Metin, Celal'in okuduğu satırlardan artık bunalıştı. Oturduğu yerde çakılıp kalmış, adeta şoka girmişti. Sonunda devreye girmek gereğini hissetti.

- Yeter Celal. Korku filminden beter. Acaba gerekten tüm bu garip olaylar yaşandı mı?

- Sandıktan çıkan notlar... Dün sabahtan beri tercüme bürosunun elemanları var güçleriyle Türkçeye çevirmek için uğraştılar. Şüphelenmesinler diye Almanca bir film senaryosu olduğunu söyledim. Komutan o günlerde denizaltıda yaşananları kaleme alıp, son olarak sandığın işine saklamış. Eğer sen cesaret edip kurtarmasaydın hiç bilemeyecektik.

- Şimdi metrelerce kumun altında yatan teknede yıllar önce yaşanlara inanmak çok güç ve ürpertici.

- Sanki tüm olanlardan bizim sandık suçlanıyor gibi.

- Sanmıyorum. Bize hiçbir şey olmadı. Ayrıca lanetli dedikleri sandık arka odada uslu uslu duruyor. Hem komutan da okuduğun günlüğünde bu konuda lüzumsuz yere paranoyaya kapıldıklarını kabul ediyor.

- Daha tamamını okumadım. Üstelik bir ara biz de acayip durumlara düşmüştük. Mesela senin bayılman, benim saçmalamam...

- Onlar yeterli oksijen sağlanamayan bir denizaltıda günlerce suyun metrelerce altında boğuşup, takip eden düşmandan kaçtılar. Sıkıntılarını, üzerlerinde patlayan su bombalarını düşünsene. Bu duruma düşmeleri normaldir.

- Doğru söylüyorsun ama teknenin personeli çok iyi eğitimliydiler. Yıllarca süren bir savaşın en zor günlerini yaşamışlardı. Yani durduk yerde sapıtacak tipler değildi. Haydi onlar bir yana. Biz de benzer şeyler yaşadık.

- Biz de aynı paranoyaya yakalandık. Havasız bir teknede, kumların altında.

- Kendini teselli etme Metin. O sandıkta bilemediğimiz bir şey var.

- Neler olduğunu sen de gördün. Gemide bulduklarımıza benzer, küçük tarihi parçalar ve garip eşyalar... Ama benim aklıma takılan, Lusitanya gemisi.

- Kamarada resmini gördüğümüz mü?

- Evet. 1915 yılında İrlanda'nın güneyinde büyük bir patlama sonrasında batmış, dev bir İngiliz yolcu gemisi. Her zaman yakınlarındaki bir Alman U- botundan fırlatılan torpido nedeniyle battığı söylendi. Sorumlunun U-20 bordo numaralı denizaltı olduğu iddia edildi. Sivil bir yolcu gemisini batıran Almanlar protesto edildi. Alman tarafıysa geminin masum olmadığını, çok gizil bir görevi ve özel bir kargosu olduğunu yaydılar. Buna delil olarak da gemide torpido isabetinden sonra meydana gelen dev patlamayı gösterdiler. Onlara göre sivil bir yolcu gemisinde meydana gelen bu boyuttaki patlama taşıdığı özel cephaneyle açıklanabilirdi. Yani Lusitania masum değildi. Ama hiçbir belgede U-27'den bahsedilmiyor.

- Kamaraya resmini astıklarına göre belki de bizim denizaltımızın da koca geminin haklanmasında gizli bir görevi vardı.

- Tanrım, bizim denizaltımız mı?

Birlikte kahkahalarla gülmeye başladılar. Artık sinirleri laçka olmuştu. Sonunda Metin'in babasının merak edip, içkisinin başından kalkarak odanın kapısına gelmesine dek güldüler. Adamcağız uzun süre sonra gördüğü oğlundan sonra arkadaşının da evde boy göstermesinden mutluydu aslında. Demek ki oğlu kendisine bir hayat kurmuş, düzgün arkadaşlar bile edinmişti. Zira Celal'i ilk gördüğü an sevmişti.

- Baban burada olmamı nasıl karşılıyor acaba Metin?

- Kesinlikle seni sevdi. Sevmeseydi kaşlarını çatıp, öyle bir bakardı ki hemen anlardım.

- Devamını okumak istiyorum.

- İçim karardı. Hem sen de dinlen. Birkaç gün önce testislerini parçalamak isteyen bir işkencecinin elinden kurtulup, araba bagajında çuval gibi bağlanıp, seyahat ettin, sonra kim olduklarını dahi bilmediğimiz kişilerin kurşunlarıyla delik deşik olmamak için şehir içerisinde formula pilotları gibi araba kullandık. Senin yerinde olsam iki gün boyunca uyurdum.

- Hiç sıkılmadım. Beni kurtarmak için her şeyi yapacağını biliyorum.

- Almanlardan birinin öldüğünden eminim. Diğeri yaralı olarak kaçtı. Peki ya onlara ateş edenler.

- Hiç bilemiyorum ve bu hikaye gittikçe içinden çıkılmaz hale geliyor. Tek bildiğim, büyük bir tehlike içerisinde olduğumuz. Tabi nasıl kurtulacağımızı da Allah bilir.

- Metin, acaba o Lusitania denen gemi özel bir madde mi taşıyordu? Mesela Uranyum.

- Peki denizaltıda ne işi var uranyumun?

- Gemiyi vurduktan sonra denizaltı personeli tekne suyun dibini boylamadan önce gemiye çıkıp, el koymuşlardır.

- Ve bizim sanığın içine saklamışlardır. Değil mi? Ama sandıkta öyle bir şey yok.

- Dikkatli olalım Metin. Hem sandıktan, hem tanımadığımız insanlardan sakınmalıyız.

- Ne kadar kaçabiliriz, bu odada ne kadar saklanabiliriz?

- İşte ben de bunun cevabını bilemiyorum.

***

Dorothy, bu sefer elindeki evrak çantasıyla görüşme mahallinde çok rahattı ve gülümsüyordu. Turgut'sa gücünün son raddesindeydi. Gece boyu gürültülerden uyuyamadığı gibi, hücresinde, yatağının yanı başına yerleştirilen tuvaleti kullanmaya alışamamışı. Zira her an nöbetçilerin gözetimi altındaydı. Burada iki gün daha yatmaktansa, Metris Cezaevi'nde müebbet hapse razıydı. Hiç değilse orada rahat rahat, gerine gerine işini görürdü. Kızın yanında bu sefer şerif Robinson da vardı.

- Birazdan salıverileceksiniz Mr. Turgut.

Kulaklarına inanamıyordu. Dorothy, ne düşündüğünü anlamıştı sanki.

- Tabi ki bu beraat etmeniz demek değildir. Sadece tutuksuz yargılanacaksınız. Ama merak etmeyin. Davayı kazandığımızı söyleyebilirim.

- Birisi, Deniz kefaret ücreti mi yatırdı yoksa?

- Hayır, size söylediği gibi Türkiye'ye döndü.

- Peki ya bu mucize?..

- Mucize değil. Bir şahidin verdiği ifade lehinize oldu ve bu kararın alınmasını sağladı. Size çok iyi bir avukat olduğumu söylemiştim. Üstelik tutuklanmanıza sebep olanlar her an içeri girebilirler. Suçları iftira ve devlet görevlilerini yalan beyanda bulunarak meşgul etmek.

- Şaka yapmıyorsunuz, değil mi? Kim bu şahit, beni tanır mı?

- Çevrede sayılan ve güvenilen bir çiftlik sahibi. Gördüğünüz gibi Amerikalılar sadece adaletten değil, gerçek adaletten de yana.

- Harikasınız.

- Konuşması gerekenlere bu cesareti aşıladım. Zaten ülkenizden cinayet işlemek için buralara kadar geldiğinize inanmak saçmalıktı ve ben inanmamıştım. Tıp fakültesini bitirmiş bir doktor için büyük enayilik olurdu. Sıkı durun.

İşin içinde başka şeyler var. Tabi şahsınızın ve ailenizin geçmişini artık benimle samimi olarak paylaşmanızı istiyorum. Böylece ilk davada özgür kalabileceksiniz. Takdir edersiniz ki atalarınız bu kasabada hiç de iyi bir intiba bırakmamışlar.

- Şerif Robinson her şeyi biliyor.

- Kendisi de cinayet işlediğinize inanmamıştı zaten.

- Ya şahit?

- Mr. Mudford, şelalelere yakın bir çiftlikte ailesiyle birlikte yaşar. Portland'dan sığırlarını satmış olarak dönerken Evans ailesine ait aracın pek kullanılmayan, tenha yollardan birine sapıp, durduğunu görmüş. Aileyi tanıdığı için başlarının dertte olduğunu düşünüp, yardıma gitmek istemiş. Ancak kısa bir süre sonra yanından konvoy halinde geçen bir sürü başka araç Evans'ların yanında durmuş, içlerinden çıkanlar, çevreyi kontrol ettikten sonra, anne ve babasıyla vedalaşan, elinde valizi olan Benjamin'i kolundan tutup, büyük bir minibüse koyduktan sonra hızla ayrılmışlar. Dostumuz, kısa süre sonra ilerlerde bir yerden askeri bir helikopterin havalandığını görmüş. Bu arada hiç şaşırmamış gibi duruyorsun.

- Biliyordum çünkü. Helikopterdeki adam, şimdi İsrail yolunda. Hatta varmış bile olabilir.

- Bunlar benim alanıma girmiyor ama anladığım kadarıyla işin içinde çok başka durumlar ve kişiler var. Hikayen gittikçe ilgimi çekiyor dostum. Macerana ortak olabilir miyim?

- Zevkle Dorothy.

- Şimdi şerif ve sağladığı güvenlik ekibinin eşliğinde hemen kasabayı terk edelim.

- Pek anlayamadım.

O dakikaya kadar sessiz kalmayı tercih eden Mr. Robinson sonunda konuşmak gereği duymuştu.

- Dışarı çıktığımızda anlayacaksınız arkadaşım. Kasabada kıyamet kopuyor. Başta belediye başkanının kışkırttığı gruplar olmak üzere sayısız manyak hapishane önünde gösteri yapmaya başladı bile. Seni onlara teslim etmemizi istiyorlar. Akıllarınca geçmişin öcünü alıp, kasabayı huzurlu kılacaklar. Size polis üniforması giydireceğiz ve arka kapıdan çıkıp, devriye arabasıyla Portland'a gideceğiz. Orada emin bir yerde ilk duruşma gününe dek misafirimiz olacaksınız. Eyaleti terk etmemek kaydıyla özgürce hareket edebilirsiniz.

Her şey şimdi başlıyordu ve Turgut'un ilk işi; annesini ve anneannesini arayıp, içlerini rahatlatmak olacaktı. Sonra var gücüyle olayın üzerine gitmeliydi. Sonuca ulaşmadan bu ülkeden ayrılmayacaktı. Firdevs Hanım bunu hak ediyordu.

***

Tel Aviv'deki güvenlik önlemleri olağan üstüydü. Oregonlu Benjamin'se günler süren yolculukta geminin güvertesinde General Dynamics firmasından gelen ve atış kontrol radarlarının performansını kontrol edip, raporlayacak teknik danışman rolünü üstlenerek serbestçe dolaşmış, özgürlüğün tadını çıkartmıştı. CIA ilgilileri böyle uygun görmüş ve gemideki elektronik personeline de adamı teknik sorularla sık boğaz etmemeleri, Basra Körfezi'ne varıldığında kendisinin görev başı yapacağı, o güne dek kafasını dinlemesinin gerektiği bildirilmişti. Mutluydu. Hem de çok. Hayatı boyunca ilk kez annesinin katı disiplininden, etrafını saran aile çemberinden çıkabilmiş ve ilk defa Portland dışında bir yere yalnız başına seyahat etme olanağı bulmuştu. Çekingenliğini yenemediği ilk birkaç gün dışında gemideki hayatı onun için tadına doyum olmaz bir tecrübeydi. Sürekli güvertede yürüyüşler yapmış, yıllarca toplumdan ve insanlardan uzak kalmasının acısını çıkartmış, ülkenin dört bir yanından gelmiş, o güne dek dolaşmadıkları deniz, gitmedikleri liman, yaşamadıkları macera ve çılgınlık kalmamış denizcilerle sohbet etmek en büyük zevki olmuştu. Akşamları yatağında dinlediklerini düşünüp, kendi ruhsuz ve ışıltısız hayatıyla kıyasladığında ne kadar zavallı bir yaşamın içerisinden geldiğini düşünerek kahroluyor ama belli edemiyordu.

Gittikleri ülkelerde günlerdir kara yüzü görmeden yaşadıkları günlerin acısını çıkartırcasına liman meyhanelerinde içip dağıtan gemi yöneticileri tarafından polis merkezlerinden toplanan Montanalı bıçkın Holbrook, Hamburg'da gittiği genel evde saatine yüz dolardan fazla ödediği sarışın bombanın aslında transeksüel olduğunu anlayınca olay çıkartıp, dayak yiyen Los Angeles'li Jarvis, kış ortasında gemiye geç kaldığı için kiraladığı balıkçı teknesiyle gece yarısı sancak iskelesine tutunarak güverteye çıkmaya çalışırken buz gibi denize düşen ve bunu kahkahalarla anlatan deli fişek Kingston, sürekli disiplin cezası alıp, kilitlendiği kamaranın lombozundan balık tutan Garry Logan, yatakhanedeki osuruk kokusundan bıktığı için battaniyesini kıç üstündeki topun içine sererek orada yatan zenci Owen ve o güne dek hiç duymadığı, bilmediği şeyleri anlatan bir sürü denizci ona çok başka bir dünyanın kapısını aralamışlardı. Asla tanımadığı ve asla yaşayamayacağı bir dünyaydı bu ne yazık ki. Bu insanlar yerine göre güvertede saatlerce ayakta bekliyor, fırtınaya aldırmadan arızalı cihaz ve silahları tamir ediyor, uçuş güvertesinde rüzgara karşı görevlerini yapıyor, denizin üzerinde minicik bir karınca gibi gözüken gemiye türlü manevralarla yaklaşıp, ciddi bir risk altında uçakla iniş yapıyor, makine dairelerinde kulaklıklarla nöbet tutuyor, gerektiğinde savaşıyor, ölüyor, öldürüyor ama yaşıyorlardı. Yiyor, içiyor, eğleniyor, belaya giriyor, sevişiyor, aşık oluyor, kavga ediyor ama yaşıyorlardı. O ise hiç yaşamamıştı. Ölü bir insan olarak doğmuş ve hiçbir zaman yaşayamayacaktı. Çünkü kader ona daha doğmadan önce biçilmiş çok farklı bir görev vermiş ama isteyip istemediği sorulmamıştı. Kendisini biledi bileli sürekli büyük bir ihtimam ve gizlilikle yetiştirilmiş, sahte bir hastalık raporuyla okula gönderilmeyip, akranlarından uzak kalmış, yaşıtları oynarken sürekli yenilenen ama hiç bitmeyen birtakım öğretmenlerden canını bezdiren dersler almış, daha sonraları bu dersler çok başka bir yöne dönmüştü.

On beş yaşındayken ailesinin tarihini, geçmişini ve en önemlisi üstlendikleri tarihi misyonu anlatan asık suratlı adamlarla saatlerce odalara kapanmak zorunda kalıyordu. Annesi bu öğretmenlerin İngiliz kökenli olduklarını ve uzun süredir kendilerini koruyup kollayarak ve bugünlere gelmeleri için yardım ettiklerini söylerdi. İçlerine kapanık, yalnız, kasabalılara ve tüm diğer yabancılara karşı mesafeli bir aileydiler. Babası çalışmazdı. Annesi nadiren ortada görünerek yardım derneğinin toplantılarına katılırdı ama hiçbir zaman maddi sorun çekmezlerdi. Zira annesi adına gönderilen dolgun çekler yine kendisi tarafından düzenli olarak bankada bozdurulurdu. Zaten ailenin lideri ve yöneticisi de oydu. Babasıysa o evde sadece sessiz bir gölgeydi. Birlikte dışarı çıktıkları yegane günler, pazar günkü kilise ayinleriydi ve o günü dört gözle beklerdi. Çünkü ayinden sonra bazen yakındaki şelalelerin çevresindeki ağaç evlerden oluşan lokantalarda yemek yerler, kimi zaman da sahile kadar inip, plajda yürürlerdi. Mahalledeki akranlarının gözünde üşütük ve zavallı olduğunu biliyordu Benjamin. Ailesindeki bu farklığının sebebini yıllar önce iki Türk tarafından yapılan saldırıya bağlıyordu. Nedense tüm aileyi katletmek amacıyla kurşun yağdırmışlar, o gece sadece çocuk sayılacak yaştaki anneannesi sağ olarak kurtulmuş, ardından haftalarca tedavi gördüğü hastaneden de ayaklarının üzerinde çıkabilmeyi başarmıştı. Ailede kökünün nerelere kadar uzandığı bilinmeyen genetik bir sorundan dolayı prematüre doğum ve kısa süre sonra ölen bebekler en büyük problem ve hüzün kaynağıydı. Üç doğumdan ikisi ölümle sonuçlanırken, kalanıysa çok zor şartlarda ve büyük bir ihtimamla beslenmesi gereken zayıf ve sağlıksız çocuklardı. Bu nedenle her şeye rağmen hayata tutunmayı başarabilen çocuklardan büyük bir kısmı da yaşını doldurmadan aile mezarlığındaki yerini alıyordu. Kendisine gösterilen bu büyük ilgi ve toplumdan soyutlamayı tüm doğal engelleri alt ederek hayatta kalmasına ve soy adlarını sürdürecek olmasına bağlıyordu. Ama on beş yaşına geldiğinde bizzat annesi tarafından açıklanan gerçekle yüzleşince damarlarındaki kanın donduğunu hissetmişti. O günden beri de gerçekten yaşayan bir ölüydü. Aklına iki Türk'ün yattığı mezarlık geldi birden. Sadece bir kez o da merakından dolayı görmüşü. Kasabalılar onların ölü bedenlerinin bile yakınlarında olmasına tahammül edemediğinden belediyece Salisbury dışında bir yerde, eyaletin tahsis ettiği küçük bir arsaya gömülmüşler ve geçen yıllarda her iki mezar da sayısız saldırıya uğramış, taşları kırılmış, üzerlerine çirkin yazılar karalanmıştı. Kasabalı yeni yetme gençler arasında son yıllardaki moda; orada sabaha kadar içki alemi yapıp, kızlara hava atmaktı. Bir nevi cesaret ve kendini ispatlama gösterisiydi bu. Tabi mezarların çevresi kırık içki şişeleri, sigara izmaritleriyle doluydu. Her tarafa saygısız ziyaretçilerin idrar ve dışkılarının kokusu sinmişti.

***

- Beni ciddiye aldığınızı ümit ediyorum beyefendi.

- Deniz Hanım. Bizi şaşırttınız. Açıkçası son bir aydır aynı konuda duyumlar alıyorduk. İki adamımızı sırf bu konu için İsrail'e gönderdik. Ancak elle tutulur bir şey elde edemediğimizi söylemek zorundayız. Ardından garip bir şey oldu. İstanbul'dan bir avukat elinde yaşı bir hanımefendinin gönderdiği zarfla çıkageldi. İyice kafamız karışmıştı. Çünkü gönderdiği mektuptaki tüm belgeler gerçekti. Hikayesiyse inanılmazdı. Şimdi de siz aynı konuyla ilgili olarak karşımızdasınız. Yarın o hanımı ziyaret edip, görüşmek amacındaydık. Sizden gelen bilgiler eşliğinde artık saniye bile kaybetmememiz gerektiğini düşünüyorum. Ayrıca, devletimizi yönetenlerle de bunları paylaşmalıyız. Olayın boyutları tahmin ettiğimizden de çok ciddi.

- Ben de bir an önce Amerika'ya dönmeliyim. Orada çok zor durumda kalmış bir arkadaşım var.

- Merak etmeyin bu konunun üzerine gideceğiz. Hemen mi yola çıkacaksınız.

- Hemen.

- Sizinle irtibat halinde olacağız. Lütfen en küçük bir gelişme olursa bizi haberdar ediniz.

Deniz'in çıkmasının ardından Albay Tayfun, gizlice bir sigara yaktı. Çevresindekiler sigarayı bırakacağı konusunda iddialı konuşuştu ama son gelişmeyle birlikte bunun imkansızlaştığını düşünüyordu. Derin birkaç nefes çektikten sonra odayı havalandırıp, dahili telefondan bir numara çevirdi. Ahizeyi kaldıran genç ses, kimin tarafından arandığını biliyordu.

- Buyurun albayım.

- Selçuk, vakit geçirmeden yanıma gelmen gerekiyor.

- Hemen albayım.

Delikanlı iki dakika sonra karşısındaydı. Öncelikle Tayfun Albay'ın anlattıklarını sessizce ve kesmeden dinledi. Tek düşündüğü, başlarının ciddi bir şekilde ağrıyacağıydı.

- Ne düşünüyorsun Selçuk? Daldın gittin.

- Başlangıç noktamız İstanbul olmalı. Zira son günlerde büyük bir hareketlenme var. Ben de size raporumu hazırlamaktaydım.

- Bu olayla bağlantılı mı?

- Bilemiyorum. Bildiğiniz gibi İsrail'e gönderdiğimiz ajanlarımız Başkan Bush ve Amerika kaynaklı plan hakkında pek bir şey elde edemediler. Ancak emin olduğumuz bir şey varsa; o da İsrail ve Amerika'nın ortak hareket ettikleridir. Görüşmeler çok üst düzeyde yapıldı. Bu da işimizi zorlaştırıyor. Az önce dinlediğiniz genç kız ve yaşlı kadının avukat vasıtasıyla gönderdiği evraklar elimizdeki yegane deliller ve şüphelerimizi fazlasıyla doğrulamakta.

- Yarın başbakanla görüşeceğim. Toplantımız hafta sonuydu ama konunun önemi dolayısıyla erkene alınmasını rica ettim. Sen İstanbul'dan bahsedebilirsin. Toplantıya elle tutulur bilgilerle gitmek isterim.

- Mossad, sinagog bombalanmalarından sonra suskunluk dönemine girmişti. Geçen haftadan beri canlılık başladı. İlk olarak Türkiye doğumlu İzak adlı ajanları sahneye çıktı ve...

- Türkiye doğumlu mu?

- Mossad tarafından son yıllarda yürütülen akıllı bir projenin sonucudur kendisi. İsrail istihbarat birimleri, eski demir perde ülkeleri Kuzey Afrika, Ortadoğu ve Türkiye'de yaşayan Yahudi asıllı vatandaşların, özelikle genç olanların peşine düşmüş durumda. Tabi ki oldukça başarılılar. Eski demir perde ülkelerinde sancılı geçiş dönemleri yaşanıyor, Kuzey Afrika ve Ortadoğu'dakilerse tedirgin, ülkemizde yaşanan ekonomik krizlerse tüm vatandaşlar gibi azınlıkların da canına okuyor. Tabi işsiz ve umutsuz Yahudi gençler takibe alınıyor. İlk aşamada onları sinagoglarda küçük güvenlik hizmetlerinde kullanıp, ceplerine para koyup, ardından gururlarını okşuyorlar. Arkasından beyinlerinin yıkanması geliyor. Bu delikanlıların zaten yaşadıkları ülkelerde pek gelecek umutları yok. Ne yapacaklarını bilemez durumdayken İsrail Hükümeti'nin kendilerine iş, gelecek, eğitim, vatan ve kariyer vaat eden çağrısına balıklama atlamak durumunda kalıyorlar. Tüm bunları gizli Siyonist gruplar organize ediyor. Maddi güçleri bağışlar sayesinde sınırsız. Bazen Amerika'da yaşayan zengin Yahudi ailelerin bile evlatlarını İsrail'e kazandırabiliyor. Uçak biletleri ceplerine konulan bu gençlere Tel Aviv'e indiklerinde mükemmel bir karşılama hazırlanıyor. Hararetle kendi öz vatanlarında yaşayacakları güzel günlerden bahsediliyor. Kim olsa reddedemeyeceği olanaklar bunlar. Sonrası çok kolay. Geldikleri ülkelerin lisanını, geleneklerini, yapısını, özelliklerini çok iyi bilen bu taze fidanlar yine o ülkeye karşı casuslukta kullanılıyor. Tabi önceleri oldukça küçük görevlerden başlayarak eğitiliyorlar. Ancak İzak'ın durumu çok farklı. O gerçek bir dahi, mükemmel yetenekleri var, son derece parlak zekasını, Ortaköy doğumlu olmasını ve ülkemizi çok iyi tanımasını da sıraya koyarsak, kısa sürede Mossad'da söz sahibi bir makama gelmesini yadırgayamayız. Şimdi o İstanbul'a gelip, buradaki önemli ajanlarından biriyle buluştu.

- Amaçları ve bizim konumuzla ilgisi nedir?

- Bu konuda herhangi bir bulguya henüz ulaşamadık. Beni düşündüren; epeyce bir süredir İstanbul'daki faaliyetlerine ara vermiş olan Mossad'ın birden bire harekete geçmesi, bunun duyumlarını aldığımız Amerikan planından ve ülkelerine gönderdiğimiz ajanlarının ziyaretinden hemen sonra gerçekleşmesi. Geçmiş tecrübelerimiz, Mossad'ın özellikle ülkemizde çok ciddi bir konu olmadan eyleme geçmediğini göstermiştir. Genellikle İstanbul'daki adamlarının uyuyan hücre konumunda olmasını terci ederler.

- Bağlantı mı kurmaya çalışıyorsun?

- Dahası var. İzak ve yanındaki Mossad ajanı derhal eyleme geçtiler. İstanbul'daki arkadaşlarımız Tel Aviv'den geldiği günden beri İzak ve irtibat kurduğu Dean adlı kıdemli Mossad ajanını takibe almıştı. Her ikisi de kısa süre sonra cinayet ve yaralama olayına karıştılar.

- Olay neydi?

- İlginç, çünkü İzak ve arkadaşının vurup yaraladığı kişilerden biri İstanbul Alman konsolosluğu görevlilerinden Erich Kuefer. Askeri ateşe bir süre önce rahatsızlığı nedeniyle tedavi amacıya Almanya'ya döndü. Kuefer'se vekaleten yerine bakıyor.

- Biliyorum. Daha önce de hakkında tarihi eser kaçakçılığı nedeniyle dosya tutmak zorunda kalmıştık.

- Ayağından yaralamışlar. Ancak olayda bir başka kişi var yanında.

- Kim?

- Brandt diye bir Alman. Onu acımadan öldürdüler. Aslında Kuefer de hedefleriydi ama yaralı olarak ellerinden kaçtı.

- Almanlarla Mosad'ın ne işi olabilir?

- Adamlarımız, hareketlenme başladığı andan itibaren Mossad ajanlarını sezdirmeden takip ediyorlardı. Peşlerinden giderken Maslak'ta tenha bir yerde araçtan inip, çalılar arasında pusu kurduklarını gördüler. Belli ki İzak ve Dean da başkalarını takip ediyordu. Sonra birden silahlar patladı. Ajanlarımız, saklandıkları yerden önce yol kenarında park etmiş bir aracın yanındakinin vurulduğunu, ardından diğerinin de yaralanıp, kaçtığını gördüler. O anda aracıyla park etmiş Almanları beklediğini tahmin ettiğimiz bir delikanlı, onların arabasının bagajından deli gibi bağlanmış birisini çıkartıp, kendi aracına yerleştirdiği gibi gaza basıp kaçmış. Silahlar onu da hedef aldıysa bile kurtulabilmeyi başarmışlar. Hepsi ortada toz olurken bizimkiler, ayağındaki yaradan dolayı kaçmakta zorlanan kişiyi enseliyorlar. Bu Kuefer'in ta kendisi. Yapılan sorgusunda yanındaki adamın Brandt isimli bir arkadaşı olduğunu, seyahat amacıyla ülkemize geldiğini anlatıyor. Ancak buluştukları delikanlının kim olduğunu, neden tartıştıklarını, bagajlarındaki bağlı kişinin kim olduğunu söylememiş. Bu konuda diplomatik dokunulmazlığının arkasına sığınıp, ilk tedavisinden sonra ülkemizi terk etmiş. Ayrıca ateş edenlerle ilgili olarak hiçbir bilgisi, hatta tahminin dahi olmadığını iddia etmiş. Polisin elindeyse Alman konsolosluğunun istemeden sahip çıktığı ve adının Brandt olduğunu, bir hafta önce İstanbul'a geldiğini öğrendikleri kişinin cesedi kalıyor. Tabi İsrail ajanları ve beklemekte olan kişi, yanında bağlanmış şahıs olmak üzere sırra kadem basıyorlar.

- Takibe devam ediliyor mu?

- Evet, elleri kolları bağlı şahıs bizim işin muamma. Ancak İsrail ajanlarını kontrol altında tutuyoruz. Son olarak Kilyos sahillerinde görülmüşler. Yüzmek için gitmediler tabi ki. Bir şeylerin peşindeler.

- Ama bizim konumuzla tespit edilmiş bir bağlantı halen yok.

- Yine de siz devlet büyüklerine konunun ciddiyetini anlatırken, ben İstanbul'a gitmek isterdim. Oradaki arkadaşlarımızın yardımıyla bir çözüme ulaşabiliriz.

***

- Dün denizaltımızda ilk kez cinayet işlendi. Olayları artık kontrol edemiyorum. Makine dairesinde bir asker, amiri olan ast subayı bıçaklayarak öldürdü. İddiasıysa; ast subayın kendisini sürekli takip edip, öldürmek için fırsat kolladığıydı. Gemideki hemen herkes sandığın varlığıyla değişti. Dengelerini kaybettiler, sürekli hayaller görüp paranoyaya saplandılar, şimdi birbirlerinden şüphelenip, her an diğerlerinden bir kötülük bekliyorlar. Artık şahsi tabancamı dolu olarak yanımda taşıdığım gibi, tüm subayların silahlarını da zorla topladım. Her an kötü şeyler olabilir. Tekne yeniden kontrolümüzde. Kuzeye, Osmanlı topraklarına doğru yol almaya devam ediyoruz. Tek şansımız bu. Yakıtımız bitmeden İstanbul'a ulaşırsak rahat edebilir, emanetimizi Alman konsolosluğuna gizlice teslim edebiliriz. Şartlar ne olursa olsun sandığı ve içerisindekini sonuna dek koruyacağım.

- İkinci çarkçıyı yok etmek zorundayım. Çok zor bir karar. Tüm vücudu iğrenç çıbanlarla kaplandı. İnanılmaz acılar çekiyor. Ne kadar çabalasak fayda etmiyor ve bağırışları teknenin her yanında çınlıyor. Son olarak, garip bir müzik duyduğunu söyleyip, uydurduğu saçma sapan sözlerle işittiğini söylediği müziğe eşlik ediyor. Bazen tempoyu hızlandırıp, tüylerimizi diken diken eden vahşi bir dansa başlıyor. Görmeye tahammülümüz kalmadı. Denizaltı patlamaya hazır barut fıçısı gibi.

- Akustik sonar cihazımız bu sabah yaklaşan büyük bir gemiden gelen gürültü ve ekoyu algıladı. Hemen teleskop seviyesine çıkıp, takibe başladık. Düşman gemisi olması ihtimali endişelendirse bile tedbirimizi aldık. Ama bu Osmanlı bahriyesine ait Yavuz gemisi. Periskoptaki görüntüsünden hemen tanıdım. Hamburg, Blohm Voss tersanelerinde inşa edilmiş sonradan İngiliz gemilerinin önünden kaçıp, Türklere sığınmıştı. Kaderlerimizin benzemesini istemiyorum. Bir an yüzeye çıkıp, Yavuz gemisi komutanından yardım istemeyi düşündüm. En azından bizi İstanbul'a dek yedeklerine alıp çekebilirlerdi. Ama görevimizin ne kadar önemli ve gizli olduğunu düşününce vazgeçtim. Asla yarım kalmamalı ve başkalarınca bilinmemeli.

- Silah subayımız sonunda, ikinci çarkçının icabına baktı. Bu adamın zevkle başkalarını öldürmesi beni korkutuyor. Onu boğduğunu sanıyorum. Üzüldüm ama ikinci çarkçının korkunç feryatları, şeytani dansları bizi çileden çıkartıyordu.

Günler sonra yeniden yüzeye çıktık. Temiz havanın hepimize iyi geleceğine umuyordum ama tam aksi oldu. Hava bozuk ve deniz çalkantılıydı. Kaşla göz arasında iki personelimiz kendilerini güverteden denize atıp, çok uzaklarda gözüken

Çanakkale Boğazı girişine doğru yüzmeye başladılar. Demek artık tükenmişlerdi. Onları vurmaya mecbur kaldık. Suyun üzeri bir anda kan kırmızısına boyandı, köpek balıkları vakit kaybetmeden boy gösterdiler. Aslında millerce uzaktaki karaya dek yüzmelerine imkan yoktu. Ancak gemide taşıdığımız büyük sırrın öğrenilmesi konusunda en küçük bir sızma olmasına şans tanıyamam.

- Hiç beklemediğimiz bir felaket yaşadık bugün. Kim bilir başımıza daha neler gelecek. Muhabere subayımız Adler'i kamarasında mutfaktan aldığı bir bıçakla karnını deşmiş olarak bulduk. Tanrım, nereye gidiyoruz? Bir yandan elini sokup, karnında açtığı yarıktan bağırsaklarını karıştırırken, diğer yandan da danalar gibi böğürerek. Sandıktan çıkan iğrenç bir yaratığın midesine girip, yavruladığını, yakında korkunç mahluklar doğuracağını, bir an önce onları yok etmesi gerektiğini haykırıyordu. Bağırsakları dışarıya taşmıştı. Dayanamayıp, onu vurmak zoruna kaldım. Torpido haznesine yerleştirdiğimizde eli hâlâ karnındaki yarıktaydı. Hepimizin hali çok kötü. Kemal ve Kasım'ı kandırarak tekneye getirip, sandığa el koyan, tüm bu kabuslara yol açan oydu. Yine de üzüldük. Tarih ve arkeoloji konusunda oldukça kültürlü ve yetenekliydi.

- Su problemi başladı. Sayımız azalmasına rağmen problem çok büyük. Artık adam başı günde çeyrek bardak su verilecek. Personelle toplantı yaptım. Onlara büyük emanetimizi sonuna dek koruyup, vatanımıza kazandırmak zoruna olduğumuzu anlattım. Hepsi haklı olduğumu biliyorlar ama boş bakışları beni rahatsız ediyor.

- Bugün bir askerimiz daha intihar etti. Tanrım! Neler oluyor? Tuvalete saklanıp bileğindeki damarları kesmiş. Ortalık kan gölüne dönmüştü. Yakın arkadaşlarından birisinin sürekli olarak sandıktan çıkan bir şeylerin boğazına sarıldığını, bir daha asla normal yaşama dönemeyeceğimizi, sürekli deniz dibinde, karanlık sularda yuvarlanacağımızı, lanetlendiğimizi söylemekteymiş. Çanakkale Boğazı'ndan sorunsuz geçtik. Türkler müttefikimiz olduğu için bize sorun çıkartmayacağını bilmekteydik ama yine de su altından gizlice Marmara Denizi'ne çıkmayı tercih ettik. Mayınlar nedeniyle soğuk terler döktük. Çok şükür ki sorun çıkmadı. Azalan personel nedeniyle gemiyi yürütmek çok zorlaştı. Kalanlar şimdi iki kat fazla çalışmak zorundalar.

Celal, komutanın günlüğünü okuyor, Metin'se fal taşı gibi açılmış gözlerle dinliyordu. Her ne kadar itiraf etmese bile korkuyordu ama bu tekrar denizaltıya dönmelerine engel değildi. Yeniden sadece kendilerine ait olan esrarengiz tekneye dönmek, farklı kokusunu içine çekmek için can atıyordu. Aynı şeyi Celal'in de istediğinden emindi.

***

Ne olduğu, daha doğrusu ne olması gerektiği on beş yaşında anlatılmıştı. Hem de uzun uzun, tüm detaylarıyla ve çıplaklığıyla... O zaman da kendisinden korkmuştu. Şimdiyse hem korkuyor, hem nefret ediyordu. Neden başkaları gibi basit ve normal insanlar değillerdi, neden farklıydılar, neden acımasız bir aile tarihleri vardı? O açıklamayla cevapların hepsini öğrenmişti. Artık iki Türk'ün bıkıp usanmadan sürdürdükleri takip sonucu ölüm saçmalarının, asla pişman olamamalarının, yıllarca toplumdan izole edilip bunaltıcı bir yalnızlığa itilmelerinin ve esmer tenlerinin sebebini çok iyi anlıyordu.

Büyüklerince her zaman İngiliz kökenli oldukları anlatılmıştı. Zaten ninesi, onun ölümünden sonra da annesi arada sırada Portland'daki akrabalarının yanına gideceğini söyleyip, evden ayrılırdı. Başka kimse tanımaz, görmezdi bu akrabaları. O günden sonra kim olduklarını nihayet öğrenmişti. Aile İngiliz kökenli filan olmadığı gibi, bitmek bilmez nefretin, bir gün mutlaka kaybettikleri gücü kazanmanın peşindeydi. Bu uğurda akla hayale gelmeyecek iki yüzlülüğe yıllarca katlandıklarını biliyordu artık. Babası, annesi için sadece bir damızlıktı. Hiçbir zaman çalışmamış, evde oturmuş, sesini çıkartmadan annesinin hükmü altında yaşamayı kabul etmiş, kaynağını yeni öğrendiği ve düzenli gelen paralarla keyfine bakmıştı. Annesi anlattıklarını bitirdiğinde, oğlunu alıp, tavan arasına çıkartmış ve sürekli kilitli duran sandıktakilerin hepsini çıkartarak, her birinin özelliğini tek tek anlatmış, bir gün kullanması gerekeceğini söyleyip, tekrar kapamıştı. Şimdi o sandık kendisiyle birlikte uçak gemisindeydi. Son olarak annesini düşündü yeniden. Ne korkunç bir oyundu bu. Kadın yıllar boyunca kiliseye düzenli olarak gitmiş, papazın ve cemaatin büyük saygısını kazanmıştı. Her zaman aynı yerde oturur, dolu gözlerle vaazı dinlerdi. Neden ağladığını artık biliyordu. Zira annesi asla inanmadığı bir dinin Tanrısal evine aksatmadan gidip, ibadet eder gibi görünmek zorundaydı. Herhalde o göz yaşlarının sebebi, Allah korkusuydu. Onun gözlerinin önünde toplumu kandırıyordu. Çantasından özel eşyalarını çıkartıp, düzenlemeye başladı. Ertesi gün çok önemli kimselerle tanışacak ve tarihi görevine ilk adımını atacaktı.

***

- O iki şerefsiz, on günden beri işe gelmiyorlar. Burasını babalarını kum ocağı sandılar herhalde. Zaten Celal olanı hiç umurumda değil ama Metin gitmeden izin aldı. Çoktan gelmeliydi. Üç tane iş makinesi yokluğu yüzünden arızalı ve yatıp duruyor. Bu değirmenin suyu nereden geliyor? Para mı basıyorum ben?

Dean, şüphe çekmemek için arabada kalmış, İzak kum ocağının patronuyla konuşmaktaydı. Adam, iyi giyimli, kibar görünüşlü Mossad ajanını hazır bulmuşken, içini dökmekte hiç mahzur görmüyordu. İzak kendisini sahte bir isimle Metin'in baba dostu olarak tanıtmıştı. Şimdi patronun bol keseden her şeyi anlatması işine yaramış, artık arayı bulmak için gelmiş iyi niyet elçisi rolüne soyunmuştu.

- Aman beyefendi, lütfen kendinizi üzmeyin. Onlar gençtir, bugün burada çalışırlar, yarın başka bir yerde... Sonunda akılları başına gelip, sizin kıymetinizi anlayıp, pişman olacaklardır. Ama görüyorum ki konuşurken yüzünüz al al oluyor, Allah göstermesin bir anlık tansiyon yükselmesi felaketiniz olur.

Ardından iyi cins bir sigara uzattı adama. Patronun içinin yağları erimişti. Karşısındaki hoş görünüşlü delikanlının ağzından bal damlıyordu adeta. Hemen çay getirilmesi için çevreye emirler yağdırdı.

- Ben aslında Metin'i kendi evladım gibi sever, kollarım. Zaten o da bunu bilir. Tüm iş makinelerimizi kendisine emanet ettik. O bizim, elimiz ayağımızdır. Ama ne zaman Celal hergelesiyle samimi oldu, o günden beri bozulmaya başladı. İşe olan ilgi ve dikkati azaldı. Arkadaşlarından koptu.

İzak, bir başlangıç noktası yakaladığından emindi. Adamı birazcık daha konuşturursa işe yarayacak bilgiler alabileceğini hissediyordu.

- Hiç merak etmeyin. Ben de babasının ricası üzerine buraya geldim. İlk fırsatta Metin'i kolundan tuttuğum gibi elinizi öpmeye getireceğim. Affetmek büyüklüktür. Sizin gibi asil insanlara da bu yaraşır. Bakın burada kaç kişiye ekmek sağlıyorsunuz. Ne mutlu size! Demek bu Celal denilen bizim oğlanı çok etkilemiş. İnşallah size saygısızlıkta bulunmasına sebep olmamıştır.

- Yok, Allah için Metin her zaman saygılıydı. Sadece Celal'le içli dışlı olduğunda bizlerden koptu. İşçilerimizin tüm yaşamı burasıdır. Şehirden uzaktayız, adamlarımızın çoğu bekar ve gurbetçi. O yüzden akşam mesai bitimi burada barakalarda kalırlar, küçük bir salonumuz var. Orada oturup, sohbet edip çay içerler, televizyon seyrederler. Ama ikisi son günlerde mesai sonrası pek ortada görünmez olmuşlardı. Boş vakitlerinde anında kayboluyorlardı.

- Belki şehre gezmeye filan gidiyorlardı.

- Yok canım. Sadece burunları büyümüştü. Diğer arkadaşlardan kendilerini soyutlamaya başlamışlardı. Çay salonuna gelmiyor, diğerlerine katılmıyorlardı. Son günlerde birkaç gece yatmak için bile barakaya gitmemişler.

- Peki yakınlarda gidebilecekleri vakit geçirebilecekleri bir yer var mı? Neticede bekar delikanlılar, kanları kaynıyor.

- Her yan ıssız kumsaldır buralarda, arkamız da orman ve çalılık yamaçlardır.

Sokakta yatmıyorlardı herhalde?

- Tabi ki değil. Kendilerine arka tarafta eski dere yatağında derme çatma bir kulübe inşa etmişler. Mutlaka Celal'in fikridir bu. Kimseyle anlaşamazdı. Sonunda Metindi de ayartıp, diğerlerinden koparttı. Tüm boş vakitlerini orada geçiriyorlardı. Bir ara arkadaşlar oraya kapanıp, uyuşturucu kullandıklarından bile şüphelenmişler. Ama Metin asla öyle bir delikanlı değil.

Sonunda aradıklarını bulduğunu anlamıştı İzak. Gözleri parlıyordu. Utanmasa sarılıp, öfkeli patronu öpecekti.

***

- Bir süredir günlüğüme tek kelime yazamadım. Şartlar ve yaşadığımız dehşet nedeniyle buna içim el vermedi. Ama ne olursa olsun yaşadıklarımızı yazmalıyım. Bu benim en büyük sorumluluğumdur. İki denizcimiz daha vücutlarında çıkan iğrenç çıbanlar nedeniyle çıldırma raddesine gelmişlerdi. Yaralarından feci kokulu irinler akıyordu. Bir tanesi sonunda öldürmemiz için yalvardı. Acılara dayanamıyordu. Silah subayımız bu fırsatı değerlendirip, ikisin birden öldürdü. Torpido fırlatma haznemiz artık cesetlerden kurtulmaktan baka bir işe yaramıyor. Üstelik son saatlerde birçok başka denizcimizin de vücudunda aynı çıbanlar belirmeye başladı.

- Bu sabah ortalık sakindi. Böyle gideceğini düşünerek sevindim. Ama boşunaymış. Baş taraftan gelen korkunç seslerle ne olduğumuzu şaşırıp, hemen o tarafa koştuk. Yıllarca acımasız savaşa katılmış bir komutan olarak bugüne dek pek çok şey yaşadığımı, hiçbir şeyin beni artık şaşırtmayacağına inanıyordum. Ancak gördüklerim karşısında kanım dondu. Silah subayımız tuvalete girmiş kendi kendisini yiyordu. Gözlerimize inanamadık. Tanrım bu nasıl bir lanet, nasıl bir felaket, nasıl bir çıldırı? Aklım başımda ve olanları hepimiz gördük. Daha önce sorunlu personeli gözünü kırpmadan öldüren adam, adeta vahşi bir hayvan gibi kendi vücudunu dişleriyle parçalıyordu. Çoktan el parmaklarının yarısını yemişti. Ağzından saçılan kanlar tuvaletin tabanına akıp, ortalığı daha korkunç bir hale sokuyordu. Müdahale etmemize fırsat kalmadan dişleriyle sol bileğindeki atar damarları parçaladı. Yıllardır savaşan personelimiz bile bu manzaraya dayanamadı. Bir insanın çiğ çiğ kendi vücudunu yemesine sebep ne olabilir? Var gücümüzle engel olamaya çalıştık ama öylesine güçlüydü ve hayvani sesler çıkartıyordu ki başaramadık. Daha doğrusu askerler kötü derecede korkup, fazla yaklaşmak istemediler. Kapıyı üzerine kapatıp, çekilmekten başka çaremiz kalmadı. Son gördüğümde dişleriyle dilini kopartıyordu. Ardından üst dişleriyle iştahla alt dudağını kopartıp yemeye başladı. Onu üst dudağı izledi.

Şimdi dudakları olmayan suratı tehditle dişlerini ileriye çıkartmış bir çakalı andırıyordu. Kapıyı üzerine kapatıp, onu yalnız bıraktığımızda işaret parmağını dişlemekteydi. Bir saat sonra öldüğüne hükmedip, kapıyı açtık. Kanı duvarlara ve tavana kadar sıçramıştı ve görüntü inanılmazdı. Üstelik henüz ölmemişti. Ama bedeni arenada aslanlar tarafından parçalanmış Romalı kölelerden beterdi. Yapacak başka bir şeyimiz olmadığı için dikkatlice tutup, torpido haznesine tıkmak zorunda kaldık. Dışarıya fırlattığımızda hâlâ yaşıyordu. Köpekbalıkları bugün özel bir ziyafete kondular.

- Bu iş bitti artık. Sağ kalabilen personelin büyük bir kısmı çok kötü durumda. Ruhsal ve bedensel olarak tükenmiş haldeler. Çoğunun bedeninde korkunç yaralar ve çıbanlar oluştu. Sandığın içerisindekilere hiç dokunmamıştım. O yüzden vücudumda aynı yaralar henüz oluşmadı ama iyi değilim. Kemal, yani esir aldığımız daha doğrusu muhabere subayımız tarafından kandırılarak Arap Yarımadası limanlarından birinde denizaltıya getirilen iki kişiden Türk olanı da artık çok hasta. Belli etmemeye, dayanmaya çalışıyor ama durumu iyi değil. Şu an bir avuç insan kalmış durumda teknede. Muhabere subayı, ikisini ve yanlarındaki sandığı görünce, hırsına engel olamayıp, onları ilk limanda Türk birliklerini ulaştıracaklarını vaat ederek denizaltıya getirmeyi başarmış. Müttefik olduğumuz için şüphelenmek akıllarına gelmediğini düşünüyorum. Üstteğmen Adler, ilk çağlardan kalma tarihi eserlere hastalık derecesinde tutkundu. Savaş esnasında gittiğimiz her yerden bir sürü şeyi yağmaladı, durdu. Berlin'deki müzeye bağışlayacağını söylediği için fazla ses çıkartmamıştım. Ama bu sefer yanında iki saf delikanlıyla çıkıp, gelmesi sabrımı taşırmıştı. Uyanık Adler sandığı ilk gördüğünde içerisinde çok özel bazı parçalar olduğunu anlamıştı. Bana, onları bir şekilde gemiye getirip sandığa el koyabilmek için çok uğraştığını, biraz yiyecek ikram edip, para teklif ettiğini ama kabul etmediklerini, son çare olarak Türk birliklerine ulaştırabileceğimizi söyleyerek kandırdığını anlattı. Hiç hoşuma gitmedi. Daha kötüsü de gelen bir mesaj nedeniyle acil olarak limandan ayrılmamızın emredilmesiydi. Hızla yaklaşmakta olan bir düşman konvoyuna pusu kurmamız bildirilmişti. Böylece iki saf delikanlı da teknede kaldılar. Muhabere subayı da muradına erip, sandığı zorla elerinden aldı. Ardından delikanlıları ayrı bir bölmeye hapsetti. Amacı; alarm durumundan sonra ilk limanda onları serbest bırakmaktı ama sandıktan çıkanları görüp, umduğunu bulamayınca hayal kırıklığına uğradı. Sandıktan pek de özel sayılmayacak bazı tarihi parçalar çıkmıştı. Umursamadım. Zaten gemi üstteğmen Adler'in doldurduğu eski eserlerle dolu. Ancak iki gün sonra silah subayı ve muhabere subayının alıkoyduğumuz gençleri dövdüklerini duydum. Bu olay midemi bulandırdı. Her ikisini de sorguya çektiğimde oldukça rahat bir vaziyette onları konuşturmaya çalıştıklarını, zira sandığı aldıkları yerde mutlaka çok değerli parçaların beklediğine emin olduklarını söylediler. Aldığımız emirler doğrultusunda Ege Denizi'ne intikal etmemiz gerektiğinden artık esir durumdaki delikanlıları serbest bırakmak olanağı da kalmadı. Eğer Türk donanmasına ait bir gemiye rastlarsak devredebileceğimizi düşünüp, teselli buluyordum. Silah subayının zavallı iki esiri tekrar dövdüğünü duyduğumda çileden çıktım. Herif, savaş esnasında bile sapık zevklerini tatmin etmekten geri kalmıyor. Kendisine tutumunu Berlin'deki harp mahkemesine rapor edeceğimi bildirdim. Yaptıkları cezasını bulmalı. O iki kişi düşman değil. Sadece kötü niyetle kullanılan saf insanlar. Ancak sandığın içindekileri gören askerlerden birisi korkunç bir iddiada bulundu. İnanmak çok zor. Ama asker ısrarcı. Ayrıca oldukça kültürlü olduğu için onu ciddiye alıyorum. Eğer söyledikleri doğruysa denizaltımızda ilk insanın yaratılışından bugüne dek meydana gelen en büyük mucizeyi taşıyoruz. Berlin'le bu konuda sürekli görüşme halindeyiz. Kesinlikle saçmaladığımızı düşünüyorlardı. Ancak sandığın içindekileri detaylı olarak açılayınca kıyamet koptu. Artık kargomuzda ne taşıdığımızı çok iyi biliyoruz ve ödümüz kopuyor.

- Bugün ben de iyi değilim. Türk asker Kemal'in gemide serbestçe dolaşmasına karar verdim. Zaten yaraları dolayısıyla canlı cenaze gibi. Üstelik ufak tefek işlerde yardımcı bile oluyor. Hâlâ ülkesine ve ailesine kavuşacağı umudunda. Yazık ki şu sırada İstanbul Boğazı'nın altından gizlice Karadeniz'e doğru seyrettiğimizi bilmiyor.

- Kararım kesin. Bu gemi bir daha asla ortaya çıkmamalı. Sandık hepimizin sonunu getirdi. Dün gece uykumun arasında sürekli garip bir müzik sesi duydum. Kalkıp dolaştım ama hiçbir şey tespit edemedim. Herhalde çıldırıyorum. Gittikçe korkunçlaşan ve insanın yavaş yavaş beynini delmeye başlayan tekrarlardan oluşan hiç duymadığım bir müzik her yandan duyuluyor. Şahsım ve sağ kalan son beş denizcide de aynı çıbanlardan belirmeye başladı. Şu an için pis bir kaşınma hissi veriyor ama sonraları ne hale geleceğimizi biliyorum. Askerlerden saçmalamam ve büyük ıstırap çekmem halinde beni öldürmelerini istedim. Kemal'se telsiz kamarasında yarı baygın yatıp, sayıklıyor. Her yanı yaralar içerisinde ve ateşten yanıyor.

- Hayal bile edilemeyecek şeyler yaşıyoruz. Biraz önce geminin baş kısmından korkunç metal sesleri ve gacırtılar gelmeye başladı. Metalik bir ezilme ve yırtılmaya benziyor. U-27 bir deniz dibi mağarasına zorlanarak giriyor adeta.

Çıldırtıcı ses pruvadan başlayıp, kıç tarafa kadar devam ediyor. Personelimizin öylesine asabı bozuldu ki gıkları bile çıkmıyor. Ama buralarda böyle bir denizaltı mağarası yok ki. Ardından başka bir kabus başladı. Sanki millerce uzaktan vınlayarak savrulan dev bir kamçı denizaltımıza yaklaşıp, şiddetli bir şekilde tekneye çarpıyor. Tanrım, feci bir ses! Askerler duymamak için kulaklarını tıkayıp, bir an önce bitmesi için Tanrı'ya yalvarıyorlar. Kulaklarımız yırtılıyor. Görünmez kamçı denizaltıya her çarpışında tekne kötü şekilde savruluyor. Dakikalar sonra bittiğinde kargomuzdaki yükün bizim için cehennemin kapılarını ardına dek açtığına ve son sürat o cehenneme doğru yol aldığımıza kesinlikle inanıyorum. Sonsuz karanlık ve hiç bitmeyecek azaba adım atıyoruz. Bizi hiçbir güç kurtaramaz.

- Sonumuz geldi. Sağ kalan tüm arkadaşların bedenlerindeki çıbanlar çoğaldı. Hepsi hayaller görmeye başladı. Yine de en dayanıklı olanlarmış. Zira hâlâ soğukkanlılıklarını korumaya çalışıyorlar. Genç askerlerden birisi çekinerek yanıma geldi. Bana bir şey göstermek istediğini söyledi. Birlikte torpido dairesine gittik. Yer, insan dışkılarıyla doluydu. Bu iğrençliği kimin yaptığın sorduğumda, yine çekinerek "Siz efendim" diye kekeledi. Söylediğine göre gece yarısı bir gürültüyle uyanmış ve benim garip bir şarkı tutturarak bulunduğumuz yere geldiğimi ve çömelip, birkaç yere büyük aptesimi yaptığımı görmüş. Sonra hiçbir şey olmamış gibi kamarama dönmüşüm. Tanrım kesinlikle çıldırıyorum ve hiçbir şey hatırlamıyorum. Yoksa ben de silah subayı gibi mi olacağım?

- Bu son satırlarımdır. Dün gece denizaltıyı hep birlikte toparlayıp, ortalığa çeki düzen verdik, her tarafı silip süpürdük. Bizi yok ederek intikamını alan sandığı başka bir bölmeye götürdük, sac levhayı kaynakla kesip, sandığı ve günlüğümü yerleştirdikten sonra tekrar kaynakla kapatacağız. Karadeniz sahilinde Kilyos açıklarındayız. Günlerden beri ilk kez su üzerine çıktık. Hava kararmakta olduğu için bizi kimse göremez. Zaten çok ıssız bir yer. Denize dökülen yarı bataklık bir derenin açığındayız. Denizaltıyı tam yol o dereye süreceğim. Sonuçta teknenin büyük bir kısmı kum ve çamurdan oluşan yığına saplanıp, kaybolacaktır. Bizlerse küçük botumuzu kullanıp, kumanda kulesi yoluyla gemiyi terk edeceğiz. Hepimiz çok hastayız, Kemal artık ayakta zorlukla durabiliyor. Onu da yanımıza alacağız. Ölen subaylardan birisinin kaputunu giydirdik. Kendi pis hikayemize bu delikanlıyı da karıştırdığımız için üzgünüm. Denizaltı balçığa saplandığı an çıkmaya hazırız. Nereye gideceğimizi hiç bilmiyoruz. Sadece bu lanetli sandıktan uzaklaşmak amacındayız. Tanrı bizi affetsin ve yardımcımız olsun. Her şeyi ülkemiz için yaptık.

- Günlüğün sonu. Bundan sonra hiçbir şey yazılmamış.

- Artık her şey açık bir şekilde ortaya çıktı. Hatırlarsan çok eski yıllarda kum ocağının yanında balçık bir derenin denize karıştığı, zamanla kum ve çamurla dolduğu söylenirdi. Hatta o zamanlar deniz şimdikinden daha çok kara içine doğru girmiş haldeymiş. Ocakla kum çekmeye başlandığında tüm sahilin yapısı değişmiş. Anladığım kadarıyla komutan, denizaltıyı tam yol derenin denizle birleştiği balçık noktaya yönlendirip, sapladı. Sadece kulesinin üstü batağın üzerinde kalmıştı. Oradan çıkıp, kaportayı kapatıp, bota binerek akşam karanlığında ortadan kayboldular. Kısa süre sonra tekne ağırlığıyla daha da çok balçığa saplandı ve tamamen görünmez oldu. Zamanla üzeri denizin getirdiği kum yığınlarıyla kaplandı.

- Bu durum biz tesadüf eseri onu bulana dek sürdü. Ne macera ama...

- Çok doğru da benim düşündüğüm başka bir şey daha var.

- Nedir?

- Çok iyi eğitilmiş, savaşın içinden gelen, zorluklara hazır bir denizaltı personelinin başına getirmedik bela ve lanet bırakmayan, çoğunun çıldırarak, acılar çekerek ölmesine sebep olan bir sandık arka odada duruyor.

- Üstelik son derece sessiz ve uysal bir vaziyette.

- Son derece masum görünüyor.

- Acaba?

- Peki ya denizaltıyı terk edenler ve Kemal? Ne oldular acaba?

- Şimdilik bunu bilmeye imkan yok.

- Ne yapacağız Metin?

- Ne olursa olsun sonuna dek gitmemiz gerektiğini sen söylemiştin.

- Yaşa Metin! En heyecanlı yerde denizaltımızı terke edemeyiz. Ama nasıl?

- Yarın işe geri döneceğiz.

- Kabul ederler mi?

- Uğraşacağız. Verdikleri üç kuruş maaşla kimse yazın bunaltıcı sıcağında, kışın ayazın donduruculuğunda hurda iş makinelerini tamir etmezdi. Seni de affetmelerini şart koşacağım.

- Metin, son bir şey daha söylemek istiyorum. Sandık nedeniyle sayısız insan kötü şekilde hastalandı, kafayı üşüttü ve öldü. Ona ve içerisindekilere biz de dokunduk.

- Ama üzerinden çok zaman geçti. Bir şey olmadı.

- Bilemiyorum. Ölmekten değil, o sandıktakilerin ne olduğunu öğrenemeden ölmekten korkuyorum sadece.

***

- Gözlerime inanamıyorum Dean. Tüm bunlar gerçek olamaz. Rüyada gibiyim.

- Gerçeğin ta içindeyiz İzak. Seksen sekiz sene önce kaybolmuş U-27'nin harekat salonundayız. Kimse bu gerçeği değiştiremez artık.

- Bırak değiştirmeyi hayal bile edemezler.

- İmkansızı başardık,. Önce hayal etmek, ardından kendini adamak ve durup, dinlenmeden çalışmakla bugüne geldik.

- Senin hayal gücün olmasaydı başaramazdık.

- Ondan sadece metrelerce uzaktayız. Şimdiden tüylerim ürperiyor, heyecandan boğazım kurudu.

- Açıkçası, çok korktuğumu itiraf etmek zorundayım. Onu gördüğüm an ne hale geleceğimizi düşünüyorum. Umarım elim ayağım boşalmaz.

- Bildiğimiz bütün duaları okuyalım. Yarından sonra güneş sadece İsrail ulusu için doğacaktır.

- Uçak gemisi Tel Aviv'e varmış olmalı. Başkan Bush'un hediyesi çoktan hazırlanmaya başlamıştır.

- Bizim götüreceğimiz muhteşem hediyeyse dünyayı yerinden oynatacak.

İki Mossad ajanı kilidini kırarak, ilk fırsatta iki kafadarın denizaltı girişini gizlemek için yaptıkları kulübeye dalmış, tekneye açılan çukuru elleriyle koymuş gibi bulmuşlar, harekat odasına adımlarını atmışlardı. Her şeyin bu kadar kolay ve çabuk olduğuna bir türlü inanamayarak yıllardır kayıp olan tekneyi hayran gözlerle süzüyorlardı. Aslında tekne pek de umurlarında değildi onları ilgilendiren başka bir şeydi ve çok yakında bir yerlerde olduğundan emindiler.

***

- Gelmeyeceğimi zannediyordun, değil mi?

- Tam tersi. Koşa koşa geleceğinden emindim.

- Turgut, görmeyeli ukalalaşıp kendini beğenmişin birine dönmüşsün. Buradaki varlığım sevgilin olarak değil, sadece eski bir dosta insani yardımda bulunmak içindir.

Oregon sahilinde ülkenin her yanına dağılmış motel zincirlerinden birisinin rahat odasındaydılar. Turgut, Deniz'in sitemlerine nasıl bir cevap vereceğini bilemiyordu. Emin olduğu tek şey, ona deli gibi aşık olduğuydu. Son seçeneğine güvenip, oturduğu yerden kalkarak kıza sarıldı.

- Beni böyle kandıramazsın.

- Kandırmaya çalışmıyorum. Sadece sana ulaşmak istiyorum..

- Böyle üzerime saldırarak mı? Tecavüze uğradığımı düşünüyorum.

- Her an kontrolümü kaybedebilirim.

- Hücreye tıkılmak sana pek yaramamış. Uzak dur lütfen. İlişkimiz konusunda daha çok düşünmem gerekli. Sen de bana zaman vermelisin.

- Benim için elinden gelenin de çok üzerinde çalıştın. Binlerce kilometre yol gittin, geldin. Hâlâ sevmesen yapmazdın.

- Önce senden bahsedelim. Nedir haberlerin? Oynaşma hayallerini uzun bir süre raf kaldırsan iyi olur.

Turgut, istemeyerek de olsa yerine oturak zoruna kaldı.

- Yarın ilk celsem var. Tuttuğun avukat yaman çıktı. Büyük bir aksilik olmaz ve şahit, daha önceki ifadesini tekrar ederse beraat edeceğim.

- Sonra?

- Türkiye'ye dönmeliyim. Burada yapacak bir şey kalmadı. Güvenliğimi sağlamak konusunda kimde bana garanti veremiyor. Son olarak Rüstem ve İzzet'in mezarlarını ziyaret ettim. İğrenç bir yer haline getirilmiş. Anneanneme, babasının ve arkadaşının yapmaları gerekeni yaptığını, insanları öldürmek zorunda bile kalsalar bunun bir görev olduğunu, kimsenin masum olmadığını, masum kurbanlar zannedilenlerin bir gün şeytani bir planın parçası haline geleceklerini söyleyeceğim. Sonra mezarlarını ülkeye taşıtmak için uğraşacağım. Tabi ilk işim, Türk ilgililerle de görüşmek olacaktır.

- Ben gönderdiğin evrakları verdiğimde pek şaşırmışa benzemiyorlardı. Daha önce bu konuda duyumlar aldıklarını söylediler.

- Bir an önce gitmeli ve onlara yardımcı olmalıyım. En azından detayları biliyorum.

***

Türkiye Cumhuriyeti Başbakanı, Milli Güvenlik Kurulu'nun asker üyeleri Tayfun Albay'ı dinlerken salonda çıt çıkmıyordu. Çoğu anlatılanların yalan olduğuna inanmak istiyorlardı ama gerçekti ve değiştirilemezdi. Sadece hemen bir şeyler yapılması gerekiyordu. Sonunda sessizliği başbakan bozdu. Ellerinin arasına aldığı başını kaldırıp, konuşmak gereği duydu.

- Bunu tezkere krizinin bir intikamı olarak yorumlamalı mıyız?

- Keşke bu kadar basit olsa. Devletler arsasındaki ilişkiler intikam gibi duygusallıklarla yürütülemez. Bunu Başkan Bush bilmese bile, ekibi biliyor olmalı. Üstelik Türk, Amerikan ilişkileri uzun süreli ve sağlam zeminlidir.

- Peki sizin düşünceniz nedir albayım?

Bu sefer genel kurmay başkanı devreye girmişti.

- Önce duyumlar aldık. Bu arada biz de boş durmadık. Ancak yaşlı bir kadının gönderdiği belgeler, ardından Amerika'dan sırf bu konu için ülkeye dönen ve orada doktorluk yapan vatansever bir Türk kızının daha sağlam belgelerle çıkıp, gelmesi çok daha farklı düşünmemize sebep oldu. Zira asla tezkere kriziyle bağdaştırılmayacak kadar ciddi bir gelişmenin eşiğindeyiz. Asırlardan beri sinsice hazırlanmış, rezil bir plan şimdi Oregon adlı eyalette yattığı kış uykusundan uyandı. Sebebiyse; Başkan Bush gibi kendisini peygamber zanneden birinin Amerika'yı yönetmesi, sırf Evangelist planlarını gerçekleştirmek ve stratejik enerji kaynaklarını ele geçirmek amacıyla Irak'a saldırmasıdır. Saddam ve kimyasal silahların bahane olduğunu hepiniz biliyorsunuz.

- Albayım, anladığım kadarıyla birileri Irak Savaşı'nı altın bir fırsat olarak görüp, çok uzun bir süre sonra ortaya çıkmaya ve Başkan Bush'un hırsını kullanmaya kara verdiler. Savaş, Amerikan televizyonlarında gösterildiği gibi gitmiyor. Daha doğrusu asla bitmeyecek. Amerika yeni bir Vietnam'ı hatta daha beterini bilerek yaratıyor. Çünkü tüm Ortadoğu, Kafkaslar ve Türk Cumhuriyetlerin üzerinde kontrol sağlamak istiyorlar. Yakın gelecekte ihtiyaçları olan petrolün yüzde yetmişini ithal etmek zorunda kalacaklar. Doğal olarak kaynaklara el koymaları gerekiyor. Böylece tehlike olarak gördükleri Japonya ve Çin'in önü kesilecek, hem de geniş bir coğrafyayı istediği gibi şekillendirip dünya haritasını değiştirecekler. Evangelist hülyaları, Amerika ve İsrail birleşmesinden oluşacak dev bir dünya devleti de cabası. Irak sadece bir atlama taşı. Oradan Suriye ve İran'a ardından saldırıp istediği gibi şekillendirmesi gereken diğer ülkelere sıra gelecek.

- Olayı güzel özetlediniz sayın genel kurmay başkanım. Böylece birileri ailenin varlığını Başkan Bush'un kulağına fısıldadı. Bu aileden biri de olabilir. Başkan, bu hikayeyi anlayacak kapasitede bir entelektüelliğe ve tarih bilgisine sahip değil. Çevresindeki şahinler ellerine geçen fırsatın büyüklüğünü ona anlayabileceği şekilde anlatmış olmalılar. Tabi arkadan hemen İsrail'le birlikte olayın devamını getirmek gündeme geldi. Şimdi ellerinde istedikleri gibi kullanıp, emellerine ulaşmaları için maşa olarak kullanabilecekleri harika bir fırsat var. Artık Amerika ve İsrail, Türkiye'yi gözden çıkartamaz diye bir teselliye baş vuramayız. Çünkü çoktan çıkarttılar. Son aşamaya geçmek için düğmeye bastılar. Kimseye ihtiyaçları yok. Bundan böyle Türkiye onlar için sadece bir düşmandır. Zira bu şeytani plana karşı çıkabilecek tek güç biziz. Hem genç Cumhuriyetimiz, hem yaşam tarzımız, hem kurulu müesseselerimiz, hem de çağdaşlığımız bu oyuna karşı durmamızı gerektirecektir. Başka türlü olması da mümkün değil. Bu plan en çok bizi dize getirmek için uygulamaya kondu. Tezkerenin ret edilmesi Türkiye Cumhuriyeti'nin gerektiğinde gücü ne olursa olsun hiçbir ülkenin zorlamasına boyun eğmeyeceğini gösterdi. Şimdi bizi bitirmek istiyorlar ve ellerinde hiç ummadıkları bir şans var. Dost bildiğimiz diğer ülkeleri de bize karşı kullanacaklardır.

- Bu arada yanımda oturan ve özel izinle bu toplantıya katılan Soner asteğmenin kısa izahatını dinlemenizi istiyorum. Kendisi bu konularda uzmandır.

Bu sözünün ardından genç ve oldukça çekingen bir delikanlı oturduğu yerden ayağa kalkıp, toplantı masasının çevresindekileri selamladı.

- Öncelikle neyle yüz yüze olduğumuzu ve bir süre sonra savaşmak zorunda kalacağımız meseleyle ilgili özet bilgi vermek istiyorum.

- Buyurun asteğmenim. Sizi ilgiyle dinliyoruz.

Başbakan sesi titreyen delikanlıya cesaret vermek istiyordu.

- Evangelistler, yani radikal Protestan Hristiyanlar son yıllarda başta Amerika olmak üzere tüm batı ülkelerinde ciddi biçimde güçlendiler. Gelişmelerde Başkan Bush'un, şahinler kanadının ve üst düzey yöneticilerin bu inanca sıkı sıkıya bağlı olmalarının, hele başkanın artık kendisini bir tür peygamber olarak görmesinin büyük etkisi vardır. Ayrıca Mesih'in dünyaya ikinci gelişiyle birlikte tüm Hristiyanların, İsrail'de bulunan Megiddo ovasında toplanıp, kötülüğü temsil eden ve Mesih düşmanı olan Gog ve Magog, Müslüman inancına göre Yeccüc ve Meccüc ordusunu yok edecekleri öğretisine kalben bağlıdırlar ve inanmaktadırlar. Onlara göre bu savaşın ardından Evangelistlerin dünyaya hakim olacağı bin yıllık Mesih krallığı kurulacaktır. Tabi krallığı ilan edecek ilk kişi de Başkan Bush olacaktır. Sürmekte olan savaş bir Amerika, Irak veya Saddam, Bush savaşı değildir. Irak ve Saddam aslında hiçbirisinin umurunda bile değil. Onlar bir Armagedon yani kıyamet savaşı başlattılar. Kendilerini iyilerin safında, karşı çıkanları da kötülük ordusu olarak yani Mog ve Magog şeklinde tanımlıyorlar. Doğaldır ki karşılarındaki bu kötülük ordusunun başında onlar için Türkiye var.

Komutanlardan biri hâlâ tatmin olmamıştı. İçinden Amerika'nın Türkiye'yi bu denli kolay karşısına alabileceğini düşünemiyordu.

- Buna cesaret edeceklerine şimdi bile ihtimal veremiyorum.

Ama genç asteğmen o toplantıya boşuna alınmamıştı. Konusunu çok iyi bilen doğru bildiğini de şartlar ne olursa olsun çekinmeden söyleyecek yüreğe sahipti.

- Son büyük savaş başladı komutanım. Şimdi İsrail'de bulunan kişi de bu rüyalarını gerçekleştirmede çok işlerine yarayacak. Onun da rolünü en iyi şekilde oynayacağından eminim. Çünkü ataları asırlardan beri bitmek, tükenmek bilmez bir nefretle kavruldular, çocuklarına, torunlarına da aynı korkunç kini aşıladılar ve artık kötülüğü başlatacak fırsatı yakaladılar. Hem de en uygun zaman ve yerde... Bu arada şahsıma güvenerek katılmama izin verilen başka bir toplantıda İsrail ajanlarının İstanbul'da cirit attıkları, bazı Alman konsolosluk görevlileriyle çatışmaya girdiğini öğrendim. İsrail ve Mossad'ı çok iyi tanıyan bir kişi olarak bu olayın çok farklı bir konudan dolayı olduğunu hissediyorum.

- Tel Aviv'e yanaşan uçak gemisinden inen şahsın dışına bir konu mu olduğunu söylüyorsunuz? Acaba dikkati başka yöne mi çekmek istiyorlar?

- Buna hiç ihtiyaçları yok. Ellerindeki büyük kozu kullanmakta tereddüt etmeyecekler. Ancak ben yıllar sonra Mossad'ın ülkemizde bu derece üst seviyede faaliyet başlatmasını hiç de hayra yoramıyorum. Uzun zamandır Dean adlı ajanı tanır ve takip ederim. Bir ajandan öteye çok farklı kişiliğe ve kültüre sahip, Yahudi tarih ve mistizmine derin bir tutkuyla bağlı, çok zeki bir insandır. Mossad da el üstünde tutulur. O nedenle tek bir dakika bile boş bırakılamamasını tavsiye ederim. Çünkü gerçekten çok özel bir kişilik.

- Teşekkürler asteğmenim. Sizden bugünlerde olukça faydalanacağımızı hissediyoruz. Sizi derhal İstanbul'a gönderdiğimiz adamımızla buluşturmak isterdim. Tabi siz de kabul ederseniz. Bu arada Oregon'da konuyla ilgili araştırma yapan ve başı belaya giren Turgut adlı vatandaşımızın beraat ettiğini iki gün sonra Ankara'da olacağını öğrendik. Onun da bu konuyla ilgili olarak bize anlatacağı çok ilginç şeyler var.

Başbakan iyice daralmıştı. İkinci Irak Savaşı başladığından beri zaten gözüne uyku girmez olmuşken, ülkeyi bu karanlık beladan nasıl kurtarabilecekleri konusunda pek bir fikri yoktu.

- Peki, paşam sizin bu konuda ki tavsiyeniz nedir? Nasıl önleyebiliriz?

Genel Kurmay Başkanı, Başbakan'ın sorunsuna hiç düşünmeden cevap verdi:

- Amerika ve İsrail, dün sabahtan itibaren artık çok başka düşünen ve başka türlü hareket eden iki ülkedirler. Çünkü Başkan Bush'un kurtarıcısı Tel Aviv'e vardı. Bu bilgiye sahibiz. Arık hiçbir şey eskisi gibi olmayacak. Gözleri dönmüş bir şekilde çıktıkları yolu sonuna dek kat edecekler. Karşılarındaki yegane hedef Türkiye'dir. Diğer ülkelerin bu konuyu pek de ciddiye alacağını sanmam. Hatta bazılarının işine bile gelecektir. Bizse varlığımızın ve bağımsızlığımızın sebebi olarak bununla mücadele etmek zorundayız. Dahası, planlarını bize kabul ettiremeyen bir Amerika, asla başarılı olamaz. Bu da bize karşı acımasız olmasını gerektiriyor. İşin teorisi böyle. Pratikteyse şunu söyleyebilirim ki, daha önce İstiklal Savaşı verip, emperyalizme karşı ilk mücadeleyi başlatmış ve kazanmış olan milletimiz, çok zor da olsa bunu başaracaktır. Şimdi artık bunu nasıl yapacağımızın çarelerini arayalım.

***

- Makine dairelerine baktın mı İzak?

- Her bir santimini taradım. Kamaraları, telsiz odasını, harekat salonunu, akü dairesini, torpido dairesini, kısaca aklıma gelen her yeri bir kez daha aradım.

- Ben de su tanklarından, ambarlara personel mahallerinden, dümen dairesine, pervane şaft yatağına dek her yana baktım.

- Elektronik cihazları bile kasalarından söktük.

- Mutfak, banyolar, tuvalet gerçekten kontrol etmediğimiz yer kalmadı.

- Bir sürü tarihi eser bulduk. Ama hiçbiri aradığımız değil.

- Bu bir şey ifade etmiyor bana. Aradığımız bu teknede ve ne olursa olsun bulmalıyız. Gerekirse sabaha kadar burada kalacağız.

İki İsrail ajanı ter içinde kalmışlar, öfkeden burunlarından soluyorlardı. Asırlardır aranan ve artık birkaç metre öterlerinde oluğuna inandıkları şeyi bulamamanın öfkesiyle yeniden etrafa saldırdılar. Yıkıp dökerek, kırarak, yırtarak arıyorlardı. Aceleyle oraya buraya çarpıp canları yanıyor, sık sık tartışıyorlar, sonra yeniden fenerlerini yakıp, dar koridorlara, geçitlere koşturuyorlar ama asla vazgeçmiyorlardı.

- Ben biraz dışarıya çıkacağım. Sigara içip temiz hava almak istiyorum.

- Beş dakikayı geçirme İzak. Ayrıca o lanet sigarayı yakarken dikkatli ol. Karanlıkta birilerinin görmesini istemem.

- Merak etme.

- Sonra tekrar kafayı çalıştırıp, bir daha düşünelim.

- Ben komutan kamarasında denizaltının detaylı bir planını buldum. Aradığımız yerleri işaretleriz. Karmaşa olmaz.

- Haklısın. Ama bu sefer de sonuç alamazsak o iki delikanlının aldığına inanmaya başlayacağım.

- Saçmalama. İki cahil çocuğun bir şekilde denizaltıyı bulup buraya girdikleri kesin. Bıraktıkları sigara izmaritlerinden belli her şeyden önce. Boş şarap şişesini bile almayacak kadar enayiler. Bunlar bizim aradığımızın değerini nasıl bilebilsinler ki? Eğer bir şeyler almak isteseler kendilerince para edeceğine inandıkları elektronik aletleri, metal aksamları söker hurdacıya satarlar, diğer tarihi eserleri kaptıkları gibi bu işin ticaretini yapanların peşine düşerlerdi.

- Bence eninde sonunda buraya döneceklerdir. Sakin olmalı ve sabırla beklemeliyiz.

- Evet, dönecekler mutlaka. O zaman kimse onları kurtaramayacak.

***

- Size biat edileceğini, yani kabul ve saygı göreceğinizden emin misiniz? Ayrıca en azından sözü geçen ve güçlü bir tebaanız olmalı. Size itaat edeceklerini ve bağlılıklarını resmen açılamalılar.

Benjamin, üst düzey Mosssad ajanları, Başbakan Sharon'un ve onun güvendiği birkaç kişinin karşısına oturmuş sorularını cevaplamaya çalışıyordu. Aslında ne yapacağını pek bilmiyordu. Sadece içgüdüsel olarak merakla kendisini süzenlere emin bir tavır sergilemesi gerektiğini anlayabiliyordu.

- On beş yaşımdan itibaren bu kutsal amaç için en iyi şekilde yetiştirildim. Şimdi tarihi bir fırsat doğdu. Kullanmak artık sizin elinizde.

- Ailenizin geçmişi olukça ilgimizi çekti. Bunca yıldır saklanan bir sır.

- Yıl demek küçümsemek olur aslında efendim. Asırlar önce atalarımdan sadece biri canını kurtarabilmişti. O gün yemin etti. Mutlaka bir gün koparıldıkları kutsal görevine geri dönecekti. O olmasa bile çocukları, torunları başaracaktı bunu. İşte o gün büyük yolculuğumuz başladı.

Başbakan Sharon dikkatle soruları soran Mossad ajanını ve cevaplayan Benjamin'i dinliyor, arada notlar alıyordu.

- Bu göreve ne kadar hazırsınız acaba? Hiç de basit bir konu olmadığını takdir edersiniz herhalde.

- Daha önce söylemiştim. Hep farklıydık. Bunun nedenini on beş yaşında bana anlattıklarımda şaşırmadığımı söyleyemem. O güne dek aldığım çok özel eğitimin, saatler süren derslerin nedenini anlamaya başladım.

- Çok zor ve sıkıcı bir eğitim olmalı.

- Maalesef. Akranlarımdan uzak ve yorucu bir tempoda çalışmak o yaştaki bir çocuk için pek de sevimli değildi. Ama asıl sıkıntı ve bunaltıcı eğitim gerçek bana açıklandıktan sonra başladı. Çünkü ailem büyük günün yaklaştığına ve yüz yıllar sonra soylarından geçen birisinin, daha doğrusu benim, hak ettiğimiz makama ulaşacağıma inanıyordu. Tabi ortada alınacak bir intikam vardı. Atalarımın torunu olarak, onları yok edenlerin neslinden gelenlere sorulacak bir hesabım vardı. Ben de bu yüzden onca cefaya katlandım. Şimdi başarılı olmak benim için de çok önemli.

- Ayrıca bir de güvenlik sorununuz vardı yanılmıyorsam.

- Bunu nasıl olduğunu asla anlayamadık. Atalarımın o karanlık günden sağ kalan tek ferdi insan üstü bir çaba sarf ederek canını kurtardı ve ortadan kayboldu. Istırap dolu bir hayata adım atmıştı artık. Peşinde olduklarını biliyordu. O nedenle kendisini unutturmak için elinden geleni yaptı. Çok uzaklara gitti. Ama kutsal görevini ve alması gereken intikamı hiç unutmadı. Sonra sayısız yıllar geçti, onun soyundan gelenler yeni bir düzen kurdular, her şey yolunda gitmeye başladı. Geçmişlerini, kim olduklarını ve görevlerini genç nesillere eksiksiz olarak aktardılar. Yüzyıllar geçti, çoğaldılar, kültürlerine, geçmişlerine sahip çıktılar, ilk yerleştikleri bölgeden ayrılıp başka topraklara göç ettiler. Ama nasıl olduysa bu huzur hiç ummadıkları bir gün bozuldu.

- Ne oldu? O kadar uzun süre sonra ters giden neydi?

- Türkler, atalarımızın izini yeniden bulmuşlardı.

- Bu pek imkan dahilinde bir şey değil. Zira kurtulabilen son kişiden haberleri bile olamazdı. O devirde ve karmaşa arasında bunu anlamalarına olanak yoktu. Takip ettiklerin ve yüz yıllar boyunca peşinizde olduklarına inanmak zor. Çünkü öylesine çok şey değişti ki...

- Biliyorum. Birinci Dünya Savaşı'nda Arabistan'da görevli bir Osmanlı subayı, diğerlerinden farklı olduğumuzu anladı.

- Anladı mı?

- Doğal olarak inançlarını ve amaçlarını hep gizli tutmuşlardı. Toplum içerisinde asla gerçek yüzlerini ortaya koymazlar, her zaman içlerinde yaşadıkları insanlar gibi görünürlerdi. Sırrımızı öğrenmek; bir yetişkin için ancak evlenip, çocuk sahibi olmakla mümkündü. Tabi aklının yerinde olması gerekiyordu. Sırrımızı öğrenen her yetişkin için özel bir tören düzenlenir, büyük emanetimizi görmelerine izin verilip, onun üzerine yemin etmeleri istenirdi. Böylece hiç sorun yaşamadan varlıklarını sürdürebildiler. Ama o subay bir şeylerden şüphelenmişti. Kabilemizden zayıf birisini ele geçirip, üzerine düşüp, sonunda onu konuşturmayı başarıyor. Tam olmasa da sırrımızın büyük bir kısmını öğreniyor. Ancak kabile büyükleri zaten pek güvenir olmayan bu kişinin yok edilmesini emrediyorlar. Tabi mutlaka ciddi önlemler almaları gerekiyor. Tek yapacaklarıysa; nesli devam ettirecek olan ve o esnada hamileliğini yaşayan yegane kadını tehlikeden uzaklaştırmaktır. Çünkü onları geleceğe taşıyacak bebek bu kadının karnındadır. Bölgedeki İngiliz güçlerine ulaşıp, ne olduklarını anlatmak zorunda kalırlar. Güçlü birilerinin korumasına ihtiyaçları vardır. Neslin devamını sağlayacak bebek mutlaka uzaklara, kimsenin ona ulaşamayacağı yerlere gönderilmelidir. İngiliz ilgililer önce inanmazlar. Ancak detaylar anlatılınca ayaklarına gelen şansı kaçırmak istemezler. Gelecekte kullanmak onlar için çok iyi bir fikirdir. Hamile kadını gemiye götürürler. Yanına da bir görevli verirler. Türklerse boş durmamıştır. Kadın, İskenderiye limanına varmadan bir Türk subayının saldırısına uğrar ama artık hazırlıklıdır ve kurtulmayı başarıp, İngiliz görevli eşliğinde sonunda İngiltere'ye ulaşıp, çocuğunu dünyaya getirir. Amerika Birleşik Devletleri'ne göç konusuysa ileride gelebilecek saldırılardan kurtulmak içindir. Türlü maceralarla sonunda Oregon eyaletine ulaşan bu kadın ve oğlu Amerika'da yeniden filizlenmeye başlayan neslimizin ilk temsilcilerdir.

- Peki kabilenin geride kalanlarına ne oldu? Türkler onları yok mu etti?

- Hayır. Türkler için o kadın ve karnındaki bebek önemliydi. Diğerleri sadece sıralamada ikinci, hatta üçüncü derecedeydiler. Kalanlara dokunmadılar. Zaten konu ancak birkaç Türk subayının arasında kalabildi. O günlerin şartlarını, alabildiğine devam eden harbi, özellikle kaybetmekte olan Türk tarafını düşünürseniz anlarsınız.

- Geride kalanlarla zaman içerisinde hiç irtibatınız oldu mu?

- Hiç kopmadık ki. Oregon'da yaşamımızı gönderdikleri ciddi maddi yardımlarla sağladık. Portland'da bir kişi sürekli aradaki bağlantıyı sağlardı. Tabi bana ve benden öncekilere ders veren öğretmenlere de. Bizler sürgüne gitmek zorunda kalmış devrik kraliyet aileleri gibiydik. Ama bir gün geri döneceğimize dair inancımızı hiç kaybetmedik. Sonunda büyüklerimiz ve hâlâ Arabistan'da yaşam süren kabilemizin ileri gelenleri harekete geçmenin zamanı geldiğine kanaat getirdiler. Kutsal görev, nesiller sonra bana kısmet oldu. Biraz önce bana biat edip, kabullenip, itaat ve bağlılık gösterecek bir tebaadan bahsetmiştiniz. Bugün on-lar hazır olarak beni bekliyorlar. Sayıları sadece Arap Yarımsdası'nda yüz bin-lere yaklaşıyor. Eğitimleri, işgal ettikleri makamlar, maddi güçleri ve inançla-rıyla büyük günü bekliyorlar. Varlığımı ve yeniden dönüşümüzü ilan ettiğiniz an büyük yığınları da peşlerinde sürükleyerek geleceklerdir.

- Eminsiniz yani.

- Hiç şüphem yok. Bugüne kolay gelmedik. Eğer bir de büyük kaybımızı ye-niden ele geçirebilseydik tahmin ettiğimizden de çok kolay olacaktı.

Son cümlesi karşısındaki Mossad ajanının ilgisini çekmişti. Baştan beri ol-dukça karışık olan hikayede şimdi de büyük kayıp çıkmıştı ortaya.

- Pek anlayamadık galiba. Bu konuya biraz açıklık getirebilir misiniz?

- Neslimizi devam ettirmek için yaşadığımız topraklardan kaçan kadının gi-dişinden bir süre sonra en büyük emanetimizin kayıp olduğu anlaşıldı. Ancak büyük sırrımızı öğrenmeye hak kazanan erişkinlerin görmesine izin verilen ve kim olduğumuzu sonsuza dek saklayacaklarına dair üzerine yemin ettirilen kut-sal mirasımız ortadan kaybolmuştu. Her zaman göz önünde tutulmayıp, çok ciddi bir şekilde saklandığı, ancak yılda bir kez çıkartıldığı için kayboluşu kısa sürede anlaşılamamıştı.

- Kim almış olabilir?

- Kimin aldığından çok, kimin buna cesaret edebildiği daha önemli. Bence içimizden yani kabilemizden birisiydi. Çünkü onun bulunduğu yere gitmek ve saklandığı mağaradan çıkartabilmek için hakkında bilgi sahibi olmak gerekirdi. Bir ara kabileyi terk edip giden Kasım adlı bir gençten şüphelendiler. Ama bu çok sürmedi. Kasım, henüz erişkin değildi. Yani mağaraya hiç gitmemişti. Ay-rıca aklı başında bir delikanlıydı.

- Ne demek aklı başında?

- Kutsal emanetimizi çalması için bir insanın ancak zır deli olması gerekir. Akıllı bir insan onun ne olduğunu idrak edebildiği için bunu asla yapmazdı.

- Neydi peki bu emanet dediğiniz şey? İslam peygamberi Muhammed'den kalma bir hatıra mı? Ya da ona ait bir silah filan mı?

Benjamin bir süre sessiz kaldı. Konunun en can alıcı noktasına gelmişlerdi. Gözlerini salonda bulunanların, özellikle İsrail başbakanının yüzünde gezdirdi. Zira az sonra o suratlar oldukça değişecekti. Bundan da büyük zevk büyük ala-caktı. Gülümseyerek konuştu:

- Bizim Muhammed ve İslam'la hiçbir ilişkimiz yoktur. Ne ben, ne ailem, na da habilemin Müslüman değillerdir.

Salonda adeta ölüm sessizliği oluşmuş, başta başbakan Sharon olmak üzere hepsi resmen taş kesilmişlerdi. Konuşabilen yine Mossad ajanı oldu:

- Peki siz kimsiniz, kutsal emanetiniz nedir?

O andan itibaren salondakiler nefeslerini tutarak Benjamin'in anlattıklarını dinlediler. Bitirdiğinde kimsede konuşacak hal bile kalmamış, gözleri değirmen taşı gibi açılmış, bazıları ağlamaya başlamıştı. Ama sevinçten mi üzüntüden mi oluğunu anlamak imkansızdı. Sadece Başbakan Sharon'un neredeyse ağzı kulaklarına varıyordu. Doğru iz üzerindeydiler, büyük mucize her an gerçekleşebilirdi. Çözüm ve sonuç İstanbul'daydı.

***

- Ooooo, beyler, feneri nerede söndürdünüz, yolu mu kaybettiniz, ayaklarınıza sıcak sular mı döksek acaba?

Patronun kısık gözlerle pis pis sırıtması hiç de hayra alamet değildi. Üstelik olacakları merak ettikleri için eğlenceyi kaçırmak istemeyen birkaç yalaka çoktan çevrede toplanmıştı. Turgut, aynı zamanda Celal'i de koruması gerektiğini düşünüyordu.

- Özür dilerim. Sizden bir hafta izin almıştım. İki gün geçirdim. Celal de sorunlarıma yardımcı olmak için yanımda kaldı. Ortada bir suçlu varsa o da benim.

- Yaaaa, öyle mi? Burası dingonun ahırı mı? Kaç tane iş makinesinin arızalı olarak yattığını biliyor musun sen? Ben para mı basıyorum?

- Geri geldik efendim. Gittiysek mecbur olduğumuzdandı. Kimse böyle olsun istemezdi. Eğer hâlâ bizi istiyorsanız; var gücümüzle çalışmaya hazırız.

- İşinin başına geç hemen. Bir numaralı kepçeden başla. Dört tane gemi günlerdir yüklenmeyi bekliyor. Celal Beyefendi'yse kendisine hayallerindeki işi bulsun. Yerine başkasını aldım. Onun keyfinin gelmesini bekleyemezim değil mi? Artık bu ocakta işi yok.

Turgut, son kozunu kullanmak zorundaydı. Patron özellikle bir numaralı kepçenin daha fazla yatmasına dayanamazdı. Kararlı bir şekilde arkadaşına döndü:

- Haydi Celal, eşyalarımızı toplayıp ayrılalım buradan.

Çok geçmeden ikisi de tulumlarını giymişler iş başı yapmışlardı. Patron resti görmek zorunda kalmış, eğlenmek için etrafta toplananlar avuçlarını yalamışlardı.

Metin, zaten çoktan ömrünü tamamlamış olan kepçeyi yeniden devreye sokmaya, Celal'se dev kum yığınlarının başına koşmuştu. Tabi akşam hava karardığında gizli cennetleri olan denizaltılarında buluşmak üzere sözleşmeyi ihmal etmediler. Görmeyeli neler olup bittiğini, peşlerindekilerin kumların altındaki tekneyi bulup bulmadıklarını merak ediyorlardı. Ancak bu merakın yerini öğlen yemeğinde ciddi bir endişe almakta gecikmedi. Derme çatma yemekhanede iki çeşitten oluşan yemeklerini alırlarken patron, oturduğu yerden herkesin duyabileceği şekilde "Siz babanın arkadaşı olan kibar beyefendiye dua edin. Gelip sizi yeniden işe almam için yalvarmasaydı, iki dünya bir araya gelse şimdi burada olamazdınız." diye övününce ikisinde de şafak attı. Baba arkadaşı mı? Metin, babası dahil kendisi için yalvaracak hiç kimse tanımamıştı hayatı boyunca Celal'in babasıysa İstanbul'u sadece televizyonda görebilen garibanın tekiydi.

- Babanın arkadaşı mı dediniz patron?

- Tabi ya. İki gün önce gelip sizinle ilgili olarak konuştu. Araya girip, affetmem için yalvardı.

- Nasıl biriydi?

- Tanımıyor musun, siz göndermediniz mi?

Metin, nasıl bir cevap vermesi gerektiğini bilemiyordu. Susmayı tercih etti ama patron açıklarını yakalamıştı. İntikamını almak için can atıyordu.

- Ulan hem adamı devreye sokup hem de tanımazdan geliyorsunuz. Ayıp be.

Aceleyle yemeklerini bitirdiler. O gün nasılsa yemekte tavuk çıkmıştı. Kırk yılda bir kondukları bu ziyafetten hiç zevk alamıyorlardı. Hemen yemekhanenin arkasındaki çay ocağında bir araya geldiler.

- Neden bahsediyor bu herif Metin?

- Hiç anlayamadım.

- "Baba dostu" dedi.

- Babamdan ne fayda gördüm ki onun dostundan hayır göreyim?

- O zaman.

- Evet...

Karşılıklı sorgulayan bakışlarla birbirlerini süzerken araya Reşat girdi. Son zamanlarda kum ocağına vinç operatörü olarak girmiş zararsız bir delikanlıydı.

- Aferin sana Metin. İyi posta koydun patrona.

Reşat'tan istedikleri bilgileri alabileceklerini umuyorlardı. En azından diğerleri gibi art niyetli ve yalaka değildi. Metin de bu fırsatı kaçırmadı.

- Reşat, patronun anlattıkları doğru mu?

- Boş versenize, herkesin önünde tükürdüğünü yalamak zorunda kaldığı için şimdi palavra atıyor.

- Yani kimse gelmedi mi?

- Geldi aslında bir kişi ama o adam daha ziyade sizi arıyor gibiydi. Hatırladığıma göre önce burada çalışıp çalışmadığınızı sormuştu. Sonra patron sazı eline alıp, konuyu o hale getirdi.

- Anlıyorum, başka ne konuştular?

- Valla, patron sizi özellikle Celal'i kötüledi, sonra adama uzun süredir arkadaşlardan koptuğunuzu ve arka yamaçta yaptığınız kulübede yattığınızı falan söyledi. Gerçekten tanımıyor musunuz? Halbuki o, sizi bulabilmek umuduyla pahalı pabuçlarıyla, ıslak kumlarda yürüyüp kulübenize kadar gitti.

Olan olmuştu. İki kafadar bakıştılar, ardından yuvarlak bir şeyler söyleyip Reşat'ı başlarından savdılar.

- Ne yapacağız Metin? O gece ateş edenlerden biri olmalı.

- Mutlaka denizaltıyı da bulmuşlardır.

- Namussuzlar, gizli yuvamızı ele geçirdiler.

- Akşam, ayrı olarak çıkalım. Epeyce farklı yerlerde dolanıp, Mümtaz'ın kahvesinde buluşalım. Eve geç vakit gider, sabah erkenden de buraya döner, durumuma bakarız.

***

- Sizi yorduk Şefika Hanım, ama toplantımızı dairenizde yapmamız güvenlik sorunu yüzünden gerekliydi.

- Huzurevindeki dairenizde diyebilirsiniz albayım. Buna alınmam. Buraya kendi isteğimle geldim ve mutluyum.

Salonda Tayfun Albay, Mit ilgilileri, Deniz, Turgut, Soner asteğmen hazırdılar. Selçuk'sa, görevi aldığı ilk günden itibaren ortadan yok olmuş, sadece albayı rapor vermek için arıyordu.

- Bizi uyararak, ne kadar düşünceli bir vatandaşımız olduğunuzu fazlasıyla gösterdiniz, açıkçası duygulandım ve çok sevindim.

- Beni sonuna dek sabırla dinlemek zahmetine katlanırsanız, ben de çok sevinirim. Yaşlıyım ve henüz aklım başımdayken bir çırpıda tüm bildiklerimi anlatmalıyım. Geç kalmaktan hep korktum. Gerçi ölümüm halinde avukatım yazılı ifademi sizlere ulaştırmakla görevliydi ama karşı taraf, yani Amerika'nın,

Oregon denilen eyaletindekiler, hiç beklemediğim bir anda harekete geçip, benim de bu yaşımda devreye gitmeme sebep oldular. Sizi uzun detayla sıkmak istemiyorum.

- Dinlemekten zevk duyarım hanımefendi.

- Yine de kısa tutacağım. Zamana ihtiyacınız var. Amerikan konsolosluğundan gelen görevli elindeki evraklarla kapımıza dikildiğinde henüz küçük bir çocuktum. Annemin ağladığını, çırpınarak, kapının önünde bayıldığını hatırlıyorum. Bunlar üzücü konular. O yüzden atlayarak gideceğim.

- Sizin için çok büyük bir şok olduğunu anlamak zor değil.

- Annem, bana sadece babamın öldüğünü, gelen kişinin bu kara haberi getirdiğini söylemekle yetindi. Neden, nasıl, niçin, nerede olduğu konusunda susmakla yetindi. Ortada babamın cenazesi yoktu ve hiç gelmedi. Tabi bir mezarı da olmadı. Küçük bir kızdım ama bu aklımı kurcaladı durdu. Annemse hep sustu, gözyaşlarını içine akıttı. Babamın uzaklarda öldüğünü, orada gömüldüğünü ve cennette gittiğini tekrarladı. Ama günden güne eridi, geceleri uyumayıp, "Neden İzzet, neden?" diye inlediğini duyardım. Babamın ölümünün alışılmışın dışında bir şey olduğunu anlamaya başlamıştım. Çünkü bu konuda annem ve onun annesi hiç konuşmuyor, adeta hiçbir şey olamamış gibi davranıyorlardı. Ancak kalplerini kemiren kederi yüzlerinden anlamak zor değildi. Biliyor musunuz, küçük çocukların gözünden hiçbir şey kaçmıyor.

- Bu, sizin o yaşta bile ne kadar hassas olduğunuz gösteriyor.

- Genç olsam bana kur yaptığınızı zannedeceğim evladım. Sonra bir gün Firdevs Hanım ve annesi bizleri buldular. Kendilerini tanıtıp, anneme sarılıp ağlayışlarını hiç unutamam. Ardından büyükler odalara kapandılar. Ben ve o zaman benden üç-dört yaş büyük olan Firdevs'le bahçede kaldık. Üstelik yeni oyun arkadaşım gerçeği tüm acımasızlığıyla biliyordu. Konuşturup, merak ettiklerini öğrenmem hiç de zor olmadı. O an beynimden vurulmuştum. Önce yalan söylediğini düşünüp kızdım. Ama hıçkırarak yemin etti. Ayrıca böyle korkunç bir yalan uydurmak için bir mecburiyeti yoktu ki. Annemle hiç çatışmadım. Duyduklarım feciydi. Doğal olarak bilmemi istememişti. Babam bir katildi ve idam edilmişti. Annemin saçları o yaşta beyazladı. Bense çocukluğumu yaşayamadan kendimi bin yaşında hissediyordum.

Deniz, Şefika Hanım'ın sözünü ne kadar kesmek istemese de duygularını daha fazla saklayamadı.

- Çok dayanıklıymışsınız efendim. Kendimi sizin yerinize koyup düşündüğümde bile zorlanıyorum.

- Dayandım yavrum. Çünkü gerçeği öğrenmek istiyordum. Babam İzzet Efendi dünyanın en şefkatli adamıydı. Ayrısını arkadaşı Rüstem Efendi için söylüyordu ailesi. Her ikisi de İstiklal Savaşı kahramanıydı. Neden yapmışlardı bunu? Elektrikli sandalyenin nasıl bir şey olduğunu hayalimde canlandıramıyor, sadece babamın onun üzerinde çırpınışı gitmiyordu gözlerimden. Bir gece bağırarak uyandım. Kabus görmüştüm. Babam, elleri kolları bağlanmış olarak oturtulduğu o şeyde feryatlar ediyor, önce elbiseleri, sonra saçları tutuşuyor, her yanını duman kaplıyordu. O gece gerçeği öğrenmeye yemin ettim.

***

Metin, iş çıkışı Beşiktaş'a kadar gittikten sonra, önce Taksim'e ardından Kasımpaşa'ya inip, Mümtaz'ın kahvesinin arka masalarından birisine yerleşti. Celal'se işi abartıp, hiç yorulmadan Üsküdar'a kadar seyahat ettikten sonra haliç vapurunu binip, Kasımpaşa'ya yolladığında yorgunluktan ölmüştü. Arkadaşını kahvede görünce ilk işi, seyyar bir köfteciden iki paket yaptırmaktı. Açlıktan ölecek haldeydi.

Benjamin, banyodan çıkmış, İsrailli yetkililerin yaşadıkları şoku atlatmaya çalışmalarını bekliyordu. Ayrıca, artık uygun buldukları yeni isme alışması gerekiyordu. Neden herhangi bir insan değildi? Sıradan, diğer erkekler gibi işine giden, akşam evine dönen, arkadaşlarıyla basketbol maçına giden, hiç değilse iki senede bir tatil yapan bir insan olmak için kollarını bile feda etmeye hazırdı. Kabak ondan öncekilerin de sonrakilerin de değil, kendi başına patlamıştı. Bir yandan sıkıntılı, bunaltıcı çocukluk ve gençliğinden sonra önüne çıkan fırsatın cazibesini düşünürken, diğer yandan çok korkuyor ve her şeyi bir yana bırakıp, kimsenin onu bulamayacağı bir yerlere kaçmayı, sade bir vatandaş olarak yaşamayı düşünüyordu. Tabi o hayatta ailesi ve hırslı annesinin, kısacası geçmişinin hiç yeri yoktu. Çok değil bir haftası kalmıştı. Başbakan Sharon son toplantıda ayın dokuzunda varlığını tüm dünyaya ilan etmeyi kesin olarak kararlaştırmıştı. Pencereden uzaklara bakıp, sıkıntıyla iç çekti.

Selçuk'sa içlerinde en rahat olanıydı. Yanındaki torbadan bir kaç kraker çıkartıp, atıştırdı. Tek işi, beklemekti ve sonuna dek bekleyecekti.

En mutlu olansa, Sharon ve birkaç çok yakın adamıydı ve İstanbul'dan gelecek büyük haberi bekliyorlardı. Hem de hiç olmadıkla kadar keyifli bir halde...

***

- Firdevs Hanım ve ailesiyle o tarihlerde birkaç kez görüşüp, birbirimize destek olduk. Buna çok ihtiyacımız vardı.

- Anladığımız kadarıyla sonraları irtibatınız kesildi.

- Maalesef. Zamanla herkes kendi acısını içine gömüp, bir yana çekildi. Görüşmek belki de acının taze kalmasına sebep oluyordu. Ama ben son görüşmemizde bir hırsızlık yaptım.

- Hırsızlık mı?

- Evet.

- Hem Firdevs, hem de rahmetli annesi içli, duygusal, açıkçası kadere razı olmuş insanlardı. Onları son ziyaretimizde annesinin sakladığı evrakların bir kısmını çaldım. Babasına ait günlükler ve Amerikan konsolosluğundan gönderilen belgeler dolapta bir bohça içerisinde saklanıyordu. Benim daha çok işime yarayacağını düşündüm. Tanrı ve onlar beni affeder inşallah. Ama bu sayede babamın son mektubuna ulaştım. Konsolosluk yanlışlıkla onu Rüstem Efendi'nin ailesine teslim etmiş, onlar da acıları nedeniyle fark bile etmemişlerdi. Mektup, az da olsa bazı konuları çözmemi sağladı. Babam, idama gitmeden hemen önce bir şey öğrenmişti. Tamamını öldürdüklerini sandıkları aileden biri sağ kalmıştı. Bunu sürekli hücrelerinin önünde nöbet tutan gardiyanlardan biri söylemişi. Mektup bana hitaben yazılmıştı. Satırlarında gerçeği duymaktan dolayı çok üzgün olduğu anlaşılıyordu. O zamanlar kızmış, katliamlarından kurtulabilen masum bir çocuk için öfke duymasına içerlemiştim. Ayrıca ısrarla miralay Ali Fevzi Bey'i bulup, onunla konuşmamı istiyordu.

- Kim dediniz?

- Ali Fevzi Bey. Adı, babam ve Rüstem Efendi'nin notlarında da sıkça geçiyordu. Ayıca evimizde yaptıkları toplantılardan hayal meyal hatırlıyordum. Yazılara bakılırsa İstiklal Savaşı'ndan sonra Rüstem Efendi, babam ve Miralay bir araya gelip, daha önceden, cihan harbinden kalan bir konu üzerine kafa yormuşlardı. Miralay'ı bulmam yıllarımı aldı.

- O devirde bunun kolay olmaması normaldir.

- Ayrıca parçaları bir araya koymam oldukça zordu. Yirmi beş yaşına gelmiştim, anneannem ölmüş, annem daha da içine kapanmıştı. Ali Fevzi Bey'i, Eskişehir'de buldum. Artık çok yaşlanmış ama hafızası ve o güzel kalbi hâlâ yaşıyordu. Babamın adını öğrenince koca adam ellerime sarılıp, resmen öptü. Çok heyecanlanmıştı "Sen gerçek bir kahramanın kızısın." diye gözyaşı döktü. O zaman tanıdım onu. Seneler önce bizim eve de gelmişi. Tabi babam ve Rüstem Efendi'yle odalara kapanıp, saatlerce bir şeyler tartışırlardı. Birileri, babam ve arkadaşını katil olarak yargılayıp, idam ederken, Ali Fevzi Bey göklere çıkartıyordu.

Pek bir şey anlamamıştım. Ama anlattığında onları övmekte ne kadar haklı olduğunu anladım. Kader onlara bir görev vermişti ve o uğurda ölüme gitmişlerdi. Yöntemleri ne kadar doğruydu? Cinayet işlemek dışında bir seçenekleri var mıydı? Bunu hiçbir zaman için bilemeyeceğiz. Ama o günün şartlarında her halde ellerinden başkası gelmezdi. Karşı taraftakiler kin, nefret ve intikam duygularıyla beslenerek fırsat kolluyorlardı.

- Şefika Hanım, iyi misiniz?

Albay müdahale etmek gereği duymuştu. Zira yaşlı kadının başı yana doğru düşmekteydi. Hemen tutup kanepeye yatırdılar. Yardım için çağırdıkları hemşire, tansiyonunu ölçtü. Oldukça düşmüştü. Eski ve acı hikayeyi, o günleri hatırlamak yaşlı kadını üzmüş ve yormuştu. Tabi görevli hemşirenin isteğine uyup, odayı terk etmek zorundaydılar. Yarın sabaha dek bekleyeceklerdi. Ne kadar üzülseler de ertesi sabahtan önce meraklarını giderme ihtimalleri yoktu. Aynı bilgileri kadının avukatındaki kasadan da alabilirlerdi ama onlar Şefika Hanım'ın yaşamasını ve gerçekleri onun ağzından dinlemeyi istiyorlardı. Onca sene bekledikten sonra bir gece daha beklemekte sakınca yoktu.

***

Pazar olmasına rağmen Metin görev başındaydı. Zira izinli olduğu dönemde arızalanan yığınla iş makinesi ellerinden öpüyordu ve patronun suratı beş karıştı. Celal'se bir önceki akşam kahvede kendisine çok iyilikleri olmuş eski bir patronunun ölüm haberini almış, cenazeye katılıp, sonra kum ocağına dönecekti. Nasılsa kimse onu umursamıyordu ve Metin'den daha ucuza çalışacak bir teknisyen bulunduğu an arkadaşıyla birlikte kıçına tekmenin vurulacağından emindi. Metin, gün boyu hurdaya çıkmış kepçeleri tamire uğraştı durdu. Celal, yeniden ortada gözüktüğünde akşamüstü olmuştu. Arkadaşı büyük bir hızla ve sağdan soldan selam verenleri, laf atanları hiç duymadan kendisine doğru yürüdü. Yüzü bembeyazdı. Ayakta bile durmakta zorlandığı kolayca fark edilebiliyordu.

- Ne oldu Celal, hasta mısın, başına bir şey mi geldi, yoksa onlar yine...

- Yok bir şey, iyiyim, gel hele.

Ama sesi fena halde titriyordu. İki arkadaş hemen kum yığınlarının arkasına geçtiler. Uzaktan derme çatma kulübeleri gözüküyordu ve tehlikeyi göze alamadıkları için günlerdir değil içine girmek, yaklaşmamışlardı bile.

- Yahu, ayakta zor duruyorsun. Hortlak görmüş gibisin.

- Öğrendim Metin, öğrendim.

- Neyi?

- Onu.

- Neyi ulan, çatlatma adamı?

- Sandığı.

- Sandık mı?

- Evet, sandığın içindekilerin ne olduğunu öğrendim. Bu kadar adam boşuna peşinde değilmiş.

- Çok değerli parçalar mı?

- Hayal bile edemeyeceğin, yüz yıl düşünsen aklına bile gelmeyecek kadar değerli.

- Yaşadık.

- Yaşadık mı, başımıza büyük bir iş mi açtık onu hiç bilemiyorum.

***

- Buyurun efendim. Şefika Hanım uyandığı andan itibaren ısrarla sizlerle görüşmek istiyor. Ne dediysem dinlemedi.

Albay, Turgut, Deniz ve diğerlerinin zaten canına minneti. Topluca odaya girdiler. Şefika Hanım, koltuğa oturmuş, rahatsızlığına rağmen son derece bakımlı halde onları beklemekteydi.

- Günaydın efendim. Bu sabah hem çok güzel, hem de sağlıklısınız.

- Oturun albayım. İltifatla zaman harcamayalım. Miralay cihan savaşında Arabistan cephelerinde görev yapmıştı. Sadece savaş sırasında değil, uzun yıllardır o bölgede bulunuyor ve yerli halkı iyi tanıyordu. Kendisi zaten tarihe ve tüm bilim dallarına meraklı bir insandı. Kabilelerden biri dikkatini çekmekte gecikmedi. Diğerleri gibi onlar da Müslüman'dılar. Ayrıca dinlerine ve ibadetlerine fazlasıyla bağlıydılar. Başlangıçta çok normal gözüken bu durumda zamanla bir takım gariplikler oluğunu düşünmeye başladı. Zira ibadetleri ve yaşam tarzları son derece abartılı bir İslam görüntüsü veriyordu. Zamanında Teşkilat-ı Mahsusa'da görev yapmış, hatta kuruluşunda bulunuş olan Ali Fevzi Bey bu tarz abartılı durumların ardında bir şeyler olabileceğini tahmin etmekte pek de zorlanmadı. Bir sürü azılı katil yakalandığında komşuları ve yakınları tarafından durum büyük bir hayretle karşılanıp, "şahsın aslında son derece efendi, saygın ve müşfik bir görüntüsü olduğu" söylenmiştir. Miralaya göre onlar bir şeyler saklıyorlardı. Ayrıca civardaki diğer kabilelerce pek de makbul sayılmıyorlardı. Yabancı oldukları, yüz yıllar önce Afrika'da bir yerlerden geldikleri konusunda türlü rivayetler vardı. Hatta onlardan bahsederken "Dışarlıklı" şeklinde adlandırıyorlardı. İlgisi daha da arttı. Savaş yıllarında kabile üyeleri Türk askerlerine her konuda yardımcıydılar. Halbuki diğer Arap kabileleri o zamanki padişah Sultan Reşad'ın Cihad Fermanı'na rağmen din kardeşi oldukları, kendilerine ve İslamiyet'e yüz yıllardır göğüslerini siper eden Osmanlı ordularını arkadan vurup, İngilizlerle iş birliği yapıyorlardı. Hatta bu sadakatleri nedeniyle zamanında padişaha kadar haklarında övgü dolu yazılar gönderilmiş, sultanın takdirine mahzar olmuşlardı. Ama bir gün yakın çevredeki Osmanlı karakoluna baskın düzenlendi. Zaten sayıca az olan askerlerimiz şehit edildi, cephaneleri yağmalandı. Bunlar savaş şartlarında doğaldı ama ağır yaralı olarak kurtulan bir askerimiz ölmeden önce, son nefesinde kendilerine saldıranların İngilizlerin desteğindeki Dışarlıklılar olduğunu söyledi. Bu inanılmazdı. Her fırsatta dostluk ve bağlılıklarını ispat etmiş olan aşiretin böylesine iki yüzlü olmalarını kabul etmek zordu. Ancak ölmekte olan bir askerin yalan söylemesi için hiçbir neden yoktu. Miralay olayın üzerine gitti ama dikkatlerini çekmemek için bunu çok gizli tuttu. O ve görevlendirdiği adamları son günlerde Dışarlıklılar aşiretinden bazılarının ortadan kaybolduğunu tespit etti. Yakınları, onlar hakkında iş için Medine'ye gittikleri şeklinde çeşitli bahaneler uydurdu. Ama kimisi bir daha hiç ortaya çıkmadı. Çünkü düzenledikleri baskında ölmüşlerdi. Bir kısmınınsa aynı baskında askerlerimizin karşı ateşiyle yaralandıkları ve Maan'daki İngiliz hastanesinde tedavi gördüklerini öğrenildi. Artık şüpheleri kalmamıştı. Dost kabile gündüz melek, gece şeytandı. Her şey bu kadarla sınırlı değildi. Olay, basit bir ikiyüzlülükten çok ötede, muazzam bir planın parçasıydı.

***

Metin, Celal'i dinlerken kulaklarına inanamıyor, beyni zonkluyordu. Doğru olamazdı. Tekrar tekrar sordu. Aldığı cevaplar net ve kararlıydı. Sadece "Lütfen beni de götür oraya bu akşam." diyebildi.

- Akşamları açık olacağını sanmıyorum.

- O zaman yarın.

- Acaba her gün açık mıdır? Neticede orası bir mağaza, sinema ya da lokanta değil.

- İçeri almayacaklarını mı düşünüyorsun?

- Evet. Belki de bekleyip, uygun ortamı bulmamız gerekir.

- Nasıl?

- Özel bir gün mesela. O zaman mutlaka açık olacaktır.

- Haklısın. Başka türlüsü başımıza iş açar.

- O güne dek denizaltıdan uzak duralım. Çünkü peşimizdekilerin, Almanlara saldırıp, birini öldürenler olduklarını şimdi anlıyorum.

- Ben de öyle. Almanlar onların yanında bayağı masum kalırlar. Yine de neler yapabileceğimizi araştıracağım.

- Her zamankinden daha dikkatli olmalıyız. Peki ya o ne olacak?

- Biliyorum sandıktan bahsediyorsun ama bu konuda en küçük bir fikrim yok.

- Uzak mı durmalıyız, bir yere bırakıp kurtulmalı mıyız, yok mu etmeliyiz?

- Yok etmek mi? Alay mı ediyorsun Celal, yok olan sadece ve sadece biz oluruz. Artık ondan kopmamıza imkan yok.

- Benim de aklıma hiçbir çare gelmiyor.

- Benim bir fikrim var aslında.

- Yaşa Metin. Mutlaka bir yol bulacağını biliyordum. Nasıl bir çare?

- Dua etmek Celal, hiç durmadan, dinlenmeden dua etmekten başka bir şey gelmiyor aklıma. Seni hayal kırıklığına uğrattım ama gerçek bu ne yazık ki.

***

- Miralay ve adamları işin peşini asla bırakmadılar. Olayı çözmeleri gerekiyordu. Sonra içlerinden birini konuşturmayı başardı. Bu kişi bazı konular yüzünden son zamanlarda kabileden dışlanmış, birazcık asi yaradılışlı bir gençti. Ancak kabilenin koştuğu şartları yerine getirdiği için sırlarını biliyordu.

- Şartlar mı dediniz?

- Evet, sırlarını ve geçmişlerini öğrenmek için belirli bir yaşa gelmiş, evlenmiş ve çocuk sahibi olmaları gerekiyordu. Diğerleri, yani aklı dengesi olmayanlar, güven duyamayacakları kadar zayıf iradeli olanlar, kısırlar ve benzerleri bir şekilde yok ediliyordu. Miralay, zamanında bu delikanlıya çok yardımcı olmuş, hatta evladı gibi sevdiği kısrağı hastalanınca hayvanın bizzat alayın Türk veterineri tarafından tedavi edilmesin sağlamıştı. Sonuçta bu gencin sevgisini ve güvenini kazandı. Mustafa ismindeki delikanlı zaten kabilesinin garip iki yüzlülüğü ve kısa süre önce öğrendiği sırrı nedeniyle oldukça sarsılmış durumdaydı. Ali Fevzi Bey ve arkadaşlarının dostça yaklaşımı sayesinde kendiliğinden çözüldü. Ama kabile bunu anlayınca zavallı Mustafa'yı öldürdü.

***

O, Ne Eksik Ne De Fazla Olandır

- Yarına kadar sabredeceğiz demek.

- Ne yapalım? Bu kadar sabrettik.

- İçeri girmemiz kolay olacak mı? Davetiyemiz yok bir kere.

- Bilemiyorum. Ama en şık takım elbiselerimizi giyer, yıkanır, tıraş olur önemli ve saygın davetliler rolü yaparız.

- Son zamanlarda güvenliği sıkı tutuyorlar. Artık eskisi gibi değil. Her şeyden önce güvenlikçiler olacaktır etrafta.

- Yine de şansımızı denemeye değer.

- Ayrılır, kalabalık bir şekilde içeriye giren grupların arasına katılırız.

- Umarım yutarlar.

- Buraya kadar geldik. Şimdiden sonra geri dönemeyiz.

- Hiç ummadığımız bir mucize. Sen olmasaydın asla bu kadar ileri gidemezdik.

- Birlikte başardık her şeyi.

- Ama böyle bir sonucu hayal bile edemezdik.

- Sadece biz değil, hiç kimse hayal edemezdi.

- Nereden nereye...

- İki tane hazine arayıcısının beğenmediği bir metal direkten başlayıp, dünyayı ayağa kaldıracak bir noktaya geldik.

- Kaderdi bu bence. Her şey sayısız tesadüflerle başladı. Demek ki bir hikmeti varmış ve bizi bekliyormuş.

- Şimdi de evde bekliyor.

- Mutluyum. Hem de çok. Ama bir taraftan da korkuyorum.

- Ben de korkuyorum. Çok ama çok korkuyorum.

- Çorbadan dönenin kaşığı kırılsın.

- Haydi berbere gidip saç sakal tıraşı olalım. Yarına, büyük güne hazırlanalım.

Benjamin, aynı saatlerde İsrail Hükümeti'nce yeni görevine ait olarak hazırlatılmış giysilerini denemekteydi. Ancak düşünceliydi. Biat ve onu kabul edecek ülke gerekliydi ve bu en önemlisiydi. Soyundan gelenler konusunda hiçbir sorun yoktu. Onlar yüzyıllardır bugün için hazırlanıyorlardı. Ardından Irak ve Afganistan sıradaydı. Zira Irak artık Amerikan işgaline girmek üzereydi. Afganistan'sa çoktandır Amerikan güdümüne geçmişti. Sıra Ürdün ve Suudi Arabistan'a gelecekti. Her iki ülke de istemese de varlığını ve icraatını kabul etmek zorunda kalacaklardı. Çünkü Başkan Bush'a karşı gelecek güçleri yoktu. Deneseler bile canları fena halde yanacağı için hemen vazgeçeceklerdi. Harika bir başlangıçtı. Diğerleri de nasılsa zamanla ikna olacaklardı. Sorun yaratacak yegane ülke; Türkiye'ydi. Pek dert edecek hali yoktu. Nasılsa süper ülke Amerika ve en büyük ortağı İsrail bu sorunu çözerlerdi.

Sharon'sa, İstanbul'dan her an harika haberler geleceğini umduğu için iktidarının en güzel günlerini yaşıyor ve sürekli kendisine verdiği bu büyük armağandan dolayı yüce Tanrı'ya şükrediyordu.

Selçuk ise halen bekliyordu. Ne kadar bunalsa da sabrı sonuna dek tükenmeyecekti.

***

- Demek anladıkları an Mustafa'yı yok ettiler.

- Evet, ama ölmeden her şeyi Ali Fevzi Bey'e anlatacak vakti buldu. Miralay hayatı cephelerde savaş meydanlarında geçen bir askerdi. Yine de duyduğu hikaye onu bile şaşırttı. Her şey 1517 yılında başlamıştı.

- Bu kadar eski yani?

- Evet. O devirdeki Osmanlı padişahı Yavuz Sultan Selim, Mısır'ın Ridaniye mevkisinde Memluk sultanı Tomanbay ile büyük bir savaşa tutuştu. Sonuç; Osmanlı ordusunun mutlak galibiyetiydi. Sadece zafer kazanmakla da kalmadılar. Mısır, Arabistan Yarımadası Osmanlı hakimiyetine geçti. Kızıldeniz, Hint ve Atlas Okyanusu'nun yolu açıldı. Ama en önemli siyasi sonucu; Halifeliğin Yavuz Sultam Selim'e, Hilafet makamınınsa Osmanlılara geçmesiydi. O günün şartlarında yapmaları gereken bir şey vardı ve mecburen uyguladılar. Halifeliği devralırken geride bir gün sorun olacak hiç kimse sağ olarak kalmamalıydı. Tabi onlar da halifenin tüm ailesini öldürdüler. Yavuz'un ordusu İstanbul'a döndüğünde kumandalarında halifelik makamı yanlarında kutsal emanetler de vardı. Bildiğiniz gibi bu makam 1924 yılında lâğvedilmesine dèk Osmanlı padişahlarınca temsil edildi. Ancak geride bir kişi kalmıştı. Kargaşadan bir şekilde kurtulup, uzun süre orda burada saklandıktan sonra Mısır'ı terk etti. Daha güneye indi. Önceleri salt canını kurtarmayı düşünürken zamanla kaybettikleri makama yeniden sahip olmak ve Türklerden intikam almak için yemin etti. Artık yaşamının tek amacı buydu. Zamanla evlendi, çocukları oldu ama geçmişlerini hep sakladılar. Çocukları erişkin hale geldiğinde özel bir törenle gerçek anlatıldı. Kim oldukları, nereden, kimlerden geldikleri, tarihleri ve misyonları öğretildi.

Onlardan istenen; sabırla bekleyip, fırsatını buldukları an harekete geçmekti. Ancak çok uzun yıllar sonra hiç umulmadık bir şey oldu. Böyle bir şey yüzlerce sene önce Mısır'dan kaçan atalarının aklına bile gelmezdi. Şimdi her şey farklıydı.

- Davalarından mı dönüler Şefika Hanım?

- Hayır. Daha da tehlikeli bir gelişme oldu. Üç yüz yıldan beri yakınlarında yaşadıkları başka bir topluluğun etkisi altında kaldılar. Dinlerini değiştirdiler. Bu hemen bir gün içerisinde olmadı tabi. Mısır'dan kopan ilk temsilcilerinden bu yana kendilerini farklı kültür ve inanışları olan toplumların içerisinde bulmuşlardı. Zamanla bu yalnızlık ve farklılık hissi bir komplekse dönüştü. Gittikçe kendi inançlarından, yani Müslümanlıktan kopmaya başladılar. Onları yönlendirip eğitecek doğru dürüst bir dini liderleri de olmayınca yozlaşma ve kopuş kaçınılmazdı. Artık dini vecibelerini pek ciddi almadıkları gibi yanlış yollara sapmaya başlamışlardı. Özellikle genç nesil almış başını gidiyordu. Aralarında saygı, sevgi kalmamış, ahlaki çöküntüyü takip eden kavgalar, hırsızlıklar, cinsel sapmalar ve cinayetler had safhaya ulaşmıştı. Bundan sadece yaşlılar değil komşu topluluklar da rahatsızdı. Çünkü zararı onlara da dokunuyordu. Sonunda devreye girip, onlara yeniden Allah korkusu aşılamak gereği duydular. Zorlu ve kanlı bir süreç başladı ama üç-dört nesil sonra artık hepsi yeni dinlerine sıkıca bağlanmış, İslamiyet'le hiçbir ilgileri kalmamıştı. Boşlukta hissetmeleri, gerçek din kardeşlerinden, geleneklerinden ve manevi ortamlarından uzak olmaları bu geçişi hızlandırdı. Biliyorsunuz "Gözden ırak olan, gönülden de ırak olur" demiştir büyüklerimiz. Böylece yeni inançlarına dört elle sarıldılar. Üstelik, çevrelerindeki insanlarla çabucak kaynaşmalarına ve birtakım ayrıcalıklar elde etmelerine sebep olmuştu bu değişim. Artık iki büyük düşmanları vardı: Türkler ve Müslümanlar.

***

- Harikasın Celal, sanki her gün buraya geliyormuş gibisin.

- Sen de öyle Metin. Bu elbiseni hiç görmemiştim.

- Babamdan ödünç aldım. Kim bilir kaç yıldır kullanılmamıştı. Biraz eski moda ama olsun.

- Kalabalık gruplar gelmeye başladı. Harekete geçelim mi?

- Sen önden git. Ailece içeri girmekte olan birilerinin arkasına takıl. Ne de olsa onların davetiyesi vardır ve kaç kişi için olduğu hiçbir zaman yazmaz.

Celal, takım elbisesini düzeltip, emin adımlarla karşı kaldırıma geçti. Koyu yeşil renkli ağır tunç kapının onunde bırıkmekte olan kalabalığın yanına yaklaştı. Hatta ilk gördüğü yaşlı, göbekli ve iyi giyimli beyefendiye gülümsemeyi ihmal etmedi. Adamın yanında aynı şıklıkta ve şapkalı bir bayan, zarif elbiseler giymiş iki genç kız ve bir delikanlı vardı. Ellerindeki davetiyle ağır tunç kapının önündeki görevliye doğru ilerlerlerken sanki onlardan birisiymiş gibi aralarına katıldı. Metin onun elinde dedektörle bekleyen güvenlikçinin kontrolünden geçip, kapıdan girdiğini görüp sevindi. Sıra kendisindeydi. Aynı pozlarla kapıya yaklaştı. Maksadı gençlerden oluşan ve oldukça neşeli gözüken bir grubun arasına girmekti. Gözüne kestirdiği delikanlıya gülümseyerek selam verdi. Ama o fark bile etmemiş, elinde süslü bir sepet olan genç kızla sohbet etmekteydi. Gözünü kararttı. Buraya dek gelmişken geri dönemezdi. Ancak grup güvenlik görevlisinin yanına geldiğinde davetiye filan göstermeden eli telsizli ve kafasında kulaklık olan adamla şakalaşarak içeri giriverdiler. Demek görevli onları tanıyordu ve bir şey sormaya gerek duymamıştı. Arkalarından devam etmeye davrandı.

- Bir dakika beyefendi!

Lanet olsun. Adam mutlaka amacını anlamışı. Şimdi nasıl bir yalan uyduracaktı? Anında terlemeye başlamıştı ve bu görüntü hiç iyi değildi. Soğukkanlı gözükmekte fayda vardı.

- Buyurunuz.

- Şey, cihazım alarm verdi de... Acaba cebinizde anahtar ya da başka bir metal mi var?

Hiç aklına gelmemişti. Yırtarcasına ceplerine asılıp, ne varsa boşalttı. Evin anahtarları, az önce çay içtikleri kafeteryadan artan bozuk paralar şimdi adamın önündeki tepsinin içerisindeydiler. Görevli aleti bir daha üzerinde dolaştırdı. Neyse, alarm vermemişti.

- Geçebilirsiniz efendim.

- Teşekkür ederim.

Aceleyle tepsidekileri cebine doldurup, kapıdan içeri girdi. Rahatlamıştı. Bu sefer giriş ve çıkışı arasında üç dört kaç metre mesafe bulunan cam bir bölmenin önündeydi. Üst duvarsa kameralarla donatılmış, bölmedeki monitörler ilgililerce sürekli gözleniyordu. Burada X-Ray cihazıyla yapılan ikinci bir kontrol vardı. Ancak Allah'tan davetiye sorulmuyordu. Bu sefer az önceki acı tecrübesi nedeniyle kurallara uyup, rahatça geçti. Artık içerisinde büyük çınar ağaçları olan geniş bir avludaydılar. Avlunun etrafı çeşitli büyüklüklerde binalarla çevriliydi ve kalabalık grup, en büyük olana doğru yöneliyordu. Peşlerine düşüp, kapıda bekleyen ev sahibi aileyi tebrik ederek koltuklarına yerleştiler. Metin, ilk kez böyle bir yerde bulunuyordu. Duvarlardaki süslemelere, incelemeye başladı. Burasının yüzlerce senelik bir bina olduğunu tahmin ediyordu. Aynı anda Celal, kolunu dürttü. Kapıdan girenleri işaret ediyordu. Önce ne demek istediğini anlayamadı ama biraz daha dikkatle bakınca anladı. O an kapıdan giren orta yaşlı bir adam tam karşısına gelen duvarın üst kısmına doğru sağ elini uzattı. Adeta oradaki bir şeye dokunmak ister gibiydi. Ardından uzattığı elinin parmaklarını dudaklarına götürüp derin saygıyla öptü. Ne olduğunu anlayamamışken Celal bir daha dürttü. Şimdi duvarın üst kısmına bakıyordu arkadaşı. Metin'in gözleri de aynı noktaya kilitlendi. İlk anda hiçbir şey fark etmemişti. Ama iki saniye geçmeden "Tanrım" diye yüksek perdeden çıkan heyecanlı sesine engel olamadı. Bir anda salondaki tüm gözler kendisine çevrilmişti. Ancak meraklı bakışlar hiç umurunda değildi. Oradaydı, tam duvarın üzerinde ve tüm salona hakim bir yerdeydi. Ayrıca yanılmasına imkan yoktu. Çünkü denizaltıda buldukları sandıktan çıkanların tıpatıp aynısıydı. Tüm vücudundan ter boşanıyordu ve engellemesine olanak yoktu. Yavaşça arkadaşına döndü:

- Celal, oradaki, bizim sandıktakinin tıpatıp aynısı.

- Evet, ilk gördüğümde ben de senin gibi şaşırmıştım. Ama bizdeki gerçeği, buradaki sadece sonradan yapılmış bir kopyası.

- Pek, kim ya da kimler yapmış olabilir?

- Herhangi bir sanatçı. Özellikle bu tarz konularda uzman biri olmalı ama bizdekini yapan ve yazan bizzat...

Celal, son kelimesini söylediğinde, Metin bu sefer tüm salonu çınlatacak derecede güçlü bir haykırış kopardı. Bir öncekini gölgede bırakacak kadar güçlüydü feryadı. Bir sürü öfkeli baş kendilerine dönerken, iki kafadar utanç içerisinde salonu terk etmeye çalışıyorlardı. Kalacak yüzleri olmadığı gibi görmek istediklerini de zaten görmüşlerdi. Daha fazla vakit kaybına gerek yoktu.

***

- Zamanla her şey düzelmiş, yeni dinlerine uygun hayatlarına alışmışlar toplumda iyi bir konuma gelmişlerdi. Ancak on sekizinci yüzyılda yaşadıkları bölgeden topluca kaçmak zorunda kaldılar. Sırada ikinci bir göç vardı.

- Türklerden mi korkuyorlardı?

- Hayır. Dinlerini kabul ettikleri toplulukla ilgili çok önemli bir şey öğrenmişlerdi.

- Yeni bir sır mı?

- Öyle de denilebilir. Ancak basit bir konu değildi bu. Çünkü onlar, yani yeni dindaşları çok ama çok önemli bir şeye sahiptiler ve onu tüm gözlerden uzak tutarak muhafaza ediyorlardı. Sadece ileri düzeydeki din adamlarının görebildiği bir emanet.

- Peki, bu derece gizli tutuluyorsa nasıl öğrendiler?

- Çünkü içlerinden biri uzun yıllar içerisinde her türlü aşamadan geçerek üst düzey bir din adamı olmaya hak kazanmıştı. Dolayısıyla güvenlerini de... Ona sırlarını açıklamakta hiçbir mahzur görmediler.

- Öğrenince kaçmak zorunda mı kaldılar?

- Hayır, din adamı bu sırrı bir süre korudu. Ser verip sır vermedi ama sonunda varlığını öğrendiği emanetin cazibesine dayanamadı. Kendi kabilesinin ileri gelenlerine durumu anlattığında hep birlikte ona sahip olmaları gerektiğine karar verdiler ve güzel bir plan yaparak, çalmayı başardılar. Derhal soydaşlarını yanlarına alıp, yüzyıllardır yaşadıkları toprakları terk etmeleri gerekiyordu. Onlar da öyle yaptılar. Uzun ve zor bir yolculuktu. Ayrıca peşlerinden öfkeyle takip edenlerden kendilerini korumak zorundaydılar. Sonunda kapağı Arap çöllerine attıklarında içlerinden büyük bir kısmı hayatını kaybetmişti ama çaldıkları önemli emanet hâlâ yanlarındaydı. Yeniden bir hayat kurdular. Ancak şimdi Müslüman Arapların yaşadığı topraklara gelmişlerdi. Rahat ve uyum içerisinde yaşayabilmek için bu sefer de kendilerini Müslüman olarak tanıttılar. Onlar için pek zor değildi. İsimlerini değiştirmekle işe başladılar. Ancak Afrika'da kabul ettikleri dinlerine sonuna dek bağlı kaldılar. Artık dinlerine bağlı Müslümanlar olarak görünüp, asıl dinlerine ait ibadetlerini gözlerden uzak ve gizli bir şekilde eksiksizce yerine getireceklerdi. Tabi bir üyelerinin sırlarını öğrenmek ve emanetlerini görebilmek için daha önce belirttiğim şartları yerine getirmesi gerekliydi. Savaş çıkmasaydı bu böyle devam edip gidecek ve nesillerini kurtaran atalarının yeminini yerine getirmek için fırsat bekleyeceklerdi.

- İyice kafam karıştı açıkçası.

Bu defa söze Turgut katılmak zorunda kaldı. Yaşlı kadının bir an önce hikayesin bitirmesini istiyordu:

- Merak etmeyin albayım. Şefika Hanım çok güzel özetliyor. Haklısınız, uzun ve karışık bir hikaye. Kendisi bitirdiğinde ben de bazı detaylar ekleyeceğim. O zaman her şey daha da açık hale gelecek.

Aslında kadıncağız da yorulmuş ve bitirmek istiyordu artık.

- Sonuçta Ali Fevzi Bey onlardaki garipliği anladı ve sırlarını çözmekte gecikmedi. Hem sırlarını hem de gelecek için hazırladıkları şeytani planı öğrenmişti. Küskün Mustafa sayesinde gerçek yüzlerini deşifre etmişti. Ayrıca artık gözleri gibi korudukları emanetin varlığından da haberi vardı. Ancak karşı taraftakiler de boş değildi. Durumu hissettikleri anda Mustafa'yı yok ettiler. Bu yok ettikleri ilk üyeleri değildi. Sırlarını ağzından kaçıracağına şüphelendikleri herkesi aynı son bekliyordu. Acımasızdılar ve şartları böyle olmalarını gerektiriyordu. Ne olursa olsun amaçlarına uğraşmak istiyorlardı. Hemen tedbirlerini alıp, hamile bir kadını tehlikeden uzaklaştırmanın yollarını aradılar. Ali Fevzi Bey'in, askerleriyle üzerlerine saldırıp kendilerini yok edeceğini, bir zamanlar Mısır'da yaşananların tekrarlanacağını düşünmüşlerdi. Halbuki o günün savaş şartlarında Miralay'ın böyle bir şeye girişmeye hem niyeti hem de olanağı yoktu. O sadece durumu daha derinden inceleyip, kabile ileri gelenlerini gittikleri yanlış yol hakkında ikna edip, kazanmayı umuyordu. Ancak hamile kadını kabileden uzaklaştırdıklarını ve İngilizlerin yardımıyla uzaklara kaçırmaya çalıştıklarını öğrendiğinde bu konuda gözlerinin kara olduğunu anladı. Çünkü kadın karnında gelecekteki gerçekleştirmeye yemin ettikleri planlarının son şansını taşıyordu. Miralay, boş durmadı. Kafalarındaki düşmanca ve iğrenç düşüncelere bakılırsa o günlerde zaten zor durumda olan imparatorluğun başının daha da çok belaya girmesini önlemek için ne yazık ki o kadının ve karnındaki çocuğun yok edilmesi gerekiyordu. Aksi takdirde henüz doğmamış o masum bebeğin soyundan gelecekler, ileride başımızı büyük bir derde sokmak için savaşacaklardı. Kadının İngilizlerin desteği ve korumasıyla son anda bindirildiği gemiyle Mısır'ın İskenderiye limanına gideceğini tespit etti. Aynı gemide önce İskenderiye'ye, oradan da İstanbul'a doğru yola çıkacak olan ve çok güvendiği Yusuf adlı bir zabiti ve onun yardım ettiği ve sıtma hastalığına yakalanmış başka bir zabit olan İzzet Efendi, yani benim babam vardı. Miralay her ihtimale karşı Yusuf Efendi'yi başka bir görev adı altında gemiye yerleştirmişti. Acil olarak bir kurye çıkararak durumu bildirdi. Yusuf Efendi kuryenin getirdiği gizli emri okuyunca gereğini yapmak için çalışmalara başladı. Ama başarmadı. Karşısında diz çöküp, yalvaran hamile kadına silah çekmeye içi elvermemişi. Onun bu zaafını anlayan kadınsa, hiç de merhametli davranmayıp, bir anlık gafletinden yaralanarak Yusuf Efendi'yi ağır yaraladı, seslere koşup gelenlere kanlar içerisinde, yerde yatan zabitin kendisine tecavüz etmeye kalktığını ve namusunu korumak için vurmak zorunda kaldığını söyledi. Arkadaşı İzzet Efendi de hastalığına bakılmaksızın gemi ilgililerince sürüklenerek Yusuf Efendi'nin can çekiştiği kamaraya götürülüp kapı üzerlerine kilitlendi. Babam, arkadaşının böyle adi bir şey yapacağına asla inanmıyordu ve şok olmuştu. Allah'tan Yusuf Efendi son nefesini vermeden önce gerçeği babama açıklayabilecek gücü bulabildi. Harp aleyhimize sonuçlanıp, mütareke imzalanıp, İstanbul işgal edildiğinde babam da anlaşmalar gereği esir tutulduğu İngiliz kampından diğer arkadaşlarıyla serbest bırakılıp, memlekete gönderildi. Rüstem Efendi'yle olan dostluğu o günlerde başlıyor. Babam onun güvenilir bir yoldaş olabileceğini anlamıştı. Birlikte Anadolu'ya geçip, Mustafa Kemal'in kurtuluş ordusuna katılıp, vatanın düşmandan kurtarılması için İstiklal Savaşı'nın pek çok cephesinde savaştılar. Ülkemiz sonunda düşman ve işgalcilerden arındırılıp, çağdaş Türkiye Cumhuriyeti kurulduğunda bunda her ikisinin de emeği vardı. Yok olan bir imparatorluğun küllerinin arasından genç ve imrenilecek derecede mükemmel bir ülke yaratılıyordu. Artık geçmişin karanlıkları geride kalmıştı. Mustafa Kemal birbiri ardına devrimler yapıp, ülkeyi sağlam temeller üzerine oturtmaya çalışıyordu. Memleketin her yanında kalkınma çabaları almış, yürümüştü. Yeni ve harika bir ülke yaratılıyordu. Ama hâlâ bir düşman vardı. Üstelik her geçen gün güçlenip büyüyerek artan ve en büyük amacı Türkiye Cumhuriyeti'ni yıkmak olan bir tehlike... Her iki arkadaş da kurulması için savaştıkları ülkeyi çok sevmişlerdi ve onun uğruna canlarını vermekten asla kaçınmayacaklardı. Bir yandan kendi geleceklerini inşa edip ticarete atılırken, diğer yandan bunun çaresini bulmaya çalıştılar. Zamanla Miralay'ı da aralarına alıp, birlikte kafa patlattılar ve sonunda kadının izini buldular. O günün şartlarında bu çok zor ve meşakkatli bir işti. Ama başardılar. Ardından Amerika seyahatleri başladı. Durumu devletin başındakilere iletemezlerdi. Zira genç Cumhuriyet ayakta kalma savaşı veriyor, bir sürü sorunla boğuşuyordu. Onlar ülkenin başına yeni bir dert eklemek istemiyorlardı. Sonunda bildiğiniz felaket geldi. Çift taraflı bir acıydı bu. Ancak bir gün ülkenin başına çorap öreceğinden emin oldukları aileyi toptan yok etmekten başka çare bulamamışlardı. Ama şans yine yanlarında olmamış, aileden bir kişi sağ kalmıştı. Bunu babam son anda öğrendi ve o gece idam edildi. Şimdi sağ kalan kişinin soyundan gelen birisi İsrail de hazır bekliyor. Irak savaşı ve Başkan Bush'un Evangelist takıntıları, korkunç emellerini gerçekleştirmek yolunda tüm kapıları onlara açtı. Bunu da sonuna dek kullanacaklardır. Özellikle tezkere krizi Türkiye'nin gerektiğinde ne kadar set bir lokma olduğunu gösterdi.

- Haklısınız. Amerikalılar artık ülkemizi bir şekilde etkisizleştirmenin yolunu bulmak zorunda olduklarını düşünüyorlar. Bu nedenle ayaklarına gelen fırsatı sonuna dek kullanacaklardır.

Turgut, söze girmenin sırası geldiğini hissediyordu. Albay da fikirlerini açıklamaya başladı:

- Bu hem Oregonlu aile üyesinin hem İsrail'in hem Amerika'nın hem de Türkiye'yi bir türlü kabullenemeyen bazı İslam ülkelerinin işine gelecektir. Tabi ülkemizin şu anki düzeni ve yönetimi onları rahatsız ettiğinden ekmeklerine yağ sürülmüş olacak. Kısa süre sonra Kudüs ya da Mekke'de Benjamin adlı şahsın halifeliğini ilan edecekler. Bunu da büyük törenler ve harika bir propaganda süreci izleyecek.

- Ailenin Ridaniye Savaşı'ndan beri süregelen hikayesi en acıklı bir şekilde Müslüman ülkelere empoze edilip yaptıkları fedakarlıklar, yaşadıkları ve çektikleri abartılarak gözler önüne serilecek. Zaten ailenin Arap çöllerinde kalmış olan uzantısı hazır bekliyor. Amerikan işgalindeki Afganistan ve kısa süre sonra işgal edilecek olan Irak hemen halifeyi tanıyıp, biat edecekler. Onları Amerikan baskısına dayanamayacak olan Suudi Arabistan, Ürdün, Mısır ve bazı Kuzey Afrika İslam ülkeleri izleyecektir. Daha başlangıçta bu kadar ülkenin yeni halifeye onay vermesi ve biat etmesi diğer birçok Müslüman ülkesini de harekete geçirip, yanlarına çekme yeterlidir. Yaşamıyla, kurumlarıyla, toplum düzeni, hukuku ve tüm yaşamıyla yıllar önce hilafeti kaldırıp, halifelik makamına son vermiş olan çağdaş Türkiye Cumhuriyeti önlerindeki en büyük engel olarak kalacaktır.

- Böylece sıra Türkiye'yi karıştırıp parçalamaya gelecektir. Ülkemizdeki bazı dini unsurlar ve gruplar, hatta inanç sahibi insanlar bile amaçları için kışkırtılıp kullanılacaktır. Ellerinde piyonları olarak tuttukları halifeleriyse bu süreci hızlandırmak, vatandaşlarımızı birbirine düşürmek için elinden geleni yaparak, rolünü yerine getirip, tarihi misyonunu gerçekleştirmek için fetva üzerine fetva verecektir.

- İsrail, büyük krallık hayallerini hiç bırakmadı. Kurmak istedikleri krallığın sınırları içerisinde ülkemizin doğu ve güney doğusu da yer alıyor.

- Amerika'ysa Evangelist ülkülerini gerçekleştirmek için ellerindeki halifeden destek alarak, adım adım dünya haritasını değiştirmek, enerji kaynaklarına el koymak ve istediği toprakları işgal etmek konusundaki rüyalarını gerçekleştirecekler. Müslüman ülkeleri etkileyerek, Amerika'ya koşulsuz itaat etmeleri yönünde ikna edecek olan halife Benjamin'se ellerindeki en büyük koz. Onu her türlü propaganda araçlarını seferber ederek kullanmaktan çekinmeyecekler. Böylece başta Türkiye olmak üzere bir çok İslam ülkesi iç çalkantılar ve çatışmalarla çökertilecek. O zamanda İsrail devreye girip, indirici darbeyi vuracak.

- Avrupa ülkeleriyse çağdaş ve batılılaşma yolunda hızla ilerleyip, genç nüfusu ve potansiyeliyle bir gün rakip olarak karşılarına çıkacak olan Türkiye Cumhuriyeti'nden her zaman korkmuşlardı. Çünkü son yıllarda spordan kültüre, üretimden eğitime her konuda onlara rakip olmaya, hatta ezmeye bile başlamıştık. Bu şartlarda geçmişin karanlığına dönüp, kukla bir halifenin fetvalarıyla yönetilen, bastırılmış, heyecanı öldürülmüş, geçmişte bırakılmış, bilim, teknoloji ve tüm objektif konulardan uzaklaştırılmış, çağdaş kurumları yerle bir edilmiş, eğitim sistemi köhneleştirilmiş, kısacası yok edilip bastırılmış bir Türkiye hepsinin işine gelecektir.

- En acısı da bizler ve vatandaşlarımız tüm kalbimizle İslam'a ve onun getirdiği yüce değerlere, buyruklara inanan, saygı duyan, peygamberimize, onun emanetlerine ve öğretisine büyük saygı gösterip değer veren, kutsal kitabımız Kuran'ı evlerimizden, baş ucumuzdan eksik etmeyen gerçek Müslümanlarız.

- Koyu İslamcı olduklarını, bu yöntemlerle idare edildiklerini iddia eden ülkelerden çok daha Müslüman'ız ve dinimizi seviyoruz.

- Selçuklu'dan bu yana göğsümüzü İslam için siper ettik.

- Dinimize saldıran haçlıları kovmak için kanımızı akıttık.

- Bugün hâlâ minarelerde serbestçe ezanlar okunabiliyorsa, Türkiye Cumhuriyeti ve onu yaratan mücadele ruhu sayesindedir.

- Ama onlar için büyük bir kusurumuz var. Özgürlüğümüzden, yaşam biçimimizden ve milli onurumuzdan ödün vermeye hiç niyetimiz yok. Bu da işlerine gelmiyor. Bunu asla kabullenip, af edemiyorlar. Önlerinde dev bir duvar gibiyiz. Yıkmak için bugüne dek ellerinden geleni yaptılar. Şimdi son kozlarını oynuyorlar. Halife Benjamin'i reddedince, bizi dinsiz gibi gösterip, diğer Müslüman ülkeleri karşımıza çıkartacaklar.

Şefika Hanım yeteri kadar dinlenmişti. Aslında utanmasa arada bir gizlice içtiği sigarasından bir nefes tüttürmek istiyordu ama söyleyecekleri bitmemişti. Gücünü toplayıp, var gücüyle bağırdı:

- Bir dakika beyler. Lütfen dinler misiniz?

Salondaki tüm erkekleri sesleri kesilinceye dek bekledi. O esnada Deniz, kendisine gururla bakıyordu. Şefika Hanım sonunda tekrar dikkatleri üzerine çektiğine karar verip, açıklamaya girişti:

- Görüyorum ki erkeklere özgü sabırsızlığınız ve dikkatsizliğinizle beni doğru dürüst dinlememişsiniz bile.

- Sizi can kulağıyla dinledik hanımefendi.

- Hiç de oyle sanmıyorum.

- Neden?

- Çünkü önemli bir ayrıntıyı kaçırmışsınız?

- Nasıl olur?

- Ben size anlatırken Mısır'dan kaçan kişinin soyundan gelenlerin zamanla boşluğa düştüklerini ve Müslümanlıktan uzaklaşıp, yozlaştıklarını anlatmıştım.

- Evet, dinlerini değiştirdiklerini söylemiştiniz.

- Hatırlıyorsunuz. Ancak o esnada soru sormamanız ve geçiştirmeniz dikkatimi çekmişti. Mesela hangi dini kabul ettiklerini merak edip sormadınız bile.

- Haklısınız. Akıl edemedik.

- Bir toplumun din değiştirmesi basit ve kolay bir şey değildir.

- O halde sizi dinliyoruz.

- Ridaniye Savaşı'ndan sonra Yavuz Sultan Selim'in güçlerinin elinden kaçan halife ailesinin son kişisi döne dolaşa bugünkü Etiyopya'ya gelmişti. Oraya yerleşti. Güvende olacağını düşünüyordu. Sonra daha iç taraflara gidip, kendisine yeni bir düzen kurdu. Çevrede siyah tenli topluluklar yaşıyordu. Başlangıçta onları Afrika yerlileri sandı ama gerçek böyle değildi.

- Kimdiler efendim?

- Onlar Falaşalar'dı.

- Falaşalar mı?

- Evet. Oldukça değişik ve garip geçmişe sahip bir kavimdiler. Kendilerini "Beta İsrail" yani "İsrail Ailesi" olarak tanımlayıp Seba Melikesi Belkıs ve Süleyman peygamberin oğlu olan Birinci Menelik'in soyundan geldiklerini ileri sürüyorlardı. Biliyorsunuz, Süleyman peygamber Yahudilerin en güçlü devrinde hüküm sürmüş ve bugün Romalılar tarafından yıkılmış tapınağı yaptırmıştı. Hâlâ kalıntıları ağlama duvarı olarak ibadet etmekte kullanılıyor ve Yahudilerce çok kutsal sayılan bir yerdir. Falaşalar doğal olarak Yahudiliği kabul etmişler, geleneklerine ve ibadetlerine sıkı sıkıya bağlıydılar. Sinagogları vardı. Yahudilerin dinsel takvimine uyup bayramlarını kutlar, beslenme ve temizlik kurallarına titizlikle uyarlardı. Kısacası Musa Peygamber'in dinine ve Tevrat'a inanmışlardı. Renkleri dışında bugün İsrail topraklarında yaşayanlardan farkları yoktu. Mısır'dan kaçan şahsın soyundan gelenler zamanla kendi dinlerinden yani Müslümanlıktan uzaklaştı. Şartlarını düşünürsek pek ayıplamamak gerekir.

Nesiller sonra kendi dindaşlarından, ibadethanelerinden, cemaatlerinden uzak olmak onları yüzyıllar sonra bu duruma düşürdü. İslam'dan kopmuş, gerçek dinlerini unutmuşlardı. Bu boşluğu gören Falaşalar fırsatı değerlendirerek uzun bir süreç sonunda onları kendi dinlerini, yani Yahudiliği kabule ikna edebildiler. Üstelik yeni oluşum her iki tarafın da menfaatine gelmişti. Müslümanların eski halifesinin soyundan gelen ve dinlerine bağlı olan kabile yüzyıllar sonra kabul ettiği Yahudiliği kalpten sevdi ve bağlandı. Artık eski dinleri çok geçmişte kalmıştı. Arap Yarımadası'na göç ettiklerindeyse bu sefer Yahudiliklerini saklayıp, çevrelerini sarmış olan Müslüman topluluklara iyi bir Müslüman olarak görünmeyi uygun buldular. Onlar gibi namaz kılıp, diğer ibadetlerini yerine getirdiler ama Yahudi inancından asla vazgeçmediler. Kendilerini ustaca gizleyip, asıl ayinlerini ıssız dağlardaki mağaralarda sürdürdüler. Tabi tüm bu sırlara haiz olmak için daha önce bahsettiğim birçok kuralı yerine getirmek gerekiyordu. İhanet eden bunu hayatıyla öderdi. Açıkçası yakında İslam uğruna mücadele verecek olan yine bizim ülkemizdir. Çünkü bir süre sonra aile tarihi belgeler ortaya konularak İslam halifesi ilan edilecek şahıs Yahudi inancına sıkı sıkıya bağlıdır ve sadece Türklerin değil, Müslümanlığın da düşmanıdır. Dinimizi Evangelistlerin amaçları uğruna kullanmak için asla tereddüt etmeyecektir.

- Desenize, iş gene ülkemizin başına düştü.

- Her zaman böyle olmuştu albayım.

- Ne kadar zor ve çetrefil bir konu da olsa bir yolunu bulmak zorundayız.

- Şefika Hanım, bu arada dikkatsizliğimizi eleştirdiğiniz için aklıma gelen son bir şeyi sormak istiyorum. Aslında naklettiğiniz anda soracaktım ama sözünüzü kesmek istemedim.

- Buyurun.

- Arap Yarımadası'na kaçmalarına sebep olan çok önemli bir hırsızlıktan ve çalınan emanetten bahsettiniz. Ne olduğu hakkında bir fikriniz var mı?

Şefika Hanım açıklamasını yapıp bitirdiğinde salonda nefesler tutulmuş, gözler iri iri açılmıştı. Her kafadan bir ses çıkmaya başladı.

- Ama bu çok önemli ve inanılmaz bir iddia.

- Ben buna inanmak bile istemem. Anlatılanlar sadece efsanelerden ibaret olmalı.

- Durun arkadaşlar, Şefika Hanımı dinleyelim bu konuda.

Noktayı koymak yine yaşlı kadına düşmüştü. Artık görevini tamamlamıştı ve dinlenmeye çekilmek istiyordu:

- Anlattıklarım; Mustafa adlı dışlanmış gencin, miralaya naklettikleri, miralayın, babam ve Rüstem Efendi'nin araştırmaları, bıraktıkları anılar, notlar ve son olarak benim çalışmalarımın özetidir. Ben inanıyorum. Sizin de inanmanızı tavsiye ederim. Şimdi artık izninizle biraz istirahata çekilmek istiyorum. Tabi sizlere ve Türk devletine güvenmenin ve başaracağınıza emin olmanın rahatlığıyla uyuyacağım bu gece.

***

Otlak bulmak için kırlarda dolaşıyordu. Bir gün durmadan yanan çalıyı gördü.

Çalı yanıyordu ama hiç tükenmiyordu. O tarafa yaklaştı, çok merak etmişti, aniden bir ses duydu. Daha fazla yaklaşmaması için uyarıyordu onu. Korkmuştu, ne yapacağını bilemiyordu. Sesin geldiği yöne döndü ve sordu: "Sen kimsin?" Ama ses her yandan geliyordu. "Ben İbrahim, İshak ve Yakub'un Tanrısıyım. Seni halkını kölelikten kurtarıp, Mısır'dan çıkartmakla görevlendiriyorum. Gelecekte sen ve kavmin bana bu dağda ibadet edeceksiniz."

- İşte böyle Celal. Bulabildiğim kaynaklarda olaydan bu şekilde bahsediliyor. Aslında konuyla ilgili çok detaylı bilgiler ve sayısız kaynak var. Ben sadece öğrendiklerimden özet çıkarttım.

- Valla Metin, tüm okudukların bana ilginç bir masal gibi geliyor. Açıkçası yüz değil, bin yıl düşünsem aklıma bile gelmezdi. Ama hepsi gerçek ve ne yapacağımızı hiç bilmiyorum. Allak bullak oldum. Nereden nereye...

Kısılmışlardı. Hiç ümitleri yoktu. Dev bir ordu arkalarından hızla yaklaşıyordu. Kurtuluşları kalmamıştı artık. Ama Tanrı onları yalnız bırakmadı. Ona asasını uzatmasını emretti. Yüce emri yerine getirdiğinde, muhteşem bir mucize gerçekleşti. Sular ikiye ayrılmıştı. Tüm kavim suların ortasında kalan kuru yoldan güven içerisinde karşı taraf geçtiklerinde asasını yeniden uzattı. Engin deniz, onları takip eden ordunun üzerine kapanmıştı.

- Küçükken bu konuda yapılmış görkemli bir Amerikan filmi izlemiştim.

- Dünkü halimiz de film gibiydi zaten. Salondan apar topar kaçarken resmen yer yarılsa da içine geçsek diye düşündüm.

- Açıkçası, senin bu kadar heyecanlanacağını düşünemedim.

- Bu senin kabahatim değil Celal. Sandıktakilerin ne olduğunu bir türlü anlayamamıştık. Bizim için denizaltıdaki diğer tarihi eserlerden farkı yoktu. Her şey senin dikkatin sayesinde oldu. Günlerdir bakıp da anlayamadıklarımızın aynısını orada görüp, sen de ne olduğunu söyleyince resmen kafayı yedi

- Yok canım. Hiç de zeki bir insan değilim. Sadece şans. Eğer patronun surat asmasını göze alarak cenazeye gitmeseydim, hiçbir şey açığa çıkmaz ve biz daha çok beklerdik.

- Bir de bunları dinle.

Artık özgürdüler ve Tanrı'nın onlara vaat ettiği Kenan ülkesini arıyorlardı. Yolculuk uzun ve zordu. Kısa sürede yiyecekleri tükendi. Ama Tanrı onları korumaktan vazgeçmemişti. Ertesi gün toprağın üzeri beyaz renkli ve bal tadında bir gıdayla kaplandı. Doyasıya yiyip, beyaz gıdaya "Manna" adını verdiler. Sonra Tanrı pişirip yemeleri için onlara sürüler halinde bıldırcınlar gönderdi. Suları bittiğinde Tanrı ona asasıyla bir kayaya vurmasını emretti. Emrini yerine getirdiği an kayadan sular fışkırdı. Tüm kavim kana kana içti. Üç aylık zor bir yolculuktan sonra Sina Dağı'nın eteklerine vardılar. Tanrı, ona dağın tepesine tırmanmasını, orada kendisiyle buluşmasını emretti. Dağın tepesine vardığında şimşekler çakıyor, yıldırımlar düşüyor, her yan gök gürültüleriyle sarsılıyordu. Tanrı dağın tepesinde Musa'ya üzerinde On Emrin yazılı olduğu iki adet taş tablet verdi. Kavmi bundan sonra tabletlerin üzerlerinde yazılı kurallara uyup, ona göre yaşayacaklardı. Musa, dağın tepesinde o kadar uzun süre kalmıştı ki, kavmi çok öfkelendi ve tapınmak için kendilerine yeni bir Tanrı yaptılar. Bu, altından bir buzağıydı. Musa, dağdan inip halkının altın bir buzağının etrafında dans ederek ona taptıklarını görünce şok oldu. Hiç tereddüt etmeden altın buzağıyı parçaladı.

- İşte hepsini dinledin. Şimdi ne diyorsun Celal?

- Ne mi düşünüyorum? Nutkum tutuldu, azıcık bir beynim vardı. Ama artık o da durdu, çalışmıyor. Ne düşündüğüm değil de yüz yıllar önce bizzat Tanrı tarafından taşa yazılıp, Sina Dağı'nın tepesinde Musa Peygamber'e teslim edilen o kutsal tabletlerin yüz yıllar sonra nasıl olup da bizim elimize geçtiği önemli.

- Bu sabah kütüphaneye gittim. Bazı ansiklopediler karıştırıp, fotokopiler aldım. Her şeyden önce tarihi ve dini kaynaklarda adı "Ahit Sandığı" ya da "Ahdi Atik Sandukası" olarak geçiyor. Müslümanlarsa "Tabut-u Sekine" olarak adlandırıyor. İçerisinde üzerinde On Emrin yazılı olduğu tabletlerden başka Hz. Harun'dan kalan kutsal eşyalar var. Sandık Hz. Davud zamanında Kudüs'ün Birleşik Yahudi Krallığı'nın başkenti ilan edilmesiyle bu şehre taşındı. Sonraları Hz. Süleyman tarafından yaptırılan mabede konuldu. Sandık MÖ 587 yılına kadar Beytülmaktis'de kaldı. Aynı yıl Babil Kralı Buhtunnesar, Kudüs'ü işgal etti. Sanduka bu tarihten sonra beş yüz yıl ortadan kayboldu. Halk arasında sandukanın tahrip edilemediği Levililer tarafından mabedin altında özel olarak yapılmış gizli bir bölmede saklandığı inancı yayıldı. MS 70 yılındaysa Roma valisi Titüs'un, Beytülmaktis'i yıktırdı. O zamandan beri bu gizli odanın bulunduğu ve sandığın içerisindeki kutsal eşyalarla birlikte Roma'ya götürüldüğü düşünülmektedir.

- Dinledikçe korkum artıyor. Ama sen yine de devam et Metin.

- Sandık o tarihten bu yana bir daha bulunamamış. Yahudiler sandığın ancak Mesih'in dünyaya gelişinden sonra ortaya çıkacağına inandıklarından aramamışlar. Bunu yapanlar, Hristiyanlar olmuş. Ama bugüne dek sandığın izi bile bulunamamış. Ayrıca Ahit Sandığı'nın varlığı Kuran'da, Bakara suresinde de net olarak belirtilmiş.

Peygamberleri ona dedi ki: Onun hükümdarlığının belgesi, size tabutun gelmesidir. Onda Rabbinizden bir güven duygusu ve huzur ile Musa ailesinden ve Harun ailesinden kalanlar var. Onu melekler taşır. Eğer inanmışlardansanız, bunda sizin için şüphesiz bir delil vardır.

- İşte bu da konuya İslam'ın kutsal kitabı Kuran'ın yorumu.

- Tanrı'nın parmaklarıyla yazıldığı bilinen o iki taş tablet şu an babamın evinin arka odasında duruyor ve biz ne yapacağımızı bilmiyoruz. O cenazeye gitmeseydin asla öğrenemeyecektik.

- Tanrı'nın yazdığı iki tabletle aynı evde yaşamak beni alt üst ediyor.

- Beni de.

- Ya çarpılırsak?..

- Saçmalama. Tanrı o tabletleri bulmamızı istedi. Onun hikmetinden sual sorulmaz. Bir bildiği vardır mutlaka.

- İyi de o sandığa yaklaşan, dokunan, tabletleri ve diğer eşyaları elleyen herkes feci şekilde öldü, çıldırıp canavarlaştılar.

- Ama bize hâlâ bir şey olmadı.

- Belki de bir süre sonra çok daha kötüsü bizim başımıza gelecek.

- Onu almakla büyük bir günah mı işledik acaba?

- Ama biz onu çalmadık. Üstelik sen cenazeye gidene kadar ne olduğu hakkında en küçük bir fikrimiz bile yoktu.

- Sadece diğerlerinden farklı olduğunu anlayabildik.

- Peşimizdekilerin hepsi aslında o sandığı istiyorlar.

- Nasıl tespit ettiler?

- Bilemiyorum. Belki de hiçbir zaman bunu bilemeyeceğiz.

- Ne yapmalıyız sence?

- Bak, neredeyse yüz yıla yakındır kayıp olan bir denizaltı birdenbire çalıştığımız ocakta kumların altına gömülmüş olarak ortaya çıkıyor ve biz buluyoruz. Bence bu ilahi bir mucize. Tanrı bu şerefi bize verdi.

- Bu kadar basit değil Metin. Sonunun nereye varacağını asla bilemediğimiz bir maceraya düştük. Ölmek umurumda bile değil. Ama büyük bir günah işlediğimize, lanetleneceğimize, bunun yakınlarımıza da büyük zararlar vereceğine inanıyorum. İçim had safhada karardı. Bu başka hiçbir şeye benzemiyor. En iyisi, onu ait olduğu yere bırakalım.

- Yeniden denizaltıya mı götüreceğiz?

- Evet, ait olduğu yere bırakıp, üzerine inşa ettiğimiz kulübeyi yıkar ve üzerine tonla kum doldururuz. Sandık da sonsuza dek kayıplara karışır.

- Ancak peşimizdekileri unutmayalım. Denizaltıya girdiğimizi gördükleri anda ensemizde biteceklerdir. Üstelik çok acımasızlar. Almanlara yaptıklarını gördün.

- Babamın ruhsatsız bir tabancası var. Onu yanımıza alacağım. Bizim oralarda normaldir. Gece yarısından sonra gireriz.

- O tabancayla kendimizi koruyabileceğimizi mi zannediyorsun Celal?

- Hem de iki şekilde. Birincisi; eğer üzerimize gelirlerse sonuna dek kendimizi koruruz. İkincisi de; gerekirse kendimiz için kullanırız.

- Kendimiz için mi?

- Bak, peşimizdeki o herifler artık hiç umurumda değil. Tanrı'nın parmaklarıyla yazdığı iki tableti defalarca sırtımda taşıyıp, defalarca elledikten sonra beni kimse korkutamaz. Gelecekleri varsa, görecekleri de var. Bizim kaderimiz o denizaltıyla kesişti. Sandığı götürüp yerine koyalım. Ardından bekleyelim. Mantıklı bir süre boyunca kötüleşmezsek, kulübeyi yıkar geliriz. Ama denizaltı personeli gibi sapıtmaya başlarsak, çeker kendimizi vurur, kimseye zarar vermeden yok olur, gideriz.

- Belki de haklısın. Eğer o duruma düşeceksek dediğin planı uygulamak en iyisi. Ancak uzun bir süre geçti ve hastalanmadık.

- Denizaltı personelinin sandığı ne zaman ele geçirdiğini ve ilk rahatsızlıkların ne zaman başladığını bilmiyoruz.

- Madem ki birlikte başladık ve sonuna dek birlikte gitmeye karar verdik, çorbadan dönenin kaşığı kırılsın öyleyse.

***

Benden başka ilaha tapmayacaksın.

Rabb'in ismini boş yere ağzına almayacaksın

Sebt gününü takdis etmek için onu hatırında tutacaksın.

Babana ve anana hürmet edeceksin.

Öldürmeyeceksin.

Zina etmeyeceksin.

Çalmayacaksın.

Komşuna karşı yalan şahitlik yapmayacaksın.

Başkasının karısına tamah etmeyeceksin.

Başkasının malına tamah etmeyeceksin.

Tayfun Albay, sabahtan beri belki sayısız ansiklopedi ve dini kitaplardan bulduğu bilgileri masasının üzerine yaymış, aynı şeylere tekrar tekrar bakıyordu. Aslına değişen bir şey yoktu. Hepsi birkaç kelime farkıyla aynı manaya çıkıyordu. Tanrı'nın, Sina Dağı'nda, Musa Peygamber'e teslim ettiği iki tabletin üzerinde yazılı On Emir bunlardan oluşuyordu. Bu kadar sıkıntı arasında neden böyle bir konuya takıldığını bilemiyordu. Sadece çok ilgisini çekmişti. Ertesi gün Genel Kurmay Başkanı, Başbakan ve Milli Güvenlik Kurulu'nu son durum hakkında bilgilendirmesi ve vakit geçirmeden yapılacaklara karar verilmesi gerekiyordu. Milli İstihbarat Servisi'nde yıllar geçirmiş ama bugüne dek böylesine çetrefil bir konuyla karşılamamıştı. Her şeyden önce İstanbul'da dönen dolaplar hakkında hiçbir ilerleme sağlanamamıştı. O İsrailli ajanlar neden seneler sonra ortaya çıkmışlar ve Almanlarla şehrin göbeğinde çatışmışlardı. Hem de kanlı bir şekilde. İstanbul'un casus yağmuruna uğradığı İkinci Dünya Savaşı günlerinden beri bu tarz bir şey görülmemişti. Mossad öyle kolay kolay en önemli ajanlarını aynı anda, aynı yere göndermezdi. Bu işte bir bit yeniği vardı ama ne olduğunu henüz çözmemişlerdi. Selçuk, İstanbul'da olayı çözmeye çalışıyordu. Aslında iki gündür bir türlü irtibat kuramamışları. Cep telefonları sürekli kapalı veya kapsam dışı şeklinde mesaj veriyordu. Yarın toplantıda ne söyleyecekti? Burası koca bir muammaydı.

Bir kez daha denedi. Ama sonuç yoktu. Telefonların hiçbiri çalmıyor, onun yerine insanı sinir eden bant devreye giriyordu. Cihazı gürültüyle masaya koyarken, hiç adeti olamadığı halde kötü bir küfür savurdu. Zamanla Selçuk'un başına düşünmek bile istemediği bir şeylerin geldiğinden şüphelenmeye başlamıştı.

Öbür taraftaysa İsrail başbakanı Sharon kısa süre önce telefonla bilgi aldığı Dean'dan umut dolu haberler almış, artık mucizenin bir an önce gerçekleşmesini bekliyordu. Hava Kuvvetleri'nden çok özel bir birim alarma geçirilmişti. İki adet deniz uçağı hazır bekletiliyordu. Dean ve İzak aradıklarını bulurlarsa derhal uyarıp kiralayacakları bir tekneyle Karadeniz'e açılıp İsrail'deki askeri bir üsten kalkacak deniz uçaklarının gelip kendilerini almasını bekleyeceklerdi.

Tayfun Albay, daldığı düşüncelerden irkilerek uyandı. Telefonu acı acı çalıyordu. Zil sesi tahammül edilemeyecek kadar tiz ve tiksindirici geldi albaya.

- Tayfun Albay, buyurun.

- Nasılsınız albayım?

- Selçuk, neredesin? Meraktan ölecektim.

- Hiç merak etmeyin albayım. İyiyim ve kısa süre sonra yeniden arayacağım.

- Selçuk, neler oluyor orada?

- Rahat olun. Şimdi kapatıyorum.

- Selçuk, alo Selçuk!

- Merak etmeyin albayım. Sizi yeniden arayacağım.

Telefon kapanmıştı. Anlaşılan Selçuk her türlü dinlenme ihtimalini ortadan kaldırmak için kısa kesmişti. Az da olsa içi rahatladı Tayfun Albay'ın. Ama ya yarın onca devlet büyüğüne ne anlatacaktı?

***

- Az kaldı Metin. İstersen biraz duralım. Nefes al.

- Gerek yok. Eğer durursam bir daha hiç kalkamayabilirim. Amma da ağırmış.

- Çok da büyük. Yahu biz bu sandığı eve götürürken ne bu kadar ağır, ne de bu kadar büyük gelmemişti.

- O gün çok heyecanlıydık. Tonlarca ağırlıkta bile olsa umurumda değildi. Ama şimdi öyle mi? Ayaklarımız neredeyse kıçımıza vuruyordu.

- Kulübenin kapı kilidi hâlâ kırık.

- Tabancayı yanına aldın mı?

- Evet.

- Umarım yeteri kadar kurşun vardır.

- Var. Hem başımıza dert olacaklara, hem de bize yetecek kadar.

- Babama bir mektup bıraktım. Beni aramamasını, bir inşaat şirketiyle yurt dışına çalışmaya gideceğimi, bir daha dönmeyeceğimi, kendime orada yeni bir hayat kuracağımı, üzülmeyip keyfine bakmasını istedim.

- Ben kimseye hiçbir not bırakmadım. Yokluğuma aldırıp dert edecek yakınım olmadığı için gerek yoktu. Tek dostum, beni adam yerine koyan yegâne İnsan da sendin ve şimdi yanımdasın. Ama baban bu durumda kötü olmayacak mı?

- Zannetmiyorum.

- Neden? Neticede baban.

- Aramızda hiçbir zaman derinlik olmadı. Annemin ölümünden sonra bana halam baktı. Babam bir var, bir yoktu. Son yıllarda öylesine birlikte oturmaya başladık. Ama bildiğin gibi nadiren eve giderdim.

- Yine de çok üzülecektir.

- Benim her zaman kendi yolumda gitmeme alıştı. Tabi böylesi onun da kolayına geldi. Ben de annemin acısından sonra daha da üzülmemesi için hiçbir sorunumu ona yansıtmadım. Büyük ihtimalle parlak bir istikbâle yelken açtığımı düşünecektir. İçkisi olduğu müddetçe de hiçbir şeyi kafaya takmaz. Eğer her şey yolunda gider, denizaltıdan sağ çıkarsak eve döner, işimin olmadığını söylerim. Haydi davranalım.

Kırık kilidi kenara atıp gece karanlığında kulübeye girdiler. Celal, çakmağının sönük ışığında yol göstermeye çalışıyordu. Girişe yerleştirdikleri kapak farklı bir konumda kapatılmıştı. Belli ki son gelişlerinin ardından başkaları da ziyaret etmişti tekneyi. Artık umurlarında bile değildi. Kapağı itip sandığı var güçleriyle yüklendiler. Giriş kaportasına inen çukura geldiklerinde takatleri tükenmişti. Metin önden inip kalın, çelik kaportayı açtı.

- Kenara çekil Metin.

- Anlamadım.

- Çabuk ol, kenara kaç.

Yukarıya baktığında Celal'in aşağıya yönlendirdiği sandığı zor zapt ettiğini anlayıp hemen çukurun duvarına yapıştı. Aynı anda sandık gürültüyle yanından uçup, kaportadan tereyağından kıl çeker gibi geçip, gürültüyle denizaltının harekat merkezinin tabanına yapıştı. Ummadıkları kadar kolay olmuştu her şey. Ardından iki kafadar çakmak ışığında her zamankinden loş gözüken tekneye girdiler. Ancak yalnız değillerdi. Aynı anda yamaçtaki çalıların arasında hazır bekleyen Dean ve İzak, harekete geçtiler. Araçlarını çok güzel kamufle etmişler, sırayla nöbet tutarak geri dönmelerini bekliyorlardı. Bir gün mutlaka döneceklerinden emindiler. Hatta bu kadar çabuk döneceklerini hiç sanmıyorlardı. Gelmeleri değil, sırtlandıkları koca sandığı görmek adrenalinlerini en üst seviyeye çıkartmıştı. İzak, Dean'ın durduğunu ve gözlerini kapatarak dua ettiğini gördü. Binlerce yıl sonra kutsal ahit sandığını yeniden gören ilk Yahudiler olmak tüm duygularını alt üst etmişti. İzak da bildiği duaları okumaya başladı. Dean, duasını bitirmiş, yanındaki silahların son kontrolünü yapıyordu. Ardından arkadaşına döndü:

- Kutsal emanetimizi ne pahasına olursa olsun geri alacağız.

- Alacağız Dean.

- Bu bizim ve ırkımızın hakkıdır.

- Kahraman olacağız.

- Ülkemize ulaştığımızda yer yerinden onayacak.

- Bol şans.

- Asıl şans içerideler için gerekli ama artık onlar için çok geç.

- Sağ çıkmamalılar.

- Bu sırrı başkaları asla bilmemeli.

- Hemen yola gelip, sandığı teslim bile etseler öldürmek zorundayız.

İzak'ın içi burulmuştu. Ne de olsa bu ülkede doğmuş, büyümüş, okulda, mahallede, futbol oynadığı takımda arkadaşlarının çoğu, hatta hepsi Türk'tü. Onlarla yaşamıştı, onları sevmişti her zaman. Bu yaştan sonra başka türlü düşünemezi. Ama yapacak bir şey yoktu. Kader onu hayal bile edemeyeceği bir noktaya getirmişti ve seçme hakkı kalmamıştı. Müslüman bayramlarında kendisini diğer çocuklardan ayırmayıp, harçlık veren Rıza Dayı'yı, birlikte bostandaki ağaçlardan erik çalarken yakalanıp, bahçıvan Şevki'den dayak yemesini engellemek uğruna suçu üstlenen Aydın'ı, kız kardeşi bir kış sobanın üzerindeki güğüme çarpıp haşlandığında onu kucaklayarak yalınayak hastaneye yetiştiren bıçkın Hamza'yı, mayo alacak paraları olmadığı için Türk arkadaşlarıyla iç donlarıyla yüzdükleri yıkık yalı arsalarını, deniz dibinden çıkartıp, teneke sac üzerinde pişirip yedikleri midyeleri, on yedi yaşındayken Kuru Çeşmeli Aziz, Bebekli Memduh ve manavın fırlatma oğlu Ziya'yla gittikleri genelevi, eski Galata Köprüsü altında içtikleri biraları, iki sene sonra coştukları bir gece Beyoğlu'nda bir pavyona damlayıp, gençliğin verdiği ateş ve konsomatrislerin gazıyla bol keseden yiyip içtikten sonra hesabı ödeyemeyip, canlarına okumaya hazırlanan garsonlardan nasıl kaçtıklarını hatırladı. Ardından daha fazla dayanamayıp, ağlamaya başladı. Dean, İzak'ın gözyaşlarını kutsal emanetlerine kavuşmanın verdiği yoğun duygulardan dolayı olduğunu sanıyordu ve elindeki silahın namlusun mermiyi vermişti bile.

- Bana bak İzak, keşke yanımızda bir Haham olsaydı. Nasıl davranmamız, hangi duaları okumamız ve ne yapmamız gerektiği konusunda yardımcı olurdu. Açıkçası çok korkuyorum. Yine de buraya kadar geldik. Acele edelim. Onları içeride kıstırmalıyız. Sandık kadar geride olayı bilen kimsenin kalmaması da önemli.

- Dean, bana yardım etmelisin.

- Ne oldu?

- Ben, ben burada beklemek istiyorum.

- Ne, ne dedin sen? Çıldırdın mı?

- Yıllarca, hatta yakın zamana dek bu insanların arasında yaşadım. Şimdi onlardan ikisine silah çekemem.

- Saçmalama ve düş önüme. Tanrı'nın mucizesine sahip olmak üzereyken çıldırmış olmalısın.

- Bak, ben burada seni beklerim. İşin bitiğinde her türlü yardıma hazırım. Ama ne olur aşağı inmemi isteme benden. Ayrıca bu konuda hiçbir zaman için konuşmayacağıma, tüm başarı ve şerefi sana bırakacağıma, sesimi kesip bir kenara çekileceğime dair söz veriyorum. Beni tanırsın. Yalan konuşmam.

- İzak heyecan ve korku seni çıldırttı. Merak etme on dakika bile sürmeyecek.

- Yapamayacağım Dean. Burada beklemek konusunda ısrarlıyım. Sandığı tekneye götürüp açık denize kadar çıkartmana yardımcı olacağım. Zaten uçaklar vereceğimiz sinyali aldıkları an yakınımıza kadar gelip, bir sorun olmadığını görünce su üzerine iniş yapacaklar. Sen emanetimizi alır, devam edersin. Ben de tekneyle geri dönüp, başımın çaresine bakarsın. Bir haftalığına kiraladığımız tekne Kilyos'ta mendirekte bekliyor. Kiralayanlara, kaptan gerekmediğini, ehliyetimiz olduğunu söylediğim için şüphelenmek akıllarına bile gelmez. Siz sağ salim havalandığınız an sahile yönelip tekneyi sahibine bırakırım. İsrail'de yetkililere korkak davranıp seni yalnız bıraktığımı söylersin.

Daha fazla devam edemedi. Zira Dean tabancasının ağır kabzasını var gücüyle ense köküne indirmiş, delikanlıyı karanlıklara yuvarlamıştı. Soğukkanlı Mossad ajanı, arkadaşı bile olsa, bu saatten sonra kimsenin zayıflığı nedeniyle hayallerini alt üst etmesine müsaade edemezdi. Tabancasını yerde yatan İzak'a doğrulttu. Ancak son anda vazgeçti. Şu aşamada gürültü yaparak aşağıdakileri uyandırmanın alemi yoktu. Nasıl olsa sandığı alıp dışarıya çıktığında İzak'ı temize havale edecek vakti olacaktı. Son bir kez nefretle kulübenin tabanına yıktığı delikanlıya bakıp, kedi gibi çevik ve sessizce geçide aşağı inmeye başladı.

Az önce yukarıdan düşen sandık çukurun duvarlarına çarpıp, içeriye kum dolmasına sebep olduğundan biraz zorlansa da sonunda giriş kaportasına ulaşmıştı. Aşağıda sönük bir ışık gözüküyor ve yerde sürüklenmekte olan sandığın sesi duyuluyordu. Bu gürültüde onu fark etmelerine imkan yoktu. Rahatça kaportadan süzüldü. "Tanrım, büyük hayale ne kadar yakınım!" diye düşünüp şükretti. Üç dakika sonra kumların altındaki denizaltıda tabanca sesleri duyulmaya başlamıştı. İlk vurulan Celal oldu. Kolunu tutarak yere yığıldı. Düşerken başını çevredeki metal cihaz kasalarına çarptığından İzak'tan sonra karanlıklara dalma sırası ona gelmişti. Metin o kargaşada neler olduğunu bile anlayamadan yediği iki kurşunla inleyerek sandığın yanında yere yığıldı. Dean hemen cebindeki feneri çıkartıp, saf dışı ettiği iki arkadaşa ve sandığa baktı. İşi şansa bırakmaya hiç niyeti yoktu. Silahını kanlar içerisinde yatan gençlere doğrulttu. Şimdi namlusunun ucunda Metin'in şakağı vardı. Onu hallettikten sonra sıra Celal'in, ardından da İzak'ın beynini patlatmaya gelecekti.

Çok geçmeden silah seslerleri gecenin karanlığında bir kez daha çınladı. Sonra her taraf korkunç bir sessizliğe büründü. Hiçbir şey duyulmaz oldu.

***

Çalı tutuşmuş, alabildiğine yanıyordu. Her bir dalından, yaprağından alevler fışkırıyordu ama asla tükenmiyordu. Gördüklerinden çok korkmuştu. Ona rağmen yanmakta olan çalıya doğru ilerledi. Aniden bir ses patladı. Daha fazla yaklaşmamasını emrediyordu. Nereden geldiği belli olmayan bir sesti. Aslında her yönden, her yerden, gökten, ovadan, dağın tepesinden, sağdan, soldan her yandan geliyordu. Sonra hava karardı, şimşekler çakmaya, yanına yöresine yıldırımlar düşmeye başladı. Aniden çıkan rüzgar deli gibi esmeye başlamıştı. Korkusu had safhadaydı. Yere kapandı. "Sen kimsin?" diye haykırdı.

Acı karanlığı, karanlıksa kabusları getirdi. Ardından korku her yanını sardı. Canı yanıyordu susamıştı. Bağırmak istedi, sesi çıkmadı. Dili damağı kurumuştu. Etrafını gölgeler sardı. Yabancı ve bilmediği gölgeler. Şimdi her yandan çıkıyorlardı, köşelerden, kıyılardan, bucaklardan, denizaltının dar ve loş koridorlarından fırlayıp, üzerine yükleniyorlardı. Bazen inanılmaz şekiller oluşturup anlaşılmaz sesler çıkartıyorlardı. Sonra uzaklaştılar, sesleri adeta okyanusun öbür yakasından geliyordu. Tüm vücudu ağırlaştı, külçe gibi olup, denizaltının saplandığı çamurda batmaya başladı. Başını kaldırmaya çalıştı. İmkansızdı. Çırpındı ama karın bölgesi adeta taş kesmişti ve feci şekilde acı veriyordu. Çevresinde bazı konuşmalar duymaya başladı yeniden. Ama hepsi anlamsızdı. Çok zaman geçti, kestirip anlayamayacağı, yüzyıllar kadar uzundu. Sonunda karanlıklara teslim oldu.

Hazret-i İbrahim, Hazret-i İshak ve Hazret-i Yakub'un Tanrısıyım. Sana İbranileri Mısır'dan çıkartmanı emrediyor ve bu göreve tayin ediyorum. Gelecekte sen ve tüm İbraniler bu dağda bana ibadet edeceksiniz. Ses rüzgarın içerisinde, dağın tepesinde çakan şimşeklerin, düşen yıldırımların ucunda, bulutların arasında, kayaların yarıklarında, her yerde ama her yerdeydi şimdi. Daha fazla dayanamadı.

- Kimsin? Bana görev ve emirler veren sen kimsin?

- YHVH. Beni artık bu adla çağıracaksın.

Çok uzaktan silik bir ışık sızıyordu. Gözlerini açmaya çalıştı ama gölgelerden korkup, kendisini acılara teslim etti. Daralıyordu. Her yanı tutulmuş, sırtı adeta çürümüşçesine ıstırap veriyordu.

- Bugün iki şişe serum daha vereceksiniz.

- Karnının üzerindeki kum torbasını da kaldıralım artık.

- Damardan beslemeye de devam edelim.

Sesler artık daha yakındı. Sonunda dayanamayıp, gözlerini açtı. Etraf, garip aletlerle donatılmış yataklarla doluydu. Sürekli tekrarlanan elektronik sinyaller geniş odada dolaşıyordu. Sanki yıllar, yüzyıllar geçişti.

- Su birazcık su istiyorum.

Kapıların üzeri kan kırmızısına boyanmıştı. Sonra bir bulut yer yüzüne indi. Sinsi bir yılan gibi sessizce sokaklarda, caddelerde, tapınakların arasında, evlerin önünde dolaştı. Saniyeler içerisinde kapıları boyalı olmayan evlerin eşiklerinden, aralıklarından, gediklerinden, çatlaklarından içeri sızdı. Ölüm, bir anda gelmişti. Son ikaz hepsinin en kötüsüydü. O gece tüm Mısırlı ailelerin en büyük oğlu öldü. Bunlara firavunun en yaşlı oğlu da dahildi.

***

Benden başka tanrın olmayacak.

Karanlıklar, kumların altından çıkan koca bir denizaltı, loş koridorlar, iğrenç çıbanlar, hiç bitmeyen bir azap, çıldıran askerler, kendisini çiğ çiğ yemekten zevk alan bir subay, millerce uzaktan vınlayarak savrulup, tekneye çarpan acımasız kırbaç darbeleri ve sandık ve onun içerisindekiler, evet sandık, sandık, sandık. Daha fazla dayanamadı yetmişti artık.

- İmdattt, yardım edinnnn!

- İyi misiniz?

- Neredeyim?

- Bir dakika.

Beyaz üniforma giymiş olan genç kız koridora doğru seğirtti. İki dakika sonra yanında bir erkekle döndü. Adam elini alnına koyup ateşine baktı.

- Bugünden itibaren hastayı ağızdan besleyebilirsiniz. Çok az çorba ve muhallebi. Sulu gıdalar olsun.

- Su, biraz su itiyorum.

Beyaz önlüklü bey bir kez daha anlında gezdirdi elini. Sonra ağzını açtırıp bir süre dikkatle baktı.

- Yarım çorba kaşığı su verin. Ama dikkat, daha fazlası için ısrarcı olsa bile miktarı arttırmayın. Akşam iki çorba kaşığı daha... Serum da takılı. Yetecektir. Olmazsa ıslak pamukla dudaklarını ıslatın.

- Su, ben neredeyim? Siz kimsiniz?

Beyaz önlüklü bey, bir kez daha yüzüne baktı.

- Hoş geldin delikanlı. Uğraştırdın bizi. Yarın ayağa kalkıp, yürümeye hazır ol. Epeyce yattın.

Geniş odanın girişinde bir hareketlenme olmuş, tartışmalar geliyordu. Artık emindi. Bir hastanenin yoğun bakım servisindeydi. Kollarına serum takılmış, burnuna takılı olan tüp, yanındaki elektronik alete bağlanmıştı. Tüpün verdiği sıkıntı sinir bozucuydu. Kafasını bile çevirmesini engelliyordu. Ama sesi, kapıdaki laf söz dinlemeyen sesi bir yerden tanıyordu.

- Ne olur hemşire hanım. Sadece bir dakikalığına yanına girmek istiyoruz.

- Bakın, burası yoğun bakım servisi. İmkansız. Hastaların sağlı...

- Doktordan izin alsam.

- Doktor şu an arkadaşınızla meşgul. Biz onu iyileştirmek için uğraşıyoruz. Anlayışlı olmalısınız.

Tanımıştı, sesin sahibini tanımıştı. Sinir bozucu tüpe aldırmadan kafasını var gücüyle çevirdi. Burnundan yemek borusuna, oradan da midesine kadar "Hırrtt" diye ses geldi. Canı çok yanmıştı. Sanki bir şeyler kopmuştu içinde ama aldırmadı. Tüm gücünü toplayıp bağırdı: "Celal, Celal!"

- Buradayım Metin. Çok şükür, iyisin. Korkma, her şey yolunda.

Biraz daha uğraşıp, kafasını iyice o tarafa doğru döndürdü. Yanılmamıştı. Can dostu Celal yoğun bakım servisinin kapısındaydı. Bir kolu sargılıydı. Yanında da babası Sadık Bey vardı ve oğlu kendisine geldiği için mutluluğu gözlerinden okunuyordu.

***

Odada sadece kendisi yataktaydı. Celal, babası, Selçuk, Tayfun Albay, Tur-
gut ve Deniz karşındaki koltuklara oturmuşlar, az önce yavaşça da olsa yoğun
bakım servisinden yürüyerek gelen ve oradaki yatağa uzatılan Metin'e sevgiyle
bakıyorlardı. Önce babası gelip, ellerini tuttu. Heyecanından konuşamıyordu
ama bakışları ne demek istediğini, boşa geçen yıllar için ne kadar üzgün oldu-
ğunun anlatıyordu. Sonra Celal, yatağa yaklaşıp, ayarlarıyla oynayarak Metin'in
odadakileri rahatça görmesini sağlayacak şekilde yükseltti. Yeni pozisyonu kar-
nındaki sancının da azalmasına sebep olmuştu.

- Bizi korkuttun Metin.

- Ne kadar bilinçsiz yattım?

- İki haftadan fazla.

- Bize ateş edildi. Sen de düşmüştün. Öldüğünü zannettim.

- Yorma kendini. Artık her şey yolunda ve hiçbir sorun yok.

- Denizaltı, sandık?

- Merak etme dedim ya. Bak misafirlerimiz var.

Odadaki herkesi isimleri ve görevleriyle arkadaşına tanıştırdı. Metin'in ka-
fası karmakarışıktı ama dikkatlice dinledi. Sıra cam kenarındaki koltukta otu-
ran delikanlıya gelmişti.

- Bu bey de hayatımızı kurtaran kişi. MİT görevlisi Selçuk Bey.

- Bize ateş edilmişti.

- Evet Metin. Şimdi yorulma. Selçuk Bey burada. O anlatacak. Sen sadece
dinle. Bazı sorular soracaklar. Kısa cevaplar vermen yeterli. Senin de bildikle-
rini öğrenmek zorundalar.

Fazla vakit kaybetmek istemeyen Tayfun Albay, sorularına başlamakta ge-
cikmedi.

- Geçmiş olsun delikanlı. Hemen söylemek isterim ki siz iki kafadar inanıl-
maz bir iş başardınız. Ayrıca artık rahat olabilirsin. En küçük bir sorun kalma-
dı. Sandık, içerisindekiler ve denizaltı tamamen kontrolümüz altında.

- Ya bize ateş eden kişi?

- Dean adlı bir Mossad ajanıydı. Ama biz de uyumuyorduk tabi ki. İstan-
bul'da ne aradıklarını öğrenmesi için en iyi elemanlarımızdan Selçuk arkadaşı-
mızı takiplerine vermiştik. Kısa sürede Kilyos civarında sıkça gözüktüklerini
tespit etmekte gecikmedi. Sonunda peşlerinden giderek kum ocağına kadar
ulaştı. İki Mossad ajanının ıssız bir sahildeki kum ocağında ne işi olabilirdi?

Bunu iki ajan inşa ettiğiniz kulübeye girdiklerinde öğrendi. Tabi onlar şok olmuş bir halde kulübeden çıktıklarında içeriye girme sırası Selçuk'taydı. Kulübeye daldı ve aşağı inen geçidi, yani kazdığınız çukuru keşfetti. Çukura girip, karşısına çıkan kaportadan içeri girince şok olmak sırası ondaydı. Eski bir denizaltının harekat salonundaydı. Ama soğuk kanlılığını korudu. Görevi çok önemliydi. İki ajanın neyin peşinde olduğunu anlamışı ama nedenini bilmiyordu. En akıllı kararı verdi. Aynı gece yanına yiyecek ve içecek alıp, gizlice tekneye girerek komutanın kamarasına yerleşti. İsrail ajanları mutlaka büyük bir şeyin peşindeydiler ve geri geleceklerinden emindi. Sabırla bekledi. Günler sürdü ama o bıkmadan, usanmadan beklemeye devam etti. Sonra bir gün teknenin sessizliği bozuldu. Günlerdir hasret kaldığı gürültüleri duyuyordu. Hemen tedbirini alıp pusuya yattı. Gelenler sizlerdiniz ve çok rahat bir şekilde aranızda konuşarak ağır bir sandığı çekmeye çalışıyordunuz. Diyaloglarınızdan Türk olduğunuzu anlamış, daha çok şaşırmıştı. Beklemeye karar verdi. O esnada kendinizi sandığı çekmeye verdiğiniz için arkanızdan tekneye giren Dean'ı fark bile etmediniz. Tabi Mossad ajanı derhal silahına sarılıp, ikinize de ateş etti. Celal kolundan vurulmuş, sense karın bölgenden yediğin iki kurşunla anında kendinden geçmiştin. İşte o an Dean'ı tanıyan, derhal kararını veren Selçuk arkadaş, son kurşunları beyninize sıkmadan önce Mossad ajanının işini bitirdi. Yani hayatta kalmanızı ona borçlusunuz.

* * *

Dean'in tabutunu taşıyan uçak Tel Aviv Hava Alanı'na indikten hemen sonra uçaktan çıkan İsrail, İstanbul konsolosluğunun bir görevlisi, başbakanlık konutuna doğru hızla yola çıktı. Elindeki çantada kalın, mühürlü bir zarf vardı ve Türk Dışişleri Bakanlığı'ndan teslim almış, Sharon'a götürüyordu. İsrail'i yöneten adamsa konutunda, cam kenarına oturmuş, hayatının en büyük hayal kırıklığını yaşıyordu. Bitmişti. Büyük mucize daha başlamadan bitmişti. Elinden tüm oyuncakları alınmış, küskün bir çocuktan farkı yoktu. Yine de konsolosluk görevlisinin getireceği zarfı merakla bekliyordu. Aynı dakikalarda Başkan Bush, İsrail Hükümeti'nin Kudüs, Meclis-i Aksa'da Müslüman din adamlarının da katılımıyla yapılacak büyük törenle, halifenin gelişini İslam alemine müjdelemeyi neden iptal ettiğini bir türlü anlayamadığından sürekli Başbakan Sharon'u aramakta ama ulaşamamaktaydı. Sinirden çatlayacak hale gelmişti. Ancak bilmediği, Sharon'un başta Mr. Bush olmak üzere kimseyle görüşmek istemediğini yakın çevresine kesin bir dille bildirmiş olduğu ve odasına kapandığıydı.

- Maceranızın büyük bir bölümünü ve Alman denizaltısını nasıl bulduğunuzu arkadaşın Celal'den dinledik. Peki sandığın içerisindekilerin ne olduğunu, ne anlama geldiğini nasıl anladınız? Celal bir şeyler anlattı ama sizden detayını öğrenmek istiyoruz.

Metin, her şeyin yolunda gittiğini öğrendiğinden beri rahatlamıştı. Karnındaki ameliyat dikişlerine rağmen kafasını biraz daha kaldırıp, yerinde doğruldu. Canlarını kurtaran Selçuk'a minnetle baktı.

- Başlangıçta hiçbir şey anlayamamıştık. Denizaltı çalıntı tarihi eserle doluydu.

- Merak etme, onların hepsi İstanbul Arkeoloji Müzesi'ne teslim edildi. Sen sandıktakilerden bahset.

- Özel bir yerde saklanmasından ve Alman konsolosluğu görevlilerinin arkadaşımı kaçırmalarından sonra sandıktakilerin anlayamadığımız ama çok önemli olduğunu düşünerek babamın evine gizledim. Celal, o cenazeye gitmese sonsuza dek değerini bilemeyecektik.

- Ne cenazesi bu?

Açıklama Celal'den geldi.

- Tahtakale'de bir zamanlar yanında çalıştığım kumaş tüccarı Sabetay Bey'in cenazesiydi. İstanbul'a ilk geldiğimde büyük iyiliklerini gömüştüm. Ölümünü duyduğumda son yolculuğuna katılıp, uğurlamak istedim. Kendisi Yahudi asıllı bir vatandaşımız olduğundan tören bir sinagogda yapılıyordu. O gün sinagogda tören için yerime oturduğumda, kapıdan giren Yahudi vatandaşların karşı duvardaki bir yere saygıyla ellerini uzatıp, sonra o elin parmaklarını öptüğünü gördüm. O tarafa baktığımda şaşkınlıktan ne yapacağımı bilemiyordum. Orada kabartma olarak yapılmış iki taş levha vardı ve bizim sandıkta bulduğumuz tabletlerin aynısıydı. Tabi üzerlerindeki yazılar da... Tören sonuna dek zor bekledim ve çıkışta Sabetay Bey'in oğluna merak ettiğimi söyleyerek, ne olduklarını sordum. Aldığım cevap daha da beter olmama sebep oldu. Zira bana "O iki tabletin Tanrı'nın kendi eliyle yazdığı On Emir olduğunu, binlerce yıl önce Sina Dağı'nda, Musa Peygamber'e yine Tanrı tarafından teslim edildiğini, yüzyıllar sonra Kral Süleyman tarafından Kudüs'te bir mabette korumaya alındığını ve Roma saldırısında sandığın ve içerisindeki On Emrin yazılı olduğu tabletlerin kaybolduğunu, bir daha bulunamadığını anlattı. Yüzyıllardır bulunamayan orijinal On Emir bizim bulduğumuz denizaltıdaydı ve duyduğum an bayağı fena oldum. Ayı şeyi Metin'in de görmesini istedim. Ama bir sinagoga her zaman giremezdiniz. Özellikle El Kaide'ye bağlı teröristlerin bombalamalarından sonra çok sıkı güvenlik önlemleri alınıyordu. Bizde bir sonraki hafta aynı sinagogda Bar Mitzvah adlı bir tören yapılacağını öğrendik. Bu erkek, Yahudi çocuklarının on üç yaşlarına geldiklerinde icra edilen bir törendi. Davetiyemiz olmadığı için takım elbiselerimizi giyip, kalabalığın arasına katıldık. Böylece Metin de kendi gözüyle şahit oldu.

***

Türkiye'den gelen özel uçak hava alanında bekliyordu. Zira Türk pilota kesinlikle boş olarak dönmemesi emredilmişti. Başbakan Sharon görevlinin elindeki zarfa panter gibi atılmış, adeta parçalayarak açmış, şimdi de fal taşı gibi açılmış gözlerle fotoğraflara bakıyordu. Sıkıntıyla ciğerlerindeki havayı boşalttı. Son anda ellerinden kaçırmışlardı. Düşününce bir kez daha öfke doldu içi. Nasıl olabilirdi, nerede hata yapmışlardı? Binlerce yıldır kayıp olan büyük emanetlerinin, Tanrı'nın, Musa Peygamber'in ellerine teslim ettiği On Emrin yazılı olduğu tabletlerin, artık Türklerin eline geçtiğinden hiç kuşkusu yoktu. Böyle olacağını bilseydi İsrail ordusunun en az yarısını İstanbul'a gönderirdi ama Türkleri hafife almışlardı ve bu andan itibaren yapacak bir şey kalmamıştı. İnsanlık tarihinde ilk kez Tanrı ve yarattığı insanoğlu arasında gerçekleşen konuşmanın yegane, somut örneklerini ve ispatını ancak rüyalarında görebileceklerdi. Kapıdan gelen gürültüyle kapıldığı öfke nöbetine ara vermek zorunda kaldı. Sekreteri odanın kapısını ısrarla çalıyordu. Yerinden kalkmadan seslendi.

- Lanet olsun, ne istiyorsunuz?

- Üzgünüm efendim, Başkan Bush sürekli arayıp, sizinle görüşmek istiyor.

- O Texas'lı peygamber bozuntusuna bir daha rahatsız etmemesini söyleyin demiştim. Cehenneme kadar yolu var. Şimdi beni rahat bırakın.

Hiçbir şey Sharon'un umurunda değildi. Fotoğraflara ve ellerinden kayıp giden mucizeye kilitlenmişti bakışları.

- Bana Türk başbakanını bulmaya çalışın. Acil görüşmeliyim.

Ardından tekrar resimlere sabitlendi. Sonra birkaç damla gözyaşı yanaklarından aşağıya süzülerek fotoğrafları ıslattı.

***

Kapı çalınmış, Soner asteğmen her zamanki saygılı ifadesiyle odanın girişinde belirmişti.

- Beni emretmişsiniz Tayfun Albayım.

- Gel, Soner. Senin engin bilgine ihtiyacımız var. Birçok şeyi anlayabildik ama Ahit Sandığı hakkında daha fazla tarihi detaya ihtiyacımız var.

Asteğmen önce ne söylemesi gerektiğine karar veremedi. Oradakileri uzun, bilimsel ve tarihi açıklamalarla sıkmak istemiyordu. O nedenle kısa yoldan anlatıma başladı:

- Tanrı, Sina Dağı'nda Musa Peygamber'e On Emrin üzerine kazındığı tabletleri verdiğinden beri bu olay Yahudilerce en büyük mucizeleri olarak kabul edilmiştir. Tarihi ve dini kaynaklara göre; Musa Peygamber yirmi beş yaşlarındayken halkından bir Yahudi'yi döven Mısırlı bir memuru öldürmek zorunda kalır. Doğal olarak kaçması gerekmektedir. Böylece Midyan denilen bölgede bir kahinin yanına yerleşir, çobanlık yapmaya başlar. Sürüler için otlak aramaya çıktığı gün alevler içerisinde yanan ama hiçbir şekilde tükenmeyen bir çalı görür. Yaklaştığı an, daha fazla ilerlememesini emreden bir ses duyar. Ses yanmakta olan çalı şeklinde kendisine gözüken Tanrı'nın sesidir ve Musa Peygamber'e, İbranileri Mısır'dan çıkartması görevini verir. Hazret-i Musa, korkuyla duyduğu sese kim olduğunu sorunca, Tanrı kendisini "YHVH" şeklinde dört sessiz harfle tanıtır. Tanrı'nın buyruğunu dinleyen Musa Peygamber, bir süre sonra firavunun karşısına çıkıp, İbranileri serbest bırakmasını istedi. Firavun ise tam tersi olarak bu isteğe baskı ve zulümle karşılık verdi. Ancak o esnada Mısır'da bir dizi felaketler baş gösterdi. Hatta Firavun'un ilk oğlu da bu arada zamansız bir şekilde öldü. Bundan çok etkilenen ve korkan firavun, İbranilerin Mısır'dan çıkmasına izin verdi. Ancak daha sonra kararından pişman olup, ordusunu İbranilerin peşinden gönderdi. Sonunda onları Kızıldeniz kenarında kıstırdılar. Ancak Tanrı, Musa'ya asasını denize doğru uzatmasını emretti ve bir mucize gerçekleşti. Kızıldeniz ortasından ikiye açılarak, İbranilerin karşı tarafa geçmelerine olanak sağlayacak kuru bir geçit oluştu. Musa ve beraberindekiler, sağ salim karşı tarafa geçtiğinde Kızıldeniz yeniden kapanarak, takip etmekte olan firavun ordularını yok etti. Yahudiler, Tanrı'nın ilk kez Hazret-i Musa'ya yanan bir çalı halinde gözüktüğü Sina Dağı'na ulaştıklarında, Tanrı, bu sefer Sina Dağı'na Musa Peygamber'e korkunç bir fırtına şeklinde gözüktü ve bu buluşmada İsrailoğulları'nın uyması gereken kuralların yazılı olduğu ve "Karşımda başka Tanrıların olmayacak" emriyle başlayan ve iki tabletten oluşan On Emri verdi. Daha uzatmamak için özetlemek istersem Hazret-i Davud döneminde Kudüs Birleşik Yahudi Krallığı'nın başkenti ilan edildi. On Emrin saklandığı Ahit sandığıysa Hazret-i Süleyman zamanında yaptırılan tapınağa konuldu. Sandık MÖ 587 yılında dek bu mabette kaldı. Ancak aynı yıl Babil imparatoru Buhtunnesar, Kudüs'ü işgal etti. O günden itibaren sandık ortadan kayboldu ve bir daha asla bulunamadı. Hakkında sayısız söylenti yayıldı.

En geçerli olanıysa; sandığın Babil ordularınca yok edilemediği, onu korumaya azmetmiş olan Levililer tarafından mabedin altında gizli bir bölmede saklandığı, MS 70 yılında Kudüs'ü işgal eden Roma valisi Titus'un, Beytülmakdis adı verilen bu mabedi yıktırdığı, gizli yeraltı odasına ulaşıp, sandığı ve içerisindekileri Roma'ya götürdüğüne inanılandır. O günden beri sandık ve içerisindeki On Emrin yazılı olduğu tabletler, tüm dünyada aranmaktadır.

Odadakiler, hiç kesmeden heyecanla dinlemişlerdi.

- İyi, hoş. Oldukça ilginç bir hikaye. Üstelik gerçek. Peki ama yüz yıllardır kayıp olan ve tüm dünyanın merakla aradığı Ahit sandığının, Kilyos'ta kumlara saplanmış, eski bir Alman denizaltısında işi ne?

- Bunun mantıklı tek bir açıklaması var albayım. Ben de tüm kalbimle inanıyorum. Sandık Hazret-i Süleyman devrinde mabede konulmuştu. Tarihi kayıtlar da bunu doğruluyor. Ama Süleyman Peygamber bir süre sonra ahit sandığını gizlice sakladıkları yerden çıkarttı.

- Neden?

- Çok zekiydi ve çevresinin düşmanlarla sarılı olduğunu, kendisinin ölümünden sonra elbet bir gün ulusunun zayıflayacağını, ülkesinin işgal edileceğini biliyordu. Ön görüsü de doğru çıktı. Zamanla hem Babil İmparatorluğu'nun hem de Romalıların saldırısına uğradılar. Mabet dahil her yan yakılıp, yıkıldı. Yahudiler, vatanlarından kopartılıp tüm dünyaya dağıtıldı. Ama Süleyman, çok önceleri Ahit sandığını garantiye almıştı.

- Nasıl?

- Çok güvendiği, sevdiği, daha doğrusu aşık olduğu bir kadın vardı.

- Bir kadın... Harika!

- Seba Melikesi Belkıs. Bu ismi mutlaka duymuşsunuzdur.

- Evet ama sadece bir efsane olduğunu sanıyorduk.

- Kuran-ı Kerim'in, Neml suresinde Seba Melikesi ve Süleyman Peygamber'den net olarak bahseder. Musa Peygamber, Seba halkının varlığını ve onların Tanrı'yı bırakıp güneşe taptıklarını öğrenince kavmin kraliçesi Belkıs'a bir mektup yazarak onları Allah'a iman etmeye davet eder. Mektubu alan Belkıs, çok şaşırır ve korkar. Sonunda yanına çok kıymetli hediyelerle Süleyman'ın yanına, Kudüs'e gelir. Maksadı; Hazret-i Süleyman'ı etkilemek ve onu kendi safına çekmektir. Ama tam tersi olur, Hazret-i Süleyman'ın aklından, ahlak ve merhametinden fazlasıyla etkilenir. Ayrıca paha biçilmez hediyeleri ret edilmiştir.

İman ederek, Tanrı'ya döner. Bu arada Hazret-i Süleyman'ın muhteşem sarayı ve bu görkeme sahip olmasına ragmen yaşadığı mutevazı hayat Seba Melikesi Belkıs'ı şaşırtmıştır. Zira sarayın tüm tabanı camdandır ve Belkıs içine girdiğinde su üzerinde yürüdüğünü sanarak, ıslanmaması için eteklerini toplamak gereği duymuştur. Ülkesine geri dönerken Hazret-i Süleyman'ın çocuğunu karnında taşımaktadır. Ondan türeyen kavimse bugün siyahi Yahudiler ya da Falaşa denilen ırktır. Bir de Ahit sandığı vardı tabi ki. Çünkü Süleyman Peygamber, Allah'ın bizzat yazdığı On Emir tabletlerinin geleceğini düşünüp, onu Kudüs'ten uzaklaştırmayı gerekli görmüştü. Saba Melikesi Belkıs, karnında çocuğu, beraberinde mabetten gizlice çıkartılmış olan ahit sandığı olmak üzere yeniden vatanına döndü. Artık inanmış bir Yahudi'ydi ve tabasını da bu dine inanmaları konusunda ikna etti. Binlerce yıl Etiyopya'nın Gondar ve Tigre bölgelerinde varlıklarını sürdürdüler ve büyük emanetlerini korudular. Kendilerine Beta İsrael, yani İsrail ailesi adını layık görmeyi de ihmal etmediler. Yüz yıllar sonra bir gün Ridaniye Savaşı sonuculca Mısır'dan kaçan ve halife soyundan sağ kurtulan tek kişi yakınlarına yerleşti. Gerisini Şefika Hanım anlatmıştı. Halifenin soyundan gelenler zamanla Müslümanlıktan kopunca Falaşalar onları kendi dinlerine, yani Yahudiliğe döndürmekte gecikmediler. Gerçi bu kısa sürede olmadı. Yıllar aldı. Hatta kanlı mücadeleler oldu ama başardılar. Ancak Falaşalar, güvenip yüksek mevkiler vererek dini sorumluluklar yükledikleri yeni dindaşlarından tarihlerinin en büyük kazığını yediler. Zira büyük emanetleri bir gün sırra kadem bastı. Tabi çalanlar, halife soyundan gelenlerdi. Sandıkla birlikte onlar da ortadan kaybolmuşlardı. Kaçaklar yıllar sonra Arabistan Yarımadası'nda ortaya çıktılar. Artık Müslüman kavimler arasındaydılar ama rol yapmakta ustalaşmışlardı. Onların büyük bir amacı vardı ve bu uğurda her şeyi yapmaya azimliydiler. İyi Müslümanlar rolünü başarıyla oynayıp, gerçek dinleri haline gelmiş olan Yahudiliğin zorunlu kıldığı ibadetlerini dağlardaki mağaralarda gizlice yerine getirdiler. Tabi Ahit sandığı da mağaralarda özenle saklandı.

- Peki, On Emrin bulunduğu Ahit sandığının denizaltıda bulunmasını nasıl açıklayacaksın?

- Kasım ve Kemal. Zaten teknedeki bölmede bulduğumuz Arapça yazılarda bu açıkça belli oluyor. İntikam için o sıralarda cihan harbi nedeniyle bölgede bulunan ve bir şekilde hayatına giren Türk neferi Kemal'le birlikte sandığı gizlendiği yerden alıp, Türk birliklerine ulaşmak için yola çıktılar. Ama Alman denizaltısı U-27 o sıralarda yakınlardaydı ve tarih eser hırsızı muhabere subayları onları fark edip, ellerindeki sandıkta önemli tarihi, eserler bulunduğunu anlamasıyla hayatları değişti. Kandırıldılar. Kurtulmalarına, Türk birliklerine ulaşmalarına yardımcı olacakları vaat edilip, tekneye alındılar. Ancak komutanın anılarında yazıldığı gibi sonunda sandığın içerisindekilerin aslında ne olduğunu anlamalarıyla kıyamet koptu. Ne olduğundan artık emindiler. Hemen sandığı Almanya'ya götürme planları yaptılar ama hiçbir şey düşündükleri gibi olmadı. Sizlerin de anılarda okuduğu gibi akıbetleri çok kötü oldu.

Odadakilerin hepsi çıt bile çıkartmadan konusunda dünyanın en ileri uzmanlarından biri olan Soner asteğmeni dinliyorlardı. Tatmin olmuşlardı ama hâlâ anlayamadıkları bazı noktalar vardı. Özellikle Turgut, bunlardan biriydi.

- Tüm anlattıklarınıza kesinlikle katılıyorum. Gerçekten çok iyi araştırmışsınız ve bizleri merakımızı gidermek, kafamızdaki sorulara cevap bulmak konusunda fazlasıyla rahatlattınız ama bir şey çok önemli. Denizaltıda yaşanan korkunç olayları, cinayet, cinnet ve iğrenç yaraları, ölümleri nasıl açıklarsınız. Yoksa sandık lanetli miydi?

- Falaşalar, 1862 yılında Sorbon Üniversitesi profesörü Joseph Halevi tarafından keşfedilene kadar binlerce yıl boyunca sır gibi yaşadılar. Bugün hâlâ haklarında pek çok bilinmeyen vardır. Yaptığım araştırmalar onların da diğer bazı Afrika toplumları gibi zehir ve benzeri maddeleri hazırlamak konusunda çok ileri seviyede olduklarını gösterdi. Yıllardır doğada bulunan birtakım zehirli bitkileri, sarmaşıkları, bitki köklerini bazı böcek ve örümceklerden elde ettikleri serumlarla karıştırarak düşmanlarını saf dışı bırakmak ve avlanmak için kullanıyorlardı. İbrani dinini kabul edip kutsal emaneti çalan halife torunları, onu korumak için Falaşalar'dan öğrendikleri bu yola başvurdular. Ancak bu daha önce kullandıklarından çok daha tehlikeli bir zehirdi. Zaten ok ve mızraklarının ucuna sürdükleri sıvılarla koca bir aslanın sinir sistemini allak bulak ederek felce götürüp öldürecek yeteneğe sahiptiler. Sandığı korumak için çok daha etkilisini geliştirdiler. İzinsiz olarak açmaya ya da çalmaya kalkanlar tabletlerin üzerine sürülmüş zehirle temas ettikleri an zamanla sandığın içerisinde son derece tehlikeli bir bakteriye dönüşen zehir tozlarıyla enfekte olmaktaydılar. Zehrin alaşımını, nasıl ve ne gibi yollarla bu hale dönüştüğünü artık kimse çözemez. Ancak bu konularda çok bilgiliydiler. Kapalı bir denizaltı ortamında toza dokunanların vücudunda korkunç çıbanların çıkması, sinir sistemlerinin etkilenip önce çıldırmaya, sonra cinnette, cinayete, hatta intihara kadar gitmeleri reddedilemeyecek bir gerçek. Kişilerin bağışıklık seviyesi ve bünyelerinin gücü bu süreyi etkiliyordu. Böylece denizaltıda bildiğiniz vahşi gelişmeler başgösterdi. Eski Mısır medeniyetiyle ilgili kazılar yaparken firavun Tutankamon'un mezarını bulup, mumyasına temas eden arkeologların başlarına gelenleri düşünürseniz yaşananlar çok doğaldır. Zira Mısırlı rahipler de mumyayı mezar hırsızlarından korumak için üzerine benzer bir zehir sürmüşlerdi. Zehir, asırlar boyu kapalı bir mezarda korkunç bir bakteriye dönüşerek dokunanları feci ölümlere götürdü.

- Peki Metin ve Celal neden etkilenmedi? Ya da Falaşalar ve sandığı çalan Dışarlıklılar aşireti niye aynı akıbete uğramadı?

- Falaşalar ve sonradan dinlerini kabul eden Dışarlıklılar zehri yapmayı ve kullanmayı nasıl biliyorlarsa, aynı şekilde sandığı açmadan önce içerisinde oluşan maddeyi etkisiz hale getirmenin yollarını biliyorlardı. Sandık zaten çok nadiren sadece önemli dini törenlerde açılıyordu. Tabi önceden zehir etkisiz hale getirilip, tören bittiğinde yeniden hazırlanmış olan maddeyi tabletlere ve sandığa sürüp, kapatarak tekrar güven altına alıyorlardı. Kemal, Kasım ve denizaltıdaki Alman personel bunu bilemezdi. Hepsi bir şekilde sandık ve içersindekilere temas etti. Sonuç olarak, yakınlıklarına ve vücut dirençlerine bağlı olarak belirli aralıklarla hastalanmaya, sinir sistemleri iflas etmeye, çıban dökmeye başladılar. Tüm bunlar da hayaller görmelerine, sesler duymalarına, paranoyaklaşmalarına sebep oldu. Çıldırmasalar bile içeriğini bilemediğimiz zehir ve dönüştüğü bakteri, fiziksel olarak da tükenmelerine sebep oluyordu. Mesela personelin bazıları bedenlerinde çıkan çıbanlar nedeniyle öldü. Çıldıracak kadar bile yaşayamadılar. Ayrıca içinde yaşadıkları kapalı, havasız denizaltı, savaş şartları, peşlerindeki düşmandan kaçma çabaları da bu süreci hızlandırdığı gibi etkilerini de ağırlaştırdı. Hepi farklı bir şekilde etkilendi. Metin ve Turgut şanslıydılar. Zira Almanlar sandığı tekrar kapatıp, özel bölmeye yerleştirdiklerinde etkisi azalmış olan zehri yeniden elde ederek korumak için tabletlere sürme konusunda ne bilgileri, ne de olanakları vardı. Ölene dek bundan haberleri bile olmadı. Arkadaşlarımız sandığı yeniden bulduklarında aradan seksen sekiz yıl geçmiş, bir kez açılıp, atmosferle temas eden zehir geçen sürede çoktan etkisini kaybetmişti. Tabi yenilenmemesi de bu zayıflamada çok önemli etken. Ancak seksen sekiz yıl önce açılan sandıkta kalan zehrin kalıntıları, bir daha yenilenmediği halde bile iki delikanlının geçici süre fenalaşmalarına, bazı olmayan hayaller görmelerine sebep oldu.

- Bundan sonra ne olacağı konusunda bir fikriniz var mı Tayfun Albayım?

- Denizaltı günlerden beri ilgililerce araştırılıp, ahit sandığı hariç, içerisinde bulunan tarihi eserler araştırılıp, sınıflandırılmaları için ilgili müzelere gönderilirken deniz kuvvetlerinden gelen uzmanlar ve teknik ekip ciddi bir çalışmaya girişti. Tabi olaydan Alman Hükümeti de haberdar olduğu için araştırmaya katılmaya istekliler. Bu arada arşivlerini didik didik ediyorlar. Ancak halen U-27 konusunda ciddi belgelere ulaşmış değiller. Bu gelişme konunun o yıllarda ne kadar gizli tutulduğu ve teknenin çok özel amaçlarla kullanıldığını gösteriyor. Mesela denizaltının komutanı başta olmak üzere tüm personelin ailelerinden günümüzde yaşayanlarla görüşmeler yapılıyor. Hiçbiri U-27 hakkında bilgiye sahip değil. Hepsi dedelerinin hayatının Birinci Dünya Savaşı'nda İngilizlerce batırıldığı söylenen eski bir denizaltı yardımcı gemisinde ölümle sonuçlandığının rapor edildiğini ileri sürüyor. Bu arada basın olayı her gün manşetlerden verdiğinden sayısız meraklı çalışmaları izlemek için Kilyos sahillerine doluşmuş vaziyette. Alman Hükümeti resmi kanaldan başvurarak teknenin ülkelerine iade edilmesini istedi ama bizim niyetimiz, tüm araştırmalar ve restorasyon bittikten sonra U-27'yi Haliç'e çekip müze olarak kullanmak.

- Ülkemiz açısından bundan sonra olacak gelişmeler hakkında ne düşünüyorsunuz efendim?

- Bizler, hepimiz görevimizi yaptık. Tıpkı yıllar önce Ali Fevzi Bey, Yusuf, İzzet ve Rüstem efendiler gibi. Artık bundan sonrası devlet büyüklerimize kalmış bir şey. Ancak şimdi kozlar elimizde. Amerikan başkanı Bush ve İsrail'in ortaklaşa projeleri başımızı büyük belalara sokacaktı.

- Oregon'da araştırma yaparken, ailenin yüzyıllar boyu nasıl büyük bir kinle fırsat beklediğine bizzat şahit oldum. Benjamin çocukluğundan beri bu amaç için yetiştirilip, sıkı bir eğitime tabi tutuldu.

- Şimdi Kudüs de halifeliğinin ilan edilmesini bekliyor.

- Büyük törenin Müslümanlarca büyük önemi olan Mescid-i Aksa'da yapılacağını öğrendik. Tabi tüm Arap Yarımadası'na yayılmış ve bugünü dört gözle bekleyen Dışarlıklılar aşiretinin üyeleri derhal yüzyıllar sonra dokunaklı hikayesiyle ortaya çıkan ve soylarından gelen halife· Benjamin'i sahiplenecekler. Mevkileri dolayısıyla etkileri altındaki sayısız Müslüman'a yeni halifeye biat etmelerini empoze edecekler. Bu arada Benjamin'in ismi İsrail yetkililerince çoktan değiştirildi. Bir haftadır Yavuz Sultan Selim'e yenilerek halifeliği yitiren atasının adıyla, yani İkinci Tomanbay olarak dolaşıyor.

- Düşünün, Benjamin ve Arap Yarımadası'nda her yana kök salmış olan aşireti kendilerini inanmış Müslümanlar olarak gösteren ama kalben Yahudiliği benimsemiş ve gizlice Hahamlar yetiştiren güçlü bir topluluk. Bu yönlerini asla ortaya çıkartmayıp, törende yeni halifeyi özlemle bekleyen ve destekleyen mazlum Müslümanları oynayacaklar. Kısa sürede yandaşları artacak. Irak, Afganistan gibi

Amerikan işgalindeki ülkelerde toplum üzerinde etkisi olan din adamları ve devlet yöneticileri yeni halifeye biat etmeye yönlendirecek. İtiraz edenler olsa da adları bile duyulmadan bastırılacaklar. Çok geçmeden, tüm İslam dünyasında kaos başlayacak. Halifeye inananlar, inanmayanlar, kabul ve reddedenler birbirine girecek. Sonuç; hiç bitmeyecek olan kargaşa ve dindaşlarına kırdırılan Müslümanlar... Tıpkı Irak'ta ortaya konan senaryo... İkinci Tomanbay adıyla makamına kavuşan Benjamin, Papa gibi İslam dünyasının en kutsal mabetlerini dolaşıp, halka söylevler verip fetvalar çıkartacak. Cuma günleri camide vaaz verirken, cumartesi günü gizlice Şabat'ı kutlayacak. Çok geçmeden asıl hedef olan Türkiye'de nifak tohumları saçılacak. İslam dünyasını ister istemez karşımıza alırken, ülkemizde saran kargaşa büyük bir din çatışmasına doğru yol alacak. İnsanlarımız camilerini bile ayıracak kadar dindaşlarına düşman edilecek. Bu arada yerini sağlamlaştıran, takipçilerini arttıran halifemiz hayatını Müslümanlık ideallerine adadığını ilan ederken, diğer yandan Ortadoğu'da ve tüm İslam dünyasında, İsrail ve Amerika'nın çoktandır peşinde olduğu Protestan Müslümanlığın temellerini atacak, kutsal kitabımız Kuran-ı Kerim İncilleştirilirken, ikinci Tomanbay gücünün tamamını Amerikan ve İsrail amaçlarına hizmet etmekte kullanacak. Tabi bunlar birkaç yılda olup bitmeyecek ama bu geçiş sürecinin her günü, her saati, her saniyesi Müslümanların ve Türklerin kanıyla boyanacak, ülkemizdeki mezhep farklılıkları bu süreci hızlandırmak için sonuna dek kullanılacak, gidişatı görüp önlemeye çalışan aklı başındaki insanlar, yöneticiler, din adamların faili meçhul cinayetlere kurban gidecek. Sonunda ölenler ölecek, İslam'ı hoşgörüsüzlükten kurtaran, modernleştirip ılımlı hale getiren çağdaş halife rolüne soyunan Benjamin arkasındaki iki büyük devletin gizli desteğiyle Evangelistleştirilmiş bir İslam dünyası, o amaca hizmet eden bir Ortadoğu, Türkiye, Kafkaslar ve Orta Asya Türk Cumhuriyetleri yaratacak. Bu aşamadan sonraysa Müslümanlar arasında başlamış olan nefret ve düşmanlık sonsuza dek bitmeyecek. Yaşananların hepsinin Amerikan ve İsrail'in emellerine hizmet edeceğini düşünmek hiç de zor değil. Parçalanmış topraklarının büyük bir kısmı İsrail tarafından işgal edilip, Büyük Kenan İmparatorluğu kurulmuş Türkiye ve birbirlerine kan davası güden vatandaşları da bu oyunun son halkasıdır.

Odadakilerin içleri kararmışken, sessizliği çalan telefonun sesi bozdu. Ahizeyi kaldıran, doğal olarak Tayfun Albay'dı.

- Buyurun, ben Albay Tayfun.

- ....

- Gerçekten mi?

- ....

- İnanın bizi çok mutlu ettiniz efendim. Arama inceliği gösterdiğiniz için minnettarım.

- ....

- Ne zaman isterseniz emrinizdeyiz.

Ahizeyi kapatırken Tayfun Albay'ın yüzünde güller açıyordu. Odadakilerin yüzüne bakarak gülümsedi.

- Allah'a şükür ki biraz önce yazdığımız karanlık senaryoların hiçbiri gerçekleşmeyecek. Türk insanı nasıl geçmişte Müslümanlığa göğsünü siper etmiş, yüzlerce yıl önce haçlı saldırılarına karşı koymuşsa, Çanakkale'de, Yemen çöllerinde bu uğurda canını vermişse, bugün de İslam dünyasını kurtarıyor. Arayan, Cumhurbaşkanımızdı. Harika haberler verdi. Bu arada en kısa zamanda hepimizi makamına davet ediyor. Zira şu an burada bulunan herkes ulusumuzun başarısında söz sahibidir. Tabi, artık aramızda olmayan Ali Fevzi Bey, Yusuf, İzzet, Rüstem efendilerle onların bizlere emanet ettiği aileleri ve kadersiz Kemal ve Kasım da bu onurdan paylarını alacaktır. İsrail ve Amerika, dinimizi kullanarak başımıza çorap örmeye kalktılar. Ancak yüce Tanrı ilahi adaletini, her zaman İslam dinine göğsünü siper etmiş Türk ulusundan yana kullandı. Onlar dinimizi bize karşı silah olarak kullanmak isterken, bize gönderdiği ahit sandığı gerçek bir mucize.

***

Üç Gün Sonra

- Hocam, bu bey amca sizinle görüşmek için ısrar ediyor. İkna edemedim.

Denizaltının kontrol ve araştırma çalışmalarının başındaki yardımcı doçentin işi başından aşkındı. Bir yandan öğrencilerinden oluşturduğu ekiple tekneden çıkartılan her şeyi, hatta en küçük özel eşyaları bile tek tek sınıflandırılıp, envanter çıkartılıyor, diğer yandan kazı ekipleri teknenin etrafındaki balçık ve kumları temizleyip, kepçelerle boşaltarak gövdeyi ortaya çıkartmaya çalışıyordu. Neredeyse tüm omurga meydana çıkmıştı ve denizaltının baş taraftaki hafif ezik-lik hemen belli oluyordu. Yaranın komutanın tekneyi derenin, denizle birleştiği noktadaki balçığa tam yol yönlendirdiği sırada meydana geldiğini anlamak kolaydı. Bu arada meraklılar ve gazeteci ordusu işleri daha da karıştırıyordu.

- Çok meşgulüm Oya, sen ilgileniversen.

- Hocam, söyledim ama dinlemiyor.

Yardımcı doçent sıkıntıyla alnındaki terleri sildikten sonra, karşısında dikilen yaşlı adamı süzdü.

- Buyur amcacığım, ne yapabilirim senin için?

- Az önce çekmecelerden çıkarttığınız fotoğraflara bakmak istiyorum.

Haydaa, bir bu eksikti. Zaten canı burnundan çıkıyordu. Bir de yaşlı amcanın merakını mı gidereceklerdi? Sinirle arkasını dönüp, uzaklaşmak istedi. Adamı başına musallat eden öğrencisine de bozulmuştu.

- Bir dakika evladım, sadece elimdekini sana bırakmak istiyorum.

Yaşlı adam beyaz bir kumaş torbayı Oya'ya uzatıp, kumlardan oluşan yığınlara doğru yürümeye başladı. Belli ki alınmıştı. Doçentinse bunlarla uğraşmaya vakti yoktu.

- Hocam, bir dakika.

- Yine ne var Oya?

- Oldukça ilginç bir şeyler hocam.

Kız elinde birkaç eski ve sararmış fotoğraf ve askeri kaput tutuyordu. Bir anda eli ayağı boşaldı doçentin.

- Bunlar nedir, nereden bulmuş o yaşlı adam? Çabuk çağır onu geri. Haydi durma.

***

Tel Aviv uluslar arası hava alanının hemen yanındaki askeri hava üssünde hazırlıklar ve sinirli koşturmaca son raddedeydi. Birkaç saat öncesine kadar sivil alanın bir köşesinde beklemekte olan Türkiye Cumhuriyeti'ne ait Ata uçağı şimdi askeri taraftaki hangarlardan birine park etmiş, konuğunu bekliyordu. Başbakan Sharon, ofisinin arkasındaki dinlenme bölümüne geçmeden önce yardımcılarını Başkan Bush dahil, kim ararsa arasın, ne olursa olsun rahatsız edilmemesi konusunda yeniden direktifler vermiş, ayaklarını uzatıp, dinlenmeye çekilmişti. Yapabileceği en iyi şeyin bu olduğunu düşünüyordu artık.

Beyaz Saray Oval Ofisi'ndeyse gürültü had seviyedeydi. Başkanın öfkesi kolayca dinecek cinsten değildi bu sefer. Salonundakiler çektikleri ıstırabın bir an önce bitmesi için dua ederlerken, savunma bakanı Irak'tan gelen son haberleri nasıl söyleyeceğinin planlarını yapıyor ama işin içinden bir türlü çıkamıyordu. Irak umduklarından kolay düşmüş, Saddam ortadan kaybolmuş, Amerikan Askerleri halk tarafından sevgi tezahüratlarıyla karşılanmış, Saddam heykelleri yıkılmış, kameralara konuşun Iraklılar "Thank you Mr. Bush" diyerek minnetlerini dile getirmişlerdi. Tabi tüm bunların Amerikan ordusunun propaganda bölümünün sorumlularınca hazırlanmış mizansenler olduğu, konu mankeni olarak kullanılan Arap çapulcular ve Saddam muhaliflerinin bu filmlerde birkaç dolar karşılığı rol aldığından kırk sekiz saat öncesine kadar Son Peygamber Hazret-i Bush'un haberi bile yoktu. Ama artık her şey başka yöne dönmüştü. Savunma bakanının Irak'ı modern silahlar, akıllı bombalar, ustaca hazırlanmış saldırı planları ve minimum kayıpla işgal etme hayali başlangıçta yürüyormuş gibi gözükürken gerçek kısa sürede anlaşılmıştı. Artık yol kenarlarına yerleştirilmiş bombalar atıyor, Amerikan piyadelerinin parçalanmış cesetleri ortalığa saçılıyor, kurşunlar ve roketlerin nereden geleceğinin belli olmadığı bir ortamda kafayı yemeye başlayan seçilmiş Amerikan birliklerine mensup askerler, ya önüne gelene ateş ediyor, ya da intihar etme yolunu seçiyordu. Dicle Nehri'nde tabutları ülkeye getirmekten korkulan dördüncü piyade birliği mensuplarının cesetlerini yüzdüğü dedikoduları yayılıyordu. Akşamlarıysa başka bir cehennemdi ve kahraman Amerikalı askerler geceleri devriyeye çıkmak konusunda mahkemede hesap bile vermeyi göze alıp, komutanlarının emirlerini ret ediyorlardı. Bir grup akıllı Coni, dünyada bir eşi bulunmayan Bağdat Arkeoloji Müzesi'ndeki tarihi eserleri, Saddam'ın saraylarındaki antikaları, Bağdat Havaalanı, free shoptaki pahalı içki ve puroları yağmalamış, keyif çatıyorlardı. Tabii ülkedeki gittikçe büyüyen muhalefet ve savaş karşıtı gösteriler olayın başka yönüydü. En kötüsüyse; İsrail'de bir şeyler ters gidiyordu. Hem de hayal bile edemeyecekleri kadar ters. Zira Sharon, büyük bir meydan okuma örneği göstererek Hazret-i Bush'un telefonlarına çıkmıyordu.

Aynı dakikalarda Edbert ve ailesi California eyaletinin güneyindeki Meksika sınır kenti Tiyuana'ya geçiş yapıyorlardı. Meksikalı görevliler, pasaportlarının sadece kaplarına bakmakla yetindiler. Alışkındılar, Californialılar her zaman öğle yemeği, alış veriş, ucuz içki, uyuşturucu, illegal seks ve daha bir dolu şey için sürekli sınırın Meksika tarafına geçerlerdi. Özellikle hafta sonları bu kalabalık on binleri bulurdu. Çünkü Amerika'da içki alabilmek ve barlara girmek için sınır yaş yirmi bir olduğundan daha küçük yaştakiler cuma gününden itibaren soluğu Tiyuana'da alırdı. Bu olay büyük bir ticaret ve geçim kaynağı olduğundan sınır görevlileri en çok yirmi dört saat sonra ülkelerini terk edecek olan Amerikalılarla fazla ilgilenmezlerdi. Edbert ve ailesi sınırın öte yanına geçtiklerinde önce soluklanıp, güzel bir restoranın önünde araçlarını park ettiler. Uzun yolculukları öncesi karınlarını Meksika mutfağının seçme lezzetleriyle doyurmaya niyetliydiler. Çünkü yeni bir hayata başlıyorlardı ve güzel bir başlangıç olmasını istiyorlardı. Sırada başkent Mexico şehrine uzun bir araba yolculuğu, oradan Madrid'e kalkan uçağa binmek ve aktarmalı olarak İstanbul'a ulaşmak vardı. Üzerinden yıllar geçse de artık babasının rengi nedeniyle diri diri yakıldığı bir ülkede, geceleri gördüğü kabuslarla geçmişe saplanarak boğuşmak içine sinmiyordu ve eşini bu konuda ikna etmişti. Antalya'da sürecekleri sakin ve huzurlu bir hayata o da hayır diyememişti.

***

- Bunları nereden buldun amcacığım?

- Adım Hasan'dır yeğenim. Bildim bileli kıyı köylerinden birinde yaşarım. Çocukluğumdan beri saklardı babam. Anneme söylediğine göre; Birinci Cihan Savaşı zamanında çevre ormanlarda ava çıktığı bir gün köpeği huysuzlaşmış ve babamı kuytu bir yere götürmek için ısrarlı hareketler yapmaya başlayınca hayvanı takip etmek zorunda kalmış. Sonuçta bulduğuysa; etrafı çalılarla çevrili bir kaya dibindeki çürümüş cesetler olmuş. Ancak o yıllarda savaş nedeniyle batan gemilerde, boğulan yabancı askerlerin cesetleri sıkça kıyıya vurduğundan hiç şaşırmamış. Sadece kurtulabilen birkaç denizcinin o kayanın dibine dek ulaşıp, orada öldüklerini düşünmüş. Geniş bir çukur açıp, hepsini gömmüş. Ancak şeytana uyup, cesetlerden birisinin üzerindeki tabancayı aldığı için yetkililere haber vermeye korkmuş. Ayrıca ileride ne olur ne olmaz diye üzerlerindeki özel eşyaları ve bu kaputu da yanında götürmüş. Ancak çok geçmeden acayip bir hallere girip, o tabancayla canına kıymış. Gazetede resimleri görünce kaputun o fotoğraflardaki askerlerin giydiklerine çok benzediğini gördüm. Hepsi bu. Tabanca da hâlâ evde. Gerçek sahiplerine, yani ölenlerin geride kalan yakınlarına teslim etmek istiyorum.

- Babanızın kazdığı mezarların yerini biliyor musun amca?

- Tabi, babam öldüğünde çok küçükmüşüm. Ama sonra annemin tarifi üzerine buldum. Aradan çok zaman geçti. Artık oralar içine girilemeyecek kadar sık çalılar ve yabani otlarla çevrili. Yine de şaşırmadan gösterebilirim.

***

- Beni asacaksınız değil mi? Acımadan asacaksınız. Kahretsin, Sharon beni sattı.

Oregonlu halife Ata uçağına kurulduktan çok sonra başına gelenleri kavrayabilmişti. Büyük törene gittiğini, sanıyordu ama uçağın tekerlekleri pistten ayrıldıktan sonra bulundukları bölümlerden çıkan Türk Özel Birlik elemanları gerçeği açıklayınca tutuşmuşçasına yardım istemeye başlamıştı. Ancak artık onu Hazret-i Bush bile kurtaramazdı.

Kilyos'ta, ihtiyar adamın gösterdiği yerdeki mezarlık kolayca bulundu. Artık sıra çıkartılan cesetler üzerinde DNA incelemesi yapıp, kimliklerini tespit etmeye gelmişti. En azından Almanların cesetleri memleketlerine gönderilebilecek, Kemal'se yıllar sonra anacığının Kastamonu'daki mezarının yanına gömülebilecekti.

Halife bozuntusu İkinci Tomanbay uçakta kendisine verilen sakinleştiricilerin etkisiyle kaykılmış vaziyette Ankara'ya indiğinde etrafıyla ilgilenemeyecek kadar dağılmıştı. Tek düşüncesi; Türklerin eline geçmesinin onu idama götüreceğiydi. Korkudan altını ıslatmıştı. Kim bilir ne korkunç işkenceler görecekti. Ne olmuştu da birden devran değişmiş, bir anda alaşağı edilip, güvendiği İsrail Hükümeti tarafından Türklere hediye edilmişti? Bunun sırrını anlayacak halde değildi. Uçaktan sonra bindirildiği helikopterde çevresine boş gözlerle bakıyordu. Sadece denizin ortasındaki bir adaya indiklerini anlayabildi. Anlayamadığı konuysa; Türk Hükümeti'nin kozlarını ustalıkla oynayıp, ahit sandığından çıkan orijinal On Emrin, açıklanması ya da Türkiye de bilinmedik bir yerde gizlenmesi konusunda Başbakan Sharon'u seçime zorlamasıydı. Zira On Emir yüzyıllardır bilindiği gibi değildi artık. Bunu çok iyi görmüş ve anlamıştı Türk bilim adamları. Günlerdir sandıkta keşfettikleri çok özel bir şeyin üzerin de uğraşıyor ve kesin olarak emin olmaya çalışıyorlardı. Bunun için el altından dünya çapında ünlü Yahudi din adamları ve bilim adamlarından oluşan bir heyetten de yardım almışlardı. Evet, artık On Emir, sadece On Emir değildi. İlk olarak da Başbakan Sharon'a bildirilmiş, son çekilen fotoğraflarla birlikte New York'tan Türkiye'ye davet edilmiş iki Yahudi de İsrail'e gönderilmişti. Biri din adamı, diğeri uzman bir İbrani tarihçisiydi. Ayrıca Sharon'a inanmaması halinde güvendiği bir ekibi sandık üzerindeki son bulguyla ilgili olarak Türkiye'ye göndermesini ve sürpriz gelişme konusunda istedikleri gibi araştırma yapma olanağı verileceği bildirildi. İsrail Başbakanı, On Emrin gizlenip açıklanmaması karşılığında Türk Hükümeti'nin istediği halife bozuntusunu teslim etmiş ve Türkiye üzerinde oyun oynamaktan vazgeçmeyi taahhüt etmişti. İsrail ulusunun varlık sebeplerinin en önemlisini elinde tutan Türkiye artık tek belirleyiciydi ve onun bu üstünlüğüne boyun eğmek zorundaydılar. Ayrıca, devrik halifenin bilmediği başka çok şeyler de vardı. Mesela hırs dolu annesinin Türkiye'ye teslim edildiğini duyunca canına kıydığından, ölüsünün saatler sonra bulunduğundan, helikopterin indiği adanın İmralı olduğundan ve kodes arkadaşının Abdullah Öcalan olduğundan henüz haberi yoktu. Tabi uzun süre bu adadaki konukluğunun süreceğinden de.

On Birinci Emir

Bir hafta sonra, Ariel Sharon odasını terk ederken hayatının en olumlu ve en önemli kararını vermişti. İsrailoğulları yüzyıllardan beri lanetli bir kavim gibi büyük acılar ve işkenceler çekmişlerdi. Önce, atalarının Mısır'daki kölelik yılları, firavun ve emrindekilerin uyguladığı zalimlikler ama ardından Yüce Tanrı'nın kavimlerine kol kanat germesi, Musa Peygamber ve mucizeleri... Böylesi muhteşem bir kurtuluşa layık olabilmişler miydi acaba?

Rab, Musa aracılığıyla onları Firavun ve dev Mısır ordusundan korumuştu.

Acaba buna layık olabilmişler miydi?

Arkalarından yetişen ve kendilerini tümden yok etmek üzere olan dev orduya aman vermemiş ve en kötü anlarında uçsuz bucaksız Kızıldeniz'i onlar için ortadan ikiye ayırmış, İsrailoğulları son fertlerine dek geçene kadar da o vaziyette tutmuştu.

Acaba buna layık olabilmişler miydi?

Ancak aynı mucizeden faydalanmak isteyen Mısır ordusuna aman vermemiş, ağızlarından salyalar akarak peşlerinden gelen askerlerin tamamını kapattığı Kızıldeniz'in sularına gömmüştü.

Acaba buna layık olabilmişler miydi?

Bu, dünya tarihinde eşi görülmemiş ve görülemeyecek bir mucizeydi ve bugünün modern bilimi dahil hâlâ tartışılıyordu.

Acaba buna layık olabilmişler miydi?

Tanrı, bununla da yetinmemiş, Mısır ordusu ve firavundan kurtulan İsrailoğullarını kaderlerine terk etmemiş, kızgın çöllerde karınlarını doyurmaları için yiyecek, susuzluklarını gidermeleri için de su yaratmıştı. Hem de büyük mucizelerle...

Acaba buna layık olabilmişler miydi?

En güzeli de onları vaat ettiği topraklara götürmüştü. Üzerinde özgürce yaşayabilecekleri güzel bir vatan vermişti onlara.

Acaba buna layık olabilmişler miydi?

Yüzyıllar sonra vatanlarından kovulmuş, her yana saçılmışlardı. İsrailoğullarının sürgün olarak yaşadıkları İspanya'da zamanla korkunç işkencelere, engizisyon mahkemesi adı verilen azaplara mahkum olmuşlardı. Ama Tanrı yine yanlarındaydı.

Acaba buna layık olabilmişler miydi?

En karanlık zamanlarında doğu ufkundan parlayan güneş gibi bir mucize göndermişti Tanrı onlara. Osmanlı İmparatoru Yıldırım Beyazıt, İspanya'da işkence çeken, kovulan, hor görülen ve dinlerini değiştirmeye zorlanan tüm İsrailoğulları'nı büyük bir mutluluk ve hoşgörüyle ülkesine davet ediyor, hem de onları sağ salim götürmek üzere gemiler gönderiyordu.

Bundan büyük bir mucize olabilir miydi?

Ama acaba buna layık olabilmişler miydi?

Osmanlı İmparatorluğu'nca kurtarılan İsrailoğulları, Osmanlı topraklarında sonuna dek mutlu ve özgürce yaşamışlardı ama zamanla Avrupa yeniden kana boyanmıştı. Hitler denilen bir psikopat insanlık tarihinin en acımasızca uygulamalarını Yahudiler üzerinde uygulamaya başlamıştı. Milyonlarca Yahudi, Almanya'nın, Polonya'nın sert kışında, yarı çıplak toplama kamplarına doldurulmuş ve insanlık onuruna en uzak işkencelerle öldürülmeye başlamıştı. Gaz odaları, tüyler ürperten tıbbi deneyler, krematoryumlar şimdi İsrailoğulları içindi. Ama Tanrı yine yanlarındaydı.

Acaba bu mucizevi ayrıcalığa layık olmuşlar mıydı?

Hitler'in defteri dürüldüğünde Tanrı yine onları unutmamış, yeni bir İsrail Devleti kurulmasını sağlayıp, dünyanın her yanına savrulmuş, acı çeken İsrailoğulları'nın vaat edilmiş topraklarına dönüp, özgür bir vatan kurarak mutlu olarak yaşamasını sağlamıştı.

Acaba tüm bu çok özel mucizelere ve Tanrı'ya layık olabilmişler miydi?

HAYIR, HAYIR, HAYIR, HAYIR!

Hiçbirine layık olamamışlardı. Çektikleri acıları unutup, Filistinlileri acılara boğmuşlardı.

Maruz kaldıkları işkenceleri unutup, Filistinlilere en olmadık işkenceleri uygulamışlardı.

Bir zamanlar vatanlarından sürgün edildiklerini unutup, Filistinlileri topraklarından kovmuşlardı.

Vatansızlığın ne olduğunu unutup, Filistinlileri vatansız bırakmışlardı.

Engizisyon mahkemelerinde Ortaçağ zalimliğiyle kafa kırma aletlerinde kafaları kırılan atalarını unutup, Filistinli çocukların kollarını taşlarla kırmışlardı.

Toplama kamplarında yakıldıkları fırınların ateşlerini unutup, Filistinlilerinin kalplerini yakmışlardı.

Akıttıkları göz yaşlarını unutup, Filistinlileri hıçkırıklara boğmuşlardı.

Kendilerine yapılanların bin beterini Filistinlilere uygulamışlardı.

Ama yüce Tanrı her zaman var olmuştu ve her zaman var olacaktı.

O, her şeyi gören, bilen ve duyandı.

Ve görmüştü.

İsrailoğulları acı çekerken yanlarında olan Tanrı, elbette İsrailoğulları'nın çok daha korkunç acılar çektirdiği Filistinlilerin de yanında olacaktı.

Çünkü Tanrı, zalimlerin karşısında, mazlumların yanındaydı.

Ve artık Yahudilerce soykırıma uğratılan Filistinlilerin yanındaydı. Çünkü o her zaman adildi.

Türk makamlarınca bir hafta önce gönderilen fotoğraflara son bir kez baktı. Bizzat Tanrı tarafından yazılan ve Musa Peygamber'e teslim edilen on tane emir karşısındaydı. Ama ama ama başka bir şey daha vardı! Çekinerek göz ucuyla baktı. BU, ON BİRİNCİ EMİRDİ.

Tanrı tarafından İsrailoğulları'na gönderilmiş On Emir sandığının dip kısmı göz alıcı, incecik bir altın tabakayla kaplıydı. Ve o tabakanın üzerinde adeta bir ışık gölge mucizesiyle resmedilmiş on birinci emir vardı. İnce, altın levhanın diğer yerleri farklı bir parlaklıktayken on birinci emrin yazılı olduğu kısım inanılmaz derecede parlak ve göz alıcıydı, her yönden rahatlıkla görülmekteydi. Türk makamlarının özel emriyle on emrin yazılı olduğu tabletlerden sonra, şu ana dek Tanrı'dan başka hiçbir varlığın bilmediği on birinci emir de İsrail'den gönderilen Yahudi uzmanlarla defalarca tetkik edilmiş ve böylesi bir mucizenin ancak Tanrı tarafından yaratılabileceğine kesin olarak karar verilmişti. Zira sandık binlerce yıldır kapalıydı, hiçbir tarafından ışık sızmıyordu, yüz yıllar önce kaybolduğu zaman iki tablet üzerinde On Emrin yazılı olduğu konusunda tüm dünya ve o zamanki tanılar hemfikirdi. Ama bilinmedik bir günde, bilinmedik bir tarihte, sadece ve sadece yüce Tanrı'nın bilip anlayabileceği ve yaratabileceği şekilde on birinci emir belirmişti sandığın dibindeki altın levhanın üzerinde. Son derece düzgün, net ve en küçük bir şüpheye yer vermeyen on birinci emir mucizevi bir şekilde ortaya çıkmıştı ve bunun nasıl olduğunu sadece yüce Tanrı bilebilirdi. O, NE EKSİK NE DE FAZLAYDI.

Çünkü Tanrı, her şeyi bilen, gören ve duyandı.

Çünkü Tanrı, mazlumun yanındaydı.

Çünkü Tanrı, adildi.

Çünkü Tanrı, insanlara doğru yolu gösterendi.

Çünkü Tanrı, merhametliydi ama acımasızlıkta ısrar edenlere acımamıştı.

Yahudilere zulmeden Firavun ve Mısır ordusuna birçok ikaz göndermiş ama zulmetmekte ısrar ettikleri için onları Kızıldeniz'in dalgalarına gömmüştü.

Yahudilere şeytanın bile akıl edemeyeceği işkenceleri uygulayan Hitler ve adamlarını en kötü yere, tarihin çöplüğüne göndermişti.

Ama kendilerine yapılan işkenceleri başkalarına asla yapmamaları gerektiği halde Yahudiler yapmıştı.

Ve Tanrı tüm bunları görmüştü. Her türlü zulümden kurtardığı İsrailoğulları'nın asla yapmamaları gereken yanlışlıkları yaptıklarını biliyordu. İnsanoğlunu ikaz etmek ve doğru yola döndürmek için kutsal kitaplar, peygamberler göndermişti. On birinci emirse, son elli yıldır yoldan çıkmış olan İsrailoğulları'nı ikaz etmek içindi.

Ve on birinci emirde:

"SANA ve IRKINA YAPILAN ZULÜMLERDEN DERS ALIP, ASLA BAŞKASINA ve BAŞKA ULUSLARA ZULMETMEYECEKSİN, SANA YAPILANLARI ASLA ONLARA YAPMAYACAKSIN."

Diye son derece net ve açık bir mucizevilikle yazıyordu.

Tanrı, hey şeyi gören, duyan ve bilendi.

Tanrı, yol gösteren ve ikaz edendi.

Bir zamanlar kurtardığı İsrailoğulları'nın, Filistinlilere yaptıklarını da görmüştü elbet.

Tuttukları yol tamamen yanlıştı ve Tanrı onları da Firavun'a yaptığı gibi ikaz ediyordu şimdi.

İnsanoğlunun bilemeyeceği ve anlayamayacağı bir zamanda, bilemeyeceği ve anlayamayacağı bir şekilde on birinci emri, bir nakış gibi on emri taşıyan sandığın dibindeki altın levhaya nakış etmişti. Tıpkı bizzat yazıp Musa'ya verdiği On Emir gibi... Üstelik, yüzyıllardır bulmaya çalıştıkları mucize sandığı kendilerine değil, başkalarına göndermişti. Yahudi uzmanlar bin türlü kuşkuyla ve her türlü sahtekarlık şüphesiyle yazıyı defalarca incelemişlerdi ve vardıkları sonuç; böylesi muhteşem bir mucizenin sadece Tanrı tarafından gerçekleştirilebileceğiydi. On Emrin gerçekliğine ne kadar inanıyorlarsa, on birinci emre de en az On Emir kadar inanmak zorundaydılar. Sharon ve kabinesindeki bazı bakanların çok özel ricası sayesinde Türk Hükümeti bu çok önemli mucizenin açıklamasını bir süreliğine ertelemişti.

Sharon, göz yaşlarını silip, odasını terk ederken nihayet her şeyi anlamış ve Tanrı'dan gelen ikazının bilincindeydi. Parlamentoya geçti, acil olarak bakanlarını topladı ve şaşkınlıktan dilleri dışarı fırlayan bakanlarına aldığı kararlarını tek tek açıkladı.

İsrail bugüne dek işgal ettiği tüm Filistin topraklarından çekilecekti.

Artık, bu lanet savaşa son verilecek ve Filistinlilere kendi vatanlarında özgürce yaşama hakkı tanınacaktı.

İsrail ordusu ve kolluk kuvvetleri Filistinlilere uyguladığı tüm baskı, şiddet ve izolasyonu durduracaktı.

Yerlerinden koparılan tüm Filistinlilerin topraklarına dönmeleri sağlanacaktı.

İsrail devleti kurulacak Filistin devletine her türlü maddi ve manevi yardımı esirgemeyip, yaşadıkları topraklarda sonsuza dek sürecek huzur dolu barışın temeli hemen atılacaktı.

İsrail devleti, Filistin aklının tüm haklarını tanıdığı gibi, varlıklarını sürdürmelerinin ve egemenliklerinin garantisi olacak, tüm bu gelişmelerin ve anlaşmaların garantörü Türkiye olacaktı. On birinci emir ise İsrail, Filistin ve barış konusunda tüm sözlerini tuttuğu müddetçe iki ülke arasında bir sır olarak kalacaktı.

Sharon'un görülmemiş kararlılığı ve henüz duydukları on birinci emrin ürkütücü varlığı karşısında bakanlar kurulu şok olmuşlardı. Hiç itiraz edemediler. Sharon akşam yapacağı basın toplantısıyla Filistin sorunu ve Ortadoğu barışıyla ilgili olarak aldıkları devrim niteliğindeki kararları tüm dünyaya açıklayacaktı. Bunu da tüm bakanlar kurulu onayladı. İsrail başbakanı, çok mutluydu. Tanrı'nın, kendilerine gönderdiği mucizevi ikazı almışlar ve gereğini yerine getiriyorlardı. Tüm dünya ve Filistin halkı sevince boğulacak, bu anlamsız savaş yerini barışa bırakacaktı. Ama açıklamasını yapmak üzere başbakanlık makamından. çıkıp, yeniden parlamentoya giderken yanında koruma görevlisi olarak bulunan Mossad ajanlarının birisinin kazayla biraz fazlaca yaklaşmasına, ardından sol baldırında beliren küçük sızıya önem vermedi. Çok mutluydu. Tanrı sayesinde gerçeği gören ve Tanrı'nın emrini her ne pahasına olursa olsun yerine getiren kişi olarak da tarihe geçecekti. Ama bu asla mümkün olmadı. Bir dakika bile geçmeden, baldırındaki sızı inanılmaz bir sancıya dönüşerek tüm vücudunu sardı. Midesinde adeta dev bir volkan patlamış, feci derecede canını yakıyordu. Elleri titremeye, ayaklarının üzerinde duramamaya başladı.

Gözünün önünde perdeler geçiyor, dünya fırıldak gibi dönüyordu. Etrafındakilere tutunmaya çalışırken anlamsız son bir iki kelime mırıldanabildi, ardından her şey bitti. Kısa süre sonra İsrail makamları Ariel Sharon'un beyin kanaması geçirdiğini ve bilincini kaybederek bitkisel yaşama girdiğini duyurdular. Yerine atanan başbakan asla Sharon'un yapmak istediği devrimin adını bile anmadı. İsrail Hükümeti Tanrı'nın son ikazın bile hiçe sayarak Filistin halkına zulmetmeye devam etti. Sharon bugün hâlâ İsrail'de bir hastanede bilinçsiz olarak yatmaktadır. Ona gerçekte ne olduğu hâlâ büyük bir sırdır.

Gerçekten ve doğal nedenlerle hastalandı mı?

Niyetini öğrendikten sonra onu susturmak isteyenlerce planlanan korkunç bir oyunun kurbanı mı oldu?

O gün bakanlar kurulunda Sharon'un kararlarını dinleyenler veya İsrail'i perde arkasından yönetenlerin arasında Tanrı'nın on birinci emrine karşı gelecek kadar gözlerini kan bürümüş kişiler mi var?

Bunların hiçbiri şu ana dek cevabını bulmuş değil; ama kesin bir gerçek var ki:

TANRI, HER ŞEYİ GÖREN, DUYAN ve BİLENDİR.

TANRI HER ZAMAN MAZLUMLARIN YANINDADIR.

TANRI, ZULMEDENLERE GEREKEN EN İYİ CEVABI VERMEYİ BİLENDİR ve VERECEKTİR.

Sonuç

Türk Hükümeti, tezkere krizinden sonra bir kez daha kükreyerek Oregon'da, ıssız bir köşedeki Rüstem ve İzzet'in mezarlarını ülkeye nakletmeyi başararak son günlerini yaşayan Şefika ve Firdes hanımların yüzünü güldürdü. İstanbul da yapılan cenazelerde ikisinin de başı dikti artık.

Yusuf Efendi'yle ilgili araştırma oldukça uzun sürdü. Sonunda bir zamanlar gemiden inen İzzet'in önüne çıkarak kardeşinin akıbetini soran Bihter Hanım'ın eczacılık yapan torunlarına ulaşılarak gereken açıklama ve iadeyi itibar yapıldı. Büyük dedelerinin görevi ve bu uğurda şehit edilişi anlatıldı.

Miralay Ali Fevzi Bey'in maalesef hiç çocuğu olmadığı için yeğenlerin torunları tespit edildi. Ancak onlar bu konularla oyalanamayacak kadar meşgul oldukları için pek de ilgilenmediler.

Benjamin'in, annesinin ölümüne pek üzüldüğü söylenemezdi. Hayatını kabusa çevirmiş, yaşamının her anını denetlemiş bir gardiyandan kurtulmuştu. Adadaki sakin hayatını bir süre sonra sevmeye başladı. Türk Hükümeti kendisini kontrol etmek ve normal hayata intibak etmesini sağlamak için psikologlar bile görevlendirmişti. Durumundaki düzelmeye göre birkaç sene sonra Türkiye'nin istediği bir yöresinde her gün karakolda imza atmak şartıyla serbest bırakıldı. Benjamin çoktan halifelikten vazgeçmiş, Ege kıyısındaki sakin bir köyde balıkçılık yaparak yaşayacağı özgür ve sade günlere kavuşmuştu. Üzerinden büyük bir yük kalkmıştı. Kendisini Türklere teslim eden Sharon'a artık minnettardı. Annesinin hayatını nasıl iğrenç bir amaç uğruna kararttığını düşündükçe bazen kuduracak gibi oluyordu. Gençliği boşa geçmişti ama artık tek bir günü boşa geçirmeye niyetli değildi.

Başkan Bush'unsa, yaşadığı sıkıntılar, yenilmenin verdiği hüsran, Irak'tan gelen kötü haberlerden dolayı bir zamanlar eski başkan Clinton'un umumhaneye çevirdiği Beyaz Saray, Oval ofisini birbiri ardına boşattığı viski şişeleriyle meyhaneye çevirmekle meşgul olduğu yakın çevresince sıkça gözlemlendi. Son olarak, koltuğunda sızmış halde bulunup yardımcıları tarafından yatağına taşınırken "Haçlı Seferleri, Armagedon, Mesih, Gog, Magog, ben Tanrı tarafından seçildim!" diye sayıkladığı duyuldu.

***

- İçeriye kadar girmene gerek yok Turgut. Arabayı burada bırakırsan trafik ekipleri çekerler. Burada vedalaşalım.

- Valizlerini taşıyabilecek misin Deniz? Benden hemen mi kurtulmak istiyorsun?

- Saçmalama Turgut. Haydi, fazla oyalanma. Ben de birkaç gazete alıp vakit kaybetmeden pasaport kontrole gideceğim. Uçakta onlarla oyalanırım.

- New York'a inince beni mutlaka ara lütfen.

- Tabi ki.

- Deniz...

- Efendim.

- Seni seviyorum. Çok özleyeceğim. Biliyorum, bana hâlâ kırgınsın. Ama...

- Bak Turgut. Ben kinci, kompleksli ya da kaprisli biri değilim. Yaza kadar ikimiz de düşünelim istersen.

- Yani bana bir şans daha mı veriyorsun?

- Anla artık aptal. Seni bu kadar kolay mı terk edeceğimi sanmıştın? Belki de temelli dönerim.

- Gerçekten mi? İnanamıyorum.

- Dediğim gibi. Zamanımız var. İkimiz de düşünüp, nerede yanlışlar yaptığımızı bulabilirsek her şeye yeniden ve çok daha sağlam bir temelle yeniden başlayabiliriz.

- Hatalıydım. Seni bırakmamalıydım.

- Ben de o kadar inatçı davranmamalıydım. Dönmek zorundaydın. Bense tüm planlarını erteleyip salt benimle ilgilenmeni istedim. Halbuki böylesine bencilliklerden uzak olduğumu düşünürdüm hep.

- Bekleyeceğim Deniz. Hem de büyük bir ümitle...

- Hoşçakal Turgut.

- Hoşçakal Deniz.

Genç kız, havaalanının ana giriş kapısına doğru yürüdü. Turgut, mahzunlaşmış, artık sevdiği kadını bir daha göremeyeceğine dair bir his kaplamıştı kalbini. Arabayı çalıştırıp, E-5 karayoluna doğru hareket etti. Amacı; sahil yoluna sapıp, deniz kenarında bir çay bahçesinde oturmak ve ağlamaktı. Hatta öncü göz yaşları yanaklarından süzülmeye başlamıştı bile. Cep telefonu çaldığında iyice öfkelendi. İki gündür hastanedeki görevine başlamıştı ve acil bir durum dolayısıyla aradıklarını düşünüyordu. Üstelik göreve gidecek halde değildi. Ama bir süre sonra gülümsemeye başladı. Çünkü arayan Deniz'di. Saniyeler geçtikçe gülümsemesi tüm suratına yayılan aydınlık bir sevince dönüştü. O nasıl Deniz'den vazgeçemiyorsa, sevdiği kadın da ondan vazgeçemiyordu ve bunu telefonda söyledikleriyle fazlasıyla ispatlamıştı. Şimdiden yazı iple çekmeye başlamıştı.

Metin ve Celal, bu olaydan sonra büyük ilgi odağı oldular. Ama yeni hayatlarından hiç hoşlanmamışlardı. Gazeteciler, kameralar, kahraman yerine konulmalar, röportaj talepleri canlarına okumuş, denizaltılarındaki maceralı olduğu kadar sessiz günlerini özlüyorlardı. Artık kum ocağında da çalışma hevesleri kalmamıştı. Son olarak, deniz müzesinin bahçesinde sergilenen U-27'yi ziyaret edip ortadan kayboldular. Bir daha da hiç ortaya çıkmadılar. Çanakkale'ye yerleşikleri, Bodrum'da pansiyonculuk yaptıkları, gemilerde tayfa çalıştıkları başta olmak üzere haklarında sayısız dedikodu çıkartıldı. Tek gerçekse; mutlu oldukları ve gözlerden uzak sakin bir yaşam sürdükleriydi. Çünkü sadece kendilerinin bildiği ve yüreklerinin götürdüğü yere gitmişler, her zaman özledikleri yaşamı kurmuşlardı.

Oregon'daki cenazelerin nakli ve onurların iade edilmesinden üç ay sonra Firdevs Hanım, ondan kısa bir süre sonra da Şefika Hanım hayata gözlerini yumdu. Ama gözleri açık gitmemişler, babalarının aklandığını görebilecek kadar dayanmışlardı.

Halife Benjamin'se İmralı'dan ve kurtulur kurtulmaz, Ayvalık yakınlarında bir köye yerleşti. Devlet ona küçük de bir maaş bağlamıştı. Zamanla unutulup gitti. O da kıçını kırıp, adam gibi yerine oturup, balıkçılık öğrendi. İnsan içine karışıp, teknesinde beslediği tekir kediyle günlük ekmeğini çıkartmak için denize açıldı. Zamanla insan içine karıştı, hatta arkadaşlar bile edindi. Üstelik sevildi de. Zira balıkçı arkadaşları onu rakı sofralarından hiç eksik etmediler. Kısa sürede Türk yemeklerinin özellikle de mezelerin hayranı oldu. Kafayı çalıştırıp, kalan ömrünün kıymetini bilip, kahkahaları bir biri ardına patlatarak kadehleri de birbiri ardına dikti.